Openbare Bibliotheek
Molenwijk 21
1035 EG Amsterdam
Tel. 020 – 631 42 12

Camille Noe Pagán

JULIA & IK

ISBN 978-90-225-6003-7
ISBN 978-94-602-3211-4 (e-boek)
NUR 302

Oorspronkelijke titel: *The Art of Forgetting* (Dutton)
Vertaling: Hanneke van Soest en Tjitske Zuiderbaan
Omslagontwerp: Johannes Wiebel | punchdesign, München
Omslagbeeld: Vanessa Munoz / Trevillion
Zetwerk: Text & Image, Gieten

Voor JP en Indira – voor al mijn mooiste herinneringen

Vergeving betekent het opgeven van alle hoop op een beter verleden.

– LILY TOMLIN

1

ER IS MAAR ÉÉN MANIER om je spijsvertering te stimuleren: bewegen! Dat besef ik tijdens het redigeren van een artikel over hoe cayennepeper, kaneelextract en enorme hoeveelheden koffie ervoor kúnnen zorgen dat je lichaam meer calorieën verbrandt (maar waarschijnlijk niet). Ik overweeg net hoe ik mijn baas beleefd kan uitleggen dat het verhaal bagger is en niet geschikt voor publicatie, als de telefoon gaat.

Zucht. Ik erger me groen en geel aan de telefoon. Maar aangezien ik me ook groen en geel erger aan het artikel, neem ik op.

'Spreek ik met Marissa Rogers, de wereldberoemde afslankspecialist?'

'Hallo, Juul,' zeg ik, opgelucht dat het mijn beste vriendin is en niet een of andere vertegenwoordiger die me het nieuwste vetverslindende wondermiddel wil aansmeren. 'Je gelooft nooit aan welke onzin ik nu weer werk.'

'Laat me raden. Aan een veganistisch recept voor kartonnen koekjes?'

'Je klinkt alsof je het nog zou lusten ook,' zeg ik lachend, omdat ik weet dat Julia altijd op zoek is naar manieren om haar superslanke figuur te behouden.

'Maar je bent warm. Raad nog eens.'

'Eh... honderdtweeënveertig manieren om de laatste vijf pond kwijt te raken?'

'Nog warmer, maar helaas,' zeg ik tegen haar. 'Opkikkers voor de spijsvertering.'

Julia briest verontwaardigd. 'Mijn god, alwééér?'

'Ik weet het. We hebben er dit jaar nog maar honderd keer een artikel over geplaatst', zeg ik, en dan zit ik er niet eens zo heel ver naast. Zoals zo veel gezondheidsbladen herhaalt *Curve* in wezen steeds dezelfde tien artikelen. In elk artikel wordt wat geknipt en geplakt zodat het niet al te veel op het vorige lijkt. Artikelen over het bevorderen van de spijsvertering komen in de buurt van onze vaakst herhaalde onderwerpen: het zijn er meer dan artikelen over de dikke darm (explosief maar effectief) maar minder dan die over de afslankgeheimen van beroemdheden (dieet en beweging, wat Hollywoodiaans is voor amfetamine en anorexia).

Rechtsonder op mijn computerscherm zie ik dat ik een e-mail gekregen heb. Zodra ik hem wegklik, verschijnt er een andere, en dan nog een. 'Juul, ik moet aan het werk, wil ik vanavond op tijd komen', zeg ik tegen Julia. 'Het gaat toch wel door, hè?'

'Natuurlijk', zegt ze. 'Daar belde ik voor. Ik heb er ontzettend veel zin in. Maar zou je ook om half zes kunnen? Ik loop een beetje achter.' Met haar liefste stemmetje vervolgt ze: 'Ik moet nog iets ophalen.'

'Geen cadeautjes!' zeg ik berispend. 'Vanavond trakteer ik jou. Tenslotte heb jij promotie gemaakt.' Ik herinner haar aan haar recente bevordering tot senior pr-medewerker bij het New York City Ballet.

'Het is geen cadeautje, dombo.'

'Julia.'

'Marissa', zegt ze op spottende toon. Ik kan haar bijna door de telefoon heen zien glimlachen. 'Ik zie je daar. Kom niet te laat.'

Twee uur en een half glas cabernet later zit ik in het restaurant bij het raam en probeer ik me niet te ergeren. Als ik op iemand anders had gewacht, was ik een kwartier eerder al weggegaan: ik kan slecht tegen laatkomers omdat ik ben opgevoed door een moeder die voortdurend op haar schema achterloopt. Maar nu kan ik alleen mezelf de schuld geven, want ik weet maar al te goed dat de kans dat Julia nog komt opdagen net zo groot is als dat er ijsberen in de Hudson zwemmen.

Ik neem nog een slok wijn en prik wat in het stuk kaas dat de ober me heeft gegeven om te proeven (niet beseffend dat een minuscule portie met negen gram vet niet eens in de búúrt van mijn mond zal komen). Achter het raam klinkt het geroezemoes van de straat. Ik houd van Gramercy, een wijk met laaghangende magnolia's en voorname maar vervallen huizen van bruinrode zandsteen. Het is nog een beetje licht buiten en zoals zo vaak in september is het nog warm genoeg om mensen in korte broek en op sandalen te zien rondslenteren. In de verte ontwaar ik een bekende brunette die met grote passen Irving Place af loopt en even voel ik een steek van afgunst, omdat ik nooit zoals Julia van top tot teen zal worden opgenomen door andere voetgangers. Niet dat zij een Victoria Secrets-type is, want in een stad vol modellen zou dat nauwelijks opvallen. Maar haar hartvormige gezicht en grote grijze ogen trekken de aandacht en haar zelfverzekerde houding nodigt uit tot staren. Als we samen uit zijn, vragen mensen vaak waar ze vandaan komt. En altijd geeft ze met een uitgestreken gezicht en in haar beste mid-westelijke accent een ander antwoord – Honduras. Oekraïne. Syrië – en ligt ze vervolgens dubbel van het lachen.

Als Julia komt, zie ik het enorme boeket witte pioenrozen in haar hand dat ongetwijfeld voor mij bestemd is. Het is geen pioenrozenseizoen en de bloemen moeten een fortuin hebben gekost, maar waarschijnlijk heeft ze niet eens naar de prijs gevraagd voordat ze haar creditcard aan de bloemist gaf. Ik vertelde haar ooit dat ik me schuldig voelde omdat ze altijd iets voor me meebracht. 'Ik uit mijn liefde door cadeaus te geven, jij doet dat door tijd en aandacht aan iemand te besteden,' had ze simpelweg gezegd, en dus maakte ik uiteindelijk geen bezwaar meer als ze weer eens met een tas vol koffie uit San Juan kwam aanzetten, of met een glazen beeldje dat ze op een rommelmarkt had gevonden of, zoals vandaag, met een bos bloemen. Julia loopt in recordtijd de straat door; ze weet ongetwijfeld dat ik op haar zit te wachten. Wanneer ze de hoek van de straat bereikt en me ziet zitten, begint ze te stralen. Ik hef mijn wijnglas naar haar. Ze zwaait, maakt een sprongetje en steekt dan de straat over.

Voordat ik mijn glas weer heb neergezet, wordt ze geschept door een taxi.

Het ongeluk gebeurt zo snel dat ik nauwelijks de flits van geel metaal registreer die Julia schept en haar via de motorkap op de stoep werpt.

Ik schreeuw niet. Eigenlijk doe ik helemaal niets totdat ik merk dat mijn broek nat is; ik heb er wijn overheen gemorst. Ik spring op, ren de deur uit en baan me een weg door het groepje omstanders dat zich rondom haar heeft verzameld. Iedereen praat door elkaar en ik vang angstaanjagende flarden van gesprekken op: 'Dat ziet er bloederig uit', 'Schedelbasisfractuur', 'Natasha Richardson', 'Dood'.

Ik verman me en bereid me voor op een gruwelijk tafereel, in een poging de schok te verdringen. Maar als ik bij Julia aankom, is ze niet alleen bij bewustzijn, ze probeert ook al overeind te komen. Haar haren hangen voor haar gezicht en er zit bloed op haar rechterknie die door een gat in haar kous steekt. Verder maakt ze geen verwardere indruk dan wanneer ze alleen maar zou zijn gestruikeld.

Ze kijkt naar me op en werpt een blik op de witte bloemblaadjes die om haar heen op de grond liggen. 'Je bloemen.'

'Julia, gaat het?' Mijn mond is droog en ik proef iets metaalachtigs op mijn tong. 'Maak je niet druk om die bloemen. Kom eerst maar eens gauw van de straat af.'

Een oudere vrouw met een zwaar New Yorks accent zwaait met haar vinger naar Julia. 'Jongedame, je bent op je hoofd gevallen, en niet zo'n klein beetje ook. Je kunt beter eerst naar het ziekenhuis gaan.'

'Ik heb het alarmnummer gebeld,' brengt de taxichauffeur te berde. Zijn oogleden zijn rood en ik besef dat hij heeft gehuild.

'Niet naar het ziekenhuis,' zegt Julia terwijl ze langzaam opstaat. 'Het gaat alweer.' Ze wijst krachteloos naar de taxichauffeur. 'Je had me wel dood kunnen rijden.'

Kennelijk zie ik er bezorgd uit, want Julia zegt: 'Het gaat echt alweer, hoor. Ik sta alleen een beetje wankel op mijn benen.'

'Natuurlijk. Ga maar even zitten.' Ik gris haar leren tasje van de straat. 'Ik noteer de gegevens van de chauffeur wel voor je.'

'Dank je,' zegt ze, en ze laat zich door een bankierstype die duidelijk onder de indruk is van haar verschijning naar een bankje voor het restaurant begeleiden.

'Die vrouw had gelijk, Juul. Je moet jezelf laten nakijken in het ziekenhuis,' roep ik naar haar terwijl ik met hevig bevende handen in mijn tas naar pen en papier zoek. Ik kan niet ophouden met trillen, zo geschrokken ben ik dat mijn beste vriendin zojuist bijna is doodgereden. 'Je wilt er morgen op dansles niet achter komen dat je iets hebt gebroken.'

De menigte dunt snel uit en ik wacht op het trottoir terwijl de chauffeur zijn identiteitskaart en vergunning pakt. Nadat ik de gegevens die ik heb neergekrabbeld drie keer heb gecheckt, loop ik terug naar het restaurant.

Ik zie onmiddellijk dat er iets mis is. Julia hangt voorover op de bank, met haar handen tegen haar oren gedrukt. 'Ik heb hoofdpijn,' zegt ze. Ze wiebelt een beetje als ze naar me probeert op te kijken, en ik zie dat er een klein straaltje bloed onder haar rechterneusgat loopt. Ze kermt. 'Ik geloof dat ik moet overgeven.'

Ongewild deins ik terug; ik kan slecht tegen de geur en aanblik van braaksel. Maar in plaats van over te geven, zakt Julia in elkaar voordat de bankier haar kan vastgrijpen.

'Komt er een ambulance?' kan ze nog net uitbrengen. Dan raakt ze buiten westen.

2

OP MIJN VEERTIENDE kreeg ik mijn moeder zover dat ik naar de middelbare school voor uitmuntende leerlingen in Ann Arbor mocht. De middenschool waar ik op had gezeten was een ramp geweest en ik wilde graag een nieuwe start maken. Ik was uitgekeken op de paar losse vrienden die ik had, en dat gold eens te meer voor de pestkoppen die me constant lastigvielen. Bovendien had ik gehoord dat de middelbare school in onze woonplaats Ypsilanti tot de slechtste van de staat behoorde. Toen ik dat aan mijn moeder vertelde, pakte ze meteen de pen uit mijn hand om het inschrijfformulier, dat ik al had ingevuld, te ondertekenen.

Maar zodra de dubbele klapdeuren van Kennedy High achter me dichtvielen, had ik spijt van mijn keuze. De leerlingen in de hal leken zo weggelopen uit *Beverly Hills, 90210*. De meiden waren verleidelijk opgemaakt en droegen kanten blouses en stretchbroeken; kleding die als ik me die al kon veroorloven, me niet zouden staan, want ik ben klein en niet echt slank. En anders dan de jongens bij mij in de buurt, die dachten dat bonte T-shirts en spijkerbroeken met het kruis tot op de knieën hip waren, wemelde het op Kennedy High van de footballtypes in pastelkleurige polotruien en spijkerbroeken die zowaar pasten. Allesbehalve mijn types.

Dat gevoel werd alleen nog maar versterkt toen ik in de kantine door iedereen werd genegeerd. Ik probeerde een paar keer een glimlach en een opgewekt 'hoi!', maar zelfs een sneue brugklasser die naast me stond met een te strakke broek en een afro-kapsel, staarde alleen maar terug.

Tegen lunchtijd wist ik zeker dat ik de verkeerde school had uitgekozen. Ik probeerde een uitnodigend gezicht op te zetten toen ik mijn blauwe dienblad pakte en met de rij voor het lunch-buffet mee schuifelde, maar toen ik de volle kantine in liep en besefte dat ik in mijn eentje moest eten, moest ik vechten tegen mijn tranen.

Totdat ik iemand hoorde roepen: 'Kom maar bij ons zitten!'

Het was Julia, die me naar haar tafel wenkte. Ik was zo ver-baasd dat ik over mijn schouder keek om te zien of ze het mis-schien tegen iemand anders had. 'Nee, grapjas, ik bedoel jou,' zei ze lachend, en ze gebaarde me naast haar te komen zitten. 'Marissa, zo heet je toch? Ik zag je in de biologieles.' Ik keek haar uitdrukkingsloos aan. Julia was me wel opgevallen te mid-den van haar hofhouding van perfect gekapte Jennifers en Jills, maar ik kon me niet voorstellen dat ze mijn kant op had geke-ken.

Ze vervolgde: 'Ik zei net tegen Jen hier,' – de blondine naast haar, nam ik aan – 'dat je zulk fantastisch haar hebt! Wat doe je ermee?'

Ik glimlachte verlegen maar voelde me gevleid. Ik wist al op de basisschool dat ik er behoorlijk doorsnee uitzie. Het enige opvallende aan mij is mijn haar: dik, golvend en kastanjerood-bruin. Mijn haar is het mooiste aan mij en ik ben er best trots op.

'O. Nou, dank je,' zei ik tegen haar. 'Ik gebruik niks speciaals. Alleen Aussi-shampoo en een beetje Aqua Net-haarlak. Meer niet.'

'Het ziet er geweldig uit. Ik ben jaloers!' zei ze. Dat Julia, die op haar veertiende al erg knap was, jaloers op míj zou zijn, was natuurlijk te gek voor woorden, maar dat hield ik wijselijk voor me. Ze sloeg een arm om me heen. 'Kom bij ons zitten, dan stel ik je aan iedereen voor. Ik weet zeker dat ze je allemaal leuk vinden.'

Zoals ik al vermoedde, vonden de Jennifers me helemaal niet leuk. Maar Julia tot mijn verbazing wel. 'Je bent echt grappig,' grinnikte ze na een paar kwinkslagen van mijn kant. Ze wierp Jen S., die bekendstond als 'de komiek', een veelbetekenende blik toe omdat die als reactie op het compliment haar ogen ten hemel sloeg. Ook kwam ik er al snel achter dat de mooie, charismatische Julia, die het heerlijk vond te worden omringd door bewonderaars, net datgene miste waarnaar ze verlangde: een vertrouweling. Ze bekende me dat het haar stoorde dat haar vriendinnen alleen maar belangstelling hadden voor mode en footballspelers. 'Maar wij, Marissa,' zei ze samenzweerderig tegen me, 'wíj kunnen overal over praten.' En dat deden we. Tot diep in de nacht vroegen we ons af of Emily Dickinson gelukkig was in haar eentje, of de ijsdrankjes van de 7-Eleven-winkel de calorieën waard waren en, meestal, hoeveel leuker ons leven eruit zou zien als we eindelijk volwassen waren en Michigan konden ontvluchten om van het leven te gaan genieten. We fantaseerden vooral over New York, waar Julia stormenderhand de balletwereld zou veroveren en ik de jongste hoofdredacteur ter wereld van een tijdschrift zou worden.

Binnen de kortste keren waren we onafscheidelijk. Als Julia's beste vriendin leek het of ik naar een leuke, wilde en uiterst geprivilegieerde wereld was getransporteerd, waarin ik het eerste half jaar alles uit de kast moest halen om haar te kunnen bijbenen. 'Heb je nog nooit van Pearl Jam gehoord?!' gilde Julia toen ze het zoveelste hiaat in mijn kennis ontdekte. Maar dat gaf niet: de twee daaropvolgende dagen leerde ze me wat grunge was. Toen ik bekende dat ik zo goed als niks over de mannelijke anatomie wist, praatte ze me bij over alles wat tijdens de seksuele voorlichting op school was weggelaten. En hoewel ze nooit iets zei over mijn meelijwekkende garderobe, gingen we regelmatig op zaterdag winkelen en leerde ze me leuke kleding te scoren bij tweedehands winkeltjes en me zo te kleden dat mijn stevige heupen een pluspunt werden.

Julia was een tornado die alles op haar pad meesleurde, mij incluis. Ze gaf me het gevoel dat ik uit een jarenlange winterslaap werd gewekt. Ik begreep niet dat ik niet eerder had beseft hoe saai mijn leven voor die tijd was geweest. Niettemin leefden we in zulke verschillende werelden dat ik het gevoel hield dat ze vooral met me omging omdat ze me zielig vond.

Maar naarmate de maanden verstreken begon ik in te zien dat er onder Julia's perfecte buitenkant een beschadigde, onvolmaakte kern verborgen ging. Als enig kind van rijke ouders was ze gewend haar zin te krijgen en had ze er, anders dan ik, geen moeite mee een scène te schoppen als anderen niet aan haar wensen voldeden. Hoewel ik niemand kende met meer zelfvertrouwen dan zij, was ze ook heel bezitterig. 'Heather en jij zien elkaar wel erg vaak de laatste tijd, hè?' mopperde ze een keer over het meisje met wie ik mijn biologiewerkstukken moest maken. Om Julia niet tegen de haren in te strijken, had ik mijn biologieleraar gevraagd of ik mocht samenwerken met iemand die 'wat minder kletste', waar de arme Heather verbijsterd op had gereageerd. Maar meestal was ik degene die Julia kalmeerde en troostte, om haar scherpe kantjes voor de buitenwereld verborgen te houden.

Dat jaar belde ze me op een avond laat huilend op. 'Mar, kun je hierheen komen? Ik weet niet meer wat ik moet doen.' Ik schrok zo dat ik het huis uit sloop, op de bus stapte en de kilometer vanaf de bushalte naar het huis van de Ferrars liep, waar ik mezelf stilletjes binnenliet.

Omdat Julia niet op haar kamer was, liep ik door naar de bibliotheek die haar ouders hadden omgebouwd tot dansstudio. Daar trof ik haar aan in een T-shirt, maillot en spitzen. De tranen liepen over haar wangen.

'Hé, wat is er?' vroeg ik. Mijn hart klopte in mijn keel. Zo had ik haar nog nooit meegemaakt.

'Mijn ouders,' zei ze terwijl ze haar wangen met haar handen afveegde. 'Ze begrijpen me niet. Soms denk ik dat ze een hekel aan me hebben.'

Ik sloeg troostend een arm om haar iele schouders. 'Je ouders zijn dol op je. Je moest eens weten hoeveel geluk je hebt.'

'Niet waar!' huilde ze. 'Ze zijn blind. Mijn vader wil niet dat ik naar Juilliard ga maar naar Harvard. Maar ik wil helemaal niet naar Harvard. Welke danser wil er nu naar Hárvard? Zijn advocatenhersens zijn zo geobsedeerd door logica dat hij mijn roeping niet begrijpt.' Ze begon weer te huilen.

Ik zei het niet hardop maar begreep niet waarom Julia zo negatief deed over haar ouders. Mijn moeder – die er alleen voor kwam te staan toen mijn zus Sarah en ik nog maar op de basisschool zaten – maakte lange dagen op haar werk, en haar idee van opvoeden was ons constant te wijzen op wat we fout deden. 'Marissa, die jurk staat je echt niet,' zei ze dan bij wijze van groet wanneer ik 's ochtends de badkamer in kwam. Soms probeerde ik haar aandacht te trekken door haar uit te dagen. Dan zei ik bijvoorbeeld dat ik pas om twee uur thuis zou zijn van het feest waar ik naartoe ging en dat er bier werd gedronken. Maar dan keek ze me slechts over de rand van haar roman aan en mompelde: 'Je bent een slimme meid. Gebruik je verstand en doe niks met jongens die je aan je vader doen denken.' Wat de keuze voor een universiteit betrof, was ze al net zo duidelijk: als ik verder wilde leren, stond ik er alleen voor, dus studeren aan een topuniversiteit kon ik wel vergeten.

Julia's ouders wekten echter de indruk dat alles mogelijk was – voor ons allebei. 'Wedden dat jij de volgende Katherine Graham wordt?' kon Grace vol enthousiasme tegen me zeggen als ik na school mijn aantekeningen Engels doornam. En anders dan mijn moeder, die me zo slecht kende dat ze telkens weer geschokt reageerde als ik zei dat ik niet van mayonaise hield, wist Grace dat ik van wis- en natuurkunde hield hoewel ik er niet goed in was en dat ik dol was op hazelnootchocolade. Ze wist zelfs dat ik verliefd was op Adam Jonson, een oudere jongen bij ons op school van wie ik vermoedde dat hij een oogje op Julia had. Ik vond het nu juist zo bijzonder dat Grace en Jim hun dochter léúk schenen te vinden, en mij ook. Grace kon urenlang met ons kletsen als we haar de kans gaven. Jim deed zich altijd strenger voor dan hij was. 'Eerst huiswerk maken, dan dansen,' zei hij tegen Julia. Maar als hij haar een standje gaf, deed hij dat met een glimlach, waardoor je de indruk kreeg dat hij het allemaal niet echt meende. Ik was zo dol op de Ferrars, dat wanneer ik bij Julia logeerde, ik 's ochtends deed alsof ik thuis was en naar de enorme keuken liep om koffie voor mezelf in te schenken.

'Juul, je hebt nog drie jaar om hem op andere gedachten te brengen,' troostte ik haar. 'En het maakt helemaal niet uit naar welke school jij gaat. Je wordt toch wel beroemd.'

'Denk je?' zei ze na een korte stilte.

'Ja, dat weet je zelf ook wel,' zei ik terwijl ik voorzichtig haar haren uit haar gezicht streek. 'Daar is iedereen inmiddels van overtuigd.'

'O, Marissa, als ik jou toch niet had. Jij weet me altijd uit de put te halen als ik me rot voel.'

'Daar zijn we toch vriendinnen voor?' suste ik haar. 'Jij zou hetzelfde voor mij doen. Kom, laten we ons geen zorgen meer maken over je ouders en doen alsof je nu al de beste danser ter wereld bent. Doe me die *Giselle*-scène die je hebt geoefend maar eens voor.'

'Oké,' stemde ze met een flauwe glimlach toe, en ze bond haar spitzen vast. 'Ik begin in de hoek.'

Die avond zag ik in dat ze niet met me omging omdat ze me zielig vond. Julia had mij even hard nodig als ik haar.

3

HET MENSELIJK BREIN BEVAT vele tientallen miljarden neuronen: microscopisch kleine zenuwcellen die in een luttele seconde miljoenen signalen ontvangen en uitzenden, als werkbijen in een bijenkolonie. Door hun communicatie kunnen wij bewegen, zien, denken, ademen, leven. Maar wanneer het brein met geweld door elkaar wordt geschud, rekt het fragiele neurale weefsel uit, waardoor het kwetsbaar en inefficiënt wordt. Als die opschudding groot genoeg is – en dat was het in Julia's geval, begrijp ik nu – sterven de beschadigde neuronen af, en daarmee de herinneringen, vaardigheden en ontelbare andere functies, hetgeen misschien pas weken of zelfs maanden later duidelijk wordt. Daarom is het ondanks het feit dat Julia leeft, niet duidelijk of het goed met haar gaat.

Dave en ik worden in de wachtkamer begroet door een verdacht vrolijke lookalike van Doogie Howser, de tienerdokter uit de gelijknamige serie, die zichzelf voorstelt als Julia's neuroloog. Doogie vertelt ons dat Julia bij bewustzijn is en dat we haar zo meteen kunnen zien.

'Gelukkig is haar schedel niet gebroken en is er op de CT-scan geen grote zwelling te zien. Dan zou het veel erger zijn dan het nu is,' zegt Doogie meelevend. 'Zwellingen kunnen druk op de hersenen veroorzaken en daarmee de zuurstoftoevoer afsluiten waardoor er ernstige schade kan ontstaan. Dan hebben we het over beschadiging die leidt tot een aanhoudende vegetatieve staat.' Ik moet er geschokt uitzien, want hij buigt zich naar me toe en zegt: 'Ik bedoel dat je vriendin ontzettend veel geluk heeft gehad. Veel mensen overleven dit soort ongelukken niet.'

'Dank u, dokter. Het is duidelijk zo,' zegt Dave kortaf, om aan te geven dat hij niet hoeft uit te weiden over mogelijke rampscenario's. Hij staat er ontspannen bij met zijn handen in zijn zakken, alsof we op een tafeltje in een restaurant staan te wachten. Ik heb het altijd goedkoop gevonden wanneer mensen hun wederhelft hun 'rots in de branding' noemen, maar in de loop van de drie jaar dat we met elkaar omgaan, ben ik Dave toch zo gaan zien (niet dat ik dat ooit hardop zou zeggen). Hij is de meest stabiele, beheerste persoon die ik ooit heb ontmoet, en dat zeg ik als iemand die in functioneringsverslagen zelf altijd wordt omschreven als 'uitermate betrouwbaar'. Hij is waarschijnlijk de reden dat ik nog niet ben ingestort.

Doogie, die dokter Bauer blijkt te heten, vertelt ons dat Julia's hersenen tekenen van kneuzing en zwelling vertonen. 'Toen ze met haar hoofd het asfalt raakte, bleven haar hersenen achter bij de snelheid waarmee haar schedel bewoog,' legt hij uit. 'Daardoor schuurden ze langs de harde binnenkant en ontstond er een hersenkneuzing.' Als Dave me ziet huiveren, legt hij zijn hand stevig op mijn rug, alsof hij me wil wapenen tegen de impact van de woorden van de arts.

'Het is niet ernstig,' erkent dokter Bauer. 'Maar op een CT-scan is moeilijk te zien hoeveel neuraal weefsel er precies is aangetast.'

Hij wrijft over zijn voorhoofd en ziet er plotseling meer uit als een vermoeide medicus dan een kakkineuze arts in opleiding. 'Ik weet niet hoe je vriendin vóór het ongeluk was, maar traumatisch hersenletsel kan op verschillende manieren uitpakken. Ze kan morgen oké lijken en dan over een week ineens tekenen van ernstig geheugenverlies vertonen. Maar voor hetzelfde geld is ze volgende week een wrak en heeft ze maanden, zo niet jaren nodig om te herstellen. Het is een kwestie van afwachten.'

Ik vraag me af hoeveel keer per jaar hij een dergelijk verhaal moet houden en besef dat zijn prestigieuze positie noch zijn enorme salaris hem kunnen behoeden voor dit soort slechtnieuwsgesprekken. Of zoals mijn moeder altijd zegt wanneer mensen onder de indruk zijn van mijn redacteursfunctie bij een glossy: 'In elke baan moet stront geruimd worden.'

'Wanneer komt Julia's familie?' vraagt dokter Bauer.

'Haar ouders zitten in het vliegtuig op weg hiernaartoe.'

'Dat is mooi,' zegt hij. 'Echtgenoot? Vriend?'

Ik schud mijn hoofd. Het staat me bij dat Julia's ex ergens in Frankrijk de choreografie van een moderne dansproductie doet. Ze hebben elkaar in elk geval al een jaar niet meer gesproken.

'Het is goed dat jullie hier zijn. Julia heeft veel steun nodig tijdens haar herstel,' zegt dokter Bauer. 'Ik moet jullie echt op het hart drukken dat ze misschien niet meer dezelfde persoon is als twee dagen geleden. Ze kan dingen vergeten zijn, dingen die jullie samen hebben meegemaakt, maar ook mensen, en zelfs eenvoudige woorden. Het is te vroeg om te zeggen, maar ze kan ook beperkt zijn in haar mobiliteit en haar persoonlijkheid kan veranderd zijn. Vergeet niet dat je aan het begin van een lange weg staat.'

Ik weet niet zeker of dit een goed of slecht teken is.

Ik durf het niet te vragen.

Wanneer Julia naar me vraagt, denk ik meteen aan dokter Bauers waarschuwing: ze is misschien niet meer dezelfde persoon als twee dagen geleden.

'Hoi,' zegt ze met een flauwe glimlach als ik haar kamer binnenkom. Ze lijkt me te herkennen. 'Is dit het ziekenhuis?' vraagt ze terwijl ze om zich heen kijkt.

Haar zin is compleet; haar woorden hebben meer samenhang dan ik verwachtte. Maar toch klinkt het niet zoals het zou moeten klinken. Julia's stem is niet de volle hese stem van de vriendin met wie ik ben opgegroeid. In plaats daarvan heeft ze een lichte hoge stem, als van een middelbare scholiere die praat tegen de jongen op wie ze een oogje heeft.

Dave kijkt me van opzij aan. Hij is net zo geschokt als ik.

'Ja, schat. Je bent hier sinds gisteren. Herinner je je dat je door een taxi bent geschept?' vraag ik terwijl ik naar het ziekenhuisbed toe loop. In plaats van haar te omhelzen, pak ik haar hand en knijp ik erin, bang om te dicht bij haar hoofd te komen, ook al zit er geen verband omheen.

Julia kijkt me niet-begrijpend aan en ik besluit dat het nu niet het juiste moment is om haar over de gebeurtenissen van de dag ervoor te ondervragen.

'Ik ben zo blij om je te zien,' zeg ik tegen haar. 'Je weet niet half hoe je me hebt laten schrikken.'

'Sorry,' zegt ze, bijna speels en tegelijk verontschuldigend, als een kind dat een standje heeft gehad. Dan kijkt ze wantrouwend in het rond. 'Wie ben jij? Waar is mijn moeder?'

'Je moeder komt morgen,' antwoord ik, en ik probeer de paniek die in me oplaait te verbergen. 'Ik ben Marissa, herken je mij niet?'

'Mama,' zegt ze zuchtend, met een iets lagere stem. Het is niet duidelijk of ze dit zegt om zichzelf gerust te stellen of dat ze mij verwart met haar moeder. 'Ik ben moe. Ik wil slapen, maar die rare vrouwen maken me steeds wakker om te controleren of ik me wel goed voel.' Met die rare vrouwen moet ze wel de verpleegkundigen bedoelen. Het klinkt kinderlijk en lijzig en niet als iets wat mijn scherpzinnige vriendin normaliter zou zeggen.

Ze draait zich weer naar me toe en glimlacht flauwtjes. 'De dokter zegt dat ik geluk heb gehad.'

'Ik denk dat wij de gelukkigen zijn,' zeg ik terwijl ik met mijn ogen knipper om mijn tranen te bedwingen. Toen ik vannacht door de strakblauwe wachtkamer ijsbeerde, zag ik het steeds somberder in. Ik stelde me voor dat een arts me vertelde dat Julia was overleden. Ik vroeg me af hoe haar begrafenis zou zijn, wie er zouden zijn, en zelfs welke bloemen ze liever had voor de dienst, lelies of orchideeën. Ik zag op tegen de telefoontjes naar haar vrienden om te vertellen dat ze dood was en probeerde me voor te stellen hoe het leven zonder mijn beste vriendin eruit zou zien.

Ik knijp weer in Julia's hand, om mezelf ervan te overtuigen dat ze daar echt voor me zit. Levend.

Als mijn vingers zich om haar handpalm sluiten, rukt ze haar hand weg waarbij ze bijna het infuus uit haar arm trekt. Haar ogen glijden van mij naar de deur en even verwacht ik dat ze ervandoor wil gaan.

'Wat is er, Juul?' vraag ik.

'Niks,' snauwt ze. 'Niks, Jenny. Maak je om mij maar geen zorgen.'

'Jenny?' vraag ik. 'Juul, ik ben het. Marissa.'

'O, ik weet heus wel wie jij bent,' zegt ze uit de hoogte. Ze doet me aan mijn grootvader denken, die de ziekte van Alzheimer had. De vergelijking bezorgt me koude rillingen. 'Laat me nu alsjeblieft alleen. Hoor je me, Jenny? LAAT ME ALSJEBLIEFT ALLEEN!' schreeuwt ze, en ik deins in een reflex achteruit.

Julia, die niets heeft gemerkt van mijn schrikreactie, gaapt me aan. Ze is plotseling weer rustig en neemt me met lodderige ogen op. 'Ik ben doodmoe. Vinden Nathan en jij het niet erg als ik even ga liggen?'

'Natuurlijk niet,' zeg ik. Maar mijn maag krimpt samen bij de naam van mijn ex-vriend van de universiteit, die totaal niet op Dave lijkt. Ik kijk naar mijn vriend, die verbaasd naar Julia staart, maar die niet half zo ontdaan is als ik dat ze hem niet herkent.

Julia valt meteen in slaap, maar Dave en ik blijven nog een uur bij haar. Om de paar minuten kijk ik naar haar borst om te zien of ze nog ademt, zoals ik dat ook deed bij mijn nichtje toen ze nog een baby was. Na een tijdje komt er een verpleegkundige om de hoek kijken. 'We gaan zo nog wat onderzoekjes doen,' zegt ze suggestief. Ze merkt mijn ongerustheid op en glimlacht vriendelijk. 'Maak je geen zorgen. Ik werk al jaren op Neurologie en met de meeste patiënten gaat het iedere dag een beetje beter. Wacht maar af.'

De volgende ochtend verslaap ik me. Ik heb wel drie keer de wekker uitgezet en ik kom in het ziekenhuis aan als het bezoekuur allang is begonnen. Julia's ouders zitten op plastic stoelen tegen de muur in haar kamer. Ze staan op om me te begroeten en forceren een glimlach.

'Waar is Julia?' vraag ik bij het zien van de gekreukelde lakens op haar lege bed.

'Meer onderzoeken,' zegt Grace en ze barst in huilen uit. 'Sorry,' zegt ze. Ze knijpt in haar neus om het huilen te stoppen. 'Ik heb me de hele ochtend grootgehouden. Het wordt me even te veel.'

'Grace, ik ben het maar. Je hoeft je niet te verontschuldigen,' zeg ik tegen haar en ik geef haar een papieren zakdoekje. 'Ik had het gisteren ook. Als Dave er niet bij was geweest...'

'Nou, als jij er niet bij was geweest,' zegt Jim, 'weet ik niet wat we dan hadden gedaan. We stonden doodsangsten uit in het vliegtuig, maar we wisten ten minste dat jij je over ons kind ontfermde.'

'Je weet dat ze hetzelfde voor mij zou doen.'

'Dat mag ik hopen,' zegt hij ernstig.

Grace en Jim praten me bij over wat ze vanochtend met de specialisten hebben besproken. Als er niets ingrijpend verandert, hoeft Julia niet langer dan een week in het ziekenhuis te blijven. Dit verbaast me. 'Ze kunnen hier niet zo veel doen, behalve haar observeren en medicijnen geven om de zwelling in haar hersenen terug te dringen,' vertelt Grace me. 'Dokter Bauer zegt dat ze veel therapie nodig zal hebben, maar dat ze haar poliklinisch gaan behandelen.'

'Maar gisteren leek ze nog zo'n...' Ik wil wrak zeggen, maar dat lijkt me ongepast. Voordat ik mijn zin kan afmaken, duwt een verpleegkundige Julia in een rolstoel de kamer in. Tot mijn genoegen straalt haar gezicht als ze mij ziet. 'Hallo,' zegt ze met dezelfde schrille stem.

'Hé, Juul,' zeg ik. 'Weet je nog wie ik ben?' vraag ik. Ik heb onmiddellijk spijt van die vraag.

'Natuurlijk weet ik wie je bent. Waarom zou ik dat weten?'

'Je bedoelt "waarom zou ik dat niet weten".' zegt Grace zacht.

'Dat zei ik, sukkel,' zegt Julia, in een vlaag van dezelfde woede als gisteren. Deze keer verbetert Grace haar niet.

'Juul, hoe gaat het vandaag met je?' vraag ik vriendelijk zonder aan te dringen op mijn naam. 'Heb je pijn? Heb je last van je hoofd?'

De vraag zet haar ertoe aan om de zijkant van haar schedel aan te raken. Grace pakt haar arm om haar tegen te houden. 'Het is al g... goed,' zegt Julia langzaam en ze duwt haar moeders hand weg. Dan draait ze zich naar mij toe. 'Ik heb...' Ze zoekt naar woorden. Ik zeg niets, want ik wil haar niet ergeren door haar zin af te maken. We zitten in een ongemakkelijke stilte bij elkaar als Julia haar wenkbrauw optrekt. Na wat een eeuwigheid lijkt, laat ze zich zakken op de half opgerichte matras en sluit haar ogen. 'Hoofdpijn,' zegt ze uiteindelijk. 'Ik heb enorme hoofdpijn. Vandaar dat ze me die pillen hebben gegeven.' Ze opent één oog en begint te zingen. *'One pill makes you larger... and one pill makes you small...'*

Jim en Grace staren haar met open mond aan. Ik beschouw dit als een goed teken. Als Julia zich de tekst herinnert van een Jefferson Airplane-hit van voor haar geboorte, dan is er nog hoop.

De volgende dag voel ik me minder naïef optimistisch en meer fatalistisch. Ik krijg mijn beste vriendin nooit meer terug; dat weet ik gewoon.

'Ik haat alles,' snauwt Julia als ze me ziet. 'Jou ook. Jou vooral!' Ik kijk haar ongelovig aan en weet niet wat ik moet zeggen. Ze heeft me nog niet eens herkend, of ze weet al dat ze een hekel aan me heeft. 'En daar zit nog zo'n stelletje hufters.' Ze wijst naar haar ouders. Julia had altijd een hekel aan vloeken en met haar kopstem klinkt het zelfs een beetje lachwekkend. Toch ben ik doodsbang voor haar.

'Eh, waarom, Juul?' vraag ik. Ik kijk smekend naar Jim en Grace, omdat ik geen idee heb hoe ik moet reageren, maar ze schieten me niet te hulp.

'Omdat jullie allemaal gek zijn!' schreeuwt ze agressief. Dan betrekt haar gezicht en begint ze te jammeren. 'Ik voel me verschrikkelijk. Ik wou dat ik dood was,' zegt ze. Ze trekt aan haar lakens. 'Je had me moeten laten liggen. Waarom heb je me niet laten liggen, Jenny?'

Jenny. Drie dagen in het ziekenhuis en ze noemt me nog steeds Jenny. Ik wil haar bij haar schouders pakken en schreeuwen: 'Zie je dan niet dat ik het ben? Marissa! Ik ben al zestien jaar je beste vriendin!' Maar in plaats daarvan glimlach ik flauwtjes.

'Nou, nou,' zegt dezelfde verpleegkundige als de dag ervoor. Ze komt kordaat binnen en gaat op de rand van Julia's bed zitten.

'Je voelt je alleen maar slecht vanwege je hersenletsel. Je meent het helemaal niet,' zegt ze. Als ze Julia op de arm klopt, stopt ze met huilen.

Waarom kon ík haar niet kalmeren? denk ik geërgerd. Dat doe ik anders toch ook altijd? Maar nu het er echt op aankomt, sta ik erbij alsof ik degene ben die met haar hoofd op het asfalt is gesmakt.

Zodra duidelijk is dat Julia niet weer in woede zal uitbarsten, bekijkt de verpleegkundige haar status en snelt ze weg. Even later komt ze terug en voegt een heldere vloeistof toe aan Julia's infuus. 'Hier ga je je beter van voelen,' zegt ze op kalmerende toon. Wanneer het medicijn begint te werken, ontspant Julia's gezicht en valt ze binnen een tel in slaap.

Tegen de tijd dat Dave die avond in het ziekenhuis aankomt, is Julia wakker. Tot mijn opluchting lijkt ze niet langer vastbesloten me de haren uit mijn hoofd te willen trekken. Ze straalt zelfs bijna wanneer Dave een stapel tijdschriften op haar schoot legt. 'Dank je, Don,' piept ze. Ik haal opgelucht adem; Don is een grote verbetering ten opzichte van Nathan.

Rond zeven uur kondigt Grace aan dat Julia rust nodig heeft. Uitgeput van de emotionele achtbaan waarin ik me al de hele dag bevind, stem ik toe en leg ik aan Julia uit dat ik morgen na mijn werk weer langskom.

'Oké,' antwoordt ze nonchalant, alsof ik haar net heb verteld dat het toetje van vanavond met limoensmaak is. Ik herinner mezelf eraan dat ze het niet persoonlijk bedoelt.

Grace loopt ons achterna de gang in. 'Ik weet dat het niet makkelijk is en ik waardeer alles wat je hebt gedaan,' zegt ze, en ze omhelst me. 'Jim heeft gelijk. Ik zou gek zijn geworden als ik niet had geweten dat jij hier was.' Ze zucht en ziet er in het harde ziekenhuislicht nog ouder uit dan de dag ervoor. 'Je hebt mijn mobiele nummer. We zitten voorlopig in Julia's appartement. Ik verwacht niet dat we er veel zullen zijn de komende dagen, maar we zullen toch een keer haar spullen moeten inpakken, zodat ze mee terug kan naar Ann Arbor.'

'Wat?' zeg ik verbijsterd. Ik heb de afgelopen dagen veel nagedacht over hoe het verder moet, maar er niet bij stilgestaan dat Julia New York zou verlaten. Ze heeft hier haar hele vriendenkring, en niet te vergeten haar werk. Ze mag dan niet zijn doorgebroken als danseres, ze geniet van haar functie als publiciteitsagent voor het New York Ballet en leeft voor haar amateurdansgroep. En ook al is Ann Arbor haar geboorteplaats, het ligt mijlenver van haar passie, en ik kan me niet voorstellen dat dit bevorderlijk is voor haar herstel.

Grace merkt mijn bezorgdheid op en zegt: 'Lieverd, de dokter zegt dat sommige mensen met traumatisch hersenletsel nooit meer een normaal leven kunnen leiden.' Het valt me op dat ze klinkt alsof ze het zelf nauwelijks kan geloven. 'Natuurlijk hopen we dat Julia weer beter wordt. Ze is een vechter en dat stemt me optimistisch, misschien meer dan goed voor me is. Maar je hebt haar gezien. Ze moet zeker een jaar revalideren en de eerste twee maanden zelfs onder voortdurend toezicht. Jim en ik kunnen niet zomaar uit Michigan weggaan.'

'Maar...' Logisch. Ik weet dat ze hulp nodig heeft. Veel hulp. Hulp die ik haar niet kan bieden. Maar de gedachte dat mijn beste vriendin zo ver weg gaat wonen, kan ik niet verdragen, niet nadat ik haar bijna was kwijtgeraakt.

Dave komt tussenbeide. 'Marissa, laten we dit gesprek morgen voortzetten. Het is een lange dag geweest.'

Ik knik, hoewel ik liever deed wat Julia eerder deed: ik wil schreeuwen en Grace vertellen dat ik haar haat, ook al weet ik dat ze dat niet verdient. Daarbij voel ik me rot en heb ik er de puf niet voor om een scène te schoppen, dus neem ik afscheid en vertrek.

In mijn appartement bestellen Dave en ik Chinees, dat we zwijgend voor de tv opeten. Als we in bed liggen slaat hij zijn armen stevig om me heen en drukt hij zijn gezicht in het kuiltje van mijn hals. 'Ik hou van je,' fluistert hij. 'Het komt goed.'

Ik antwoord niet. Het enige wat ik denk is: ik ben helemaal alleen.

4

IK ZOU EIGENLIJK MOETEN WERKEN – de definitieve kopij moet eind deze week worden ingeleverd – maar in plaats daarvan surf ik op Wikipedia naar traumatisch hersenletsel.

'Een subdurale hematoom is gelegen tussen de dura en het hersenvlies...'

Fout! Ik klik rechts op de pagina op 'bewerken'.

'... ontstaat in de dura, en niet eronder, zoals de naam suggereert,' typ ik, en ik voeg een link toe naar het National Institute of Health, waar ik de informatie vandaan heb.

In een uur heb ik drie fouten gecorrigeerd. Na bijna elke verbetering voel ik me iets minder gespannen.

'Marissa?'

Ik schrik van de stem van mijn baas en schiet overeind in mijn Aeron-stoel.

'Hoi, Naomi,' zeg ik. Ik klik zo nonchalant mogelijk de Wikipedia-site weg en draai me naar haar toe.

'Mag ik?' vraagt ze. Naomi gebaart naar een kruk naast mijn bureau, maar ze zit al voordat ik de kans krijg te reageren. Shit. Ze komt kennelijk niet zomaar even binnenwippen om te kletsen over de laatste aflevering van *Lost*.

'Ik ben benieuwd hoe het met je gaat,' zegt ze.

'Prima.' Ik kijk haar recht aan, alsof ik wil zeggen: zie je wel? Niks aan de hand.

'Weet je het zeker?' vraagt ze. Kraaienpootjes vormen zich naast haar bruine ogen, wat haar vriendelijke en moederlijke karakter benadrukt. 'Je weet toch dat het geen probleem is als het niet goed met je gaat? Je kunt eerlijk tegen me zijn.'

Shit. Ik had kunnen weten dat Naomi, die elke mogelijke vorm van vrijwilligerswerk heeft gedaan en de vleesgeworden empathie is, me meteen zou doorzien. Ik voel me namelijk allesbehalve prima. Het ongeluk is nu drie weken geleden, en hoewel Julia me inmiddels herkent en niet meer dood wenst, is ze nog altijd behoorlijk in de war.

Bovendien ben ik moe. Al mijn vrije tijd breng ik met Julia door. Waar mogelijk, ga ik met haar mee naar afspraken met neurologen, neuropsychologen, logopedisten, fysiotherapeuten, bezigheidstherapeuten (en dat zijn nog maar de deskundigen die ik me herinner). Ik onderzoek hoe het met haar vocabulaire gesteld is en praat met haar over dagelijkse dingen, zoals contact met vrienden en telefoontjes van collega's die informeren naar haar vooruitgang en tevergeefs hopen dat ze terugkomt op kantoor. Verder is het wachten op het moment dat Julia zich weer wat meer als zichzelf gaat gedragen.

Maar ik ben nog niet zover dat ik dit hardop kan toegeven. Ik hoop al het hele jaar promotie te maken tot vervangend hoofdredacteur en wil geen zwakte tonen om mijn kansen niet in gevaar te brengen.

'Het gaat prima. Echt waar,' zeg ik. Ik houd mijn hoofd scheef en glimlach alsof ik meedoe aan een missverkiezing. Dan besef ik dat ik dat van Julia heb afgekeken. 'Ik heb de definitieve kopij voor het metabolismeartikel al af en ben dat idiote verhaal over dieetgeheimen aan het afronden.' Het is nog waar ook. Voor iemand die de helft van de dag zit te surfen naar iets wat niets met haar werk te maken heeft, heb ik opvallend weinig achterstand opgelopen. Als puntje bij paaltje komt, weiger ik op mijn werk overspannen te raken, omdat ik het heel belangrijk vind hoe anderen over me denken.

'Ik had niet anders verwacht,' zegt Naomi met een grijns. Anders dan de rest van mijn collega's, die al jaren koolhydraatarm eten en trainen voor de triatlon, is ze slank noch gespierd en eet ze zonder blikken of blozen een Big Mac met friet tijdens een redactievergadering. Desondanks mag iedereen op kantoor haar. Of misschien wel dankzij... Sinds ze me vijf jaar geleden aannam, kunnen we prima met elkaar overweg, en ik kan niet ontkennen dat zij een van de redenen is dat ik zo snel ben opgeklommen bij *Curve*.

'Marissa, je weet dat ik je geweldig vind, en Lynne,' – onze hoofdredacteur – 'ook.'

'Dank je,' zeg ik ernstig.

'Maar je hebt al bijna twee jaar geen vakantie opgenomen. En die drie dagen verlof om bij je vriendin in het ziekenhuis te kunnen zijn tellen niet.'

'Maar...'

'Twéé jaar,' benadrukt Naomi, waardoor het veel erger lijkt dan het in feite is.

'Ik had het druk, en sinds Claires ontslag heb ik het dubbele aantal pagina's. En...'

'Vat het niet persoonlijk op, Marissa, maar alles loopt op rolletjes hier. We kunnen best een poosje zonder je. Lynne en ik willen dat je voor december minimaal een week vrij neemt.'

'Zo snel al? Maar ik ben...'

Naomi zwaait vermanend met haar vinger. 'Niks te maren. Je hebt vakantie nodig. Ga iets leuks doen.'

's Middags om drie uur haast ik me naar Starbucks voor mijn tweede Venti cappuccino sinds vanmorgen. Ik moet toegeven dat ik een lichte cafeïneverslaving heb. Maar koffie staat zo laag op de ladder van verslavingen dat ik er geen probleem van maak. Ik zou op dit moment ook niet weten hoe ik anders de dag moest doorkomen.

Een week vakantie. Niks te maren. Ik ben bang dat ik mezelf zal tegenkomen. Julia gaat tenslotte over een week met Grace en Jim terug naar Ann Arbor en Dave werkt zoals altijd dag en nacht. Hoe verleidelijk het me ook lijkt, ik ben niet het type dat in haar eentje het vliegtuig naar Kauai pakt.

'Anders nog iets?' vraagt de zwaar getatoeëerde barista bij wie ik mijn cappuccino heb besteld.

Ik kijk naar het gebak in de vitrine. Meestal eet ik geen zoetigheid; ik ben al zo vaak zeven kilo aangekomen en weer afgevallen, en ben de strijd opnieuw aan het verliezen. Bovendien probeer ik op mijn gewicht te letten omdat ik voor een gezondheidsblad werk. Mijn collega's mogen het dan bij Naomi door de vingers zien, mijn dagen als redacteur Voeding zijn geteld als ik mijn DNA zijn gang laat gaan en mezelf zou laten uitgroeien tot een vetklomp.

Maar ineens heb ik honger, alsof ik al weken op een esdoornsiroopdieet ben.

'Een chocolademuffin, graag,' zeg ik. Ik kijk in mijn portemonnee hoeveel contant geld ik bij me heb. 'Doe er ook maar zo'n vanillecakeje bij.'

Als ik die avond bij Julia's appartement aanbel, draagt ze een nieuwe paarse jurk.

'Vind je 'm mooi?' vraagt ze. Ze speurt mijn gezicht af naar tekenen van goedkeuring.

'Heel mooi,' verzeker ik haar, hoewel ze er in de wijde, bijna fluorescerende jurk uitziet als Tinky Winky van de Teletubbies. Het zoveelste bewijs dat alles anders is. Vóór het ongeluk liep Julia, wier bescheiden salaris rijkelijk werd aangevuld door haar ouders, de deur plat bij de chicste boetieks van de stad. Maar de afgelopen weken wil ze per se paarse kleding. Héél véél paarse kleding. Toen ze haar garderobe doornam – een en al donkere denim en fijne kasjmieren truien – had ze de deur met een blik vol afgrijzen dichtgesmeten. 'Wat een oudewijvenkleren.'

'Het moest beslist paars zijn en dit was het enige wat ik zo snel kon vinden,' fluistert Grace tegen me. Volgens Julia's neuroloog zijn obsessies, zoals haar voorkeur voor lavendel-paars, een veelvoorkomende bijwerking van hersenletsel. 'Het kan overgaan,' zei de arts tegen Grace en mij. Maar er had weinig overtuiging in haar stem doorgeklonken, waarna mijn hoop – die dag had scrabblewonder Julia het woord 'samenzweren' gelegd – weer was vervlogen.

'En, wat heb je vandaag allemaal gedaan, Juul?' vraag ik. Ik hang mijn tas aan de haak aan de deur en plof neer op het voeteneind van haar bed.

'Ach, van alles wat,' zegt ze op een vreemde, geheimzinnige toon. Haar stem klinkt nog altijd een paar octaven te hoog.

'Hoe bedoel je?'

Ze buigt zich naar me toe en fluistert: 'Ik kan niet te veel zeggen. Mijn moeder is er.'

Ik kijk naar Grace, die in een fauteuil in de hoek van de kamer zit. Natuurlijk vind ik het zielig voor haar; misschien nog wel zieliger dan voor mezelf. En dat zegt wat, want ik wentel me de laatste tijd nogal in zelfmedelijden. Tegelijk erger ik me aan de vrouw die me al die jaren heeft bemoederd. Ze is een meubelstuk geworden in Julia's studio, en hoewel ik haar toewijding begrijp, heb ik het gevoel dat ze het contact tussen haar dochter en mij wil controleren.

'Houd het maar bij eenvoudige gesprekken,' instrueerde Grace me toen Julia weer thuis was, alsof ik niet een week bij haar in het ziekenhuis had doorgebracht.

'Maar de arts zei dat het goed voor haar is als ik gewoon tegen haar praat, zoals ik altijd heb gedaan,' zei ik tegen haar.

'Het lijkt me vervelend voor haar als we het over mensen of dingen hebben die ze zich niet herinnert,' had Grace geïrriteerd tegengeworpen, en omdat ik te moe was om met haar in discussie te gaan, had ik erin toegestemd.

Ik wilde met Julia over iets belangrijks kunnen praten. Het maakte me niet uit waarover. Ik wist dat het nergens op sloeg, maar ik had het gevoel dat die goeie ouwe tijd zou terugkeren als ik eens goed met haar over vroeger kon praten.

'Ik kan wel even een ommetje maken, als jullie dat willen,' zegt Grace, maar ze klinkt alsof ze het niet meent.

'Goed idee,' zeg ik tegen haar. Ik sta niet bekend om mijn directheid, maar heb de afgelopen weken bewust geprobeerd om niet om de hete brij heen te draaien. Daar is het leven te kort voor.

'Wat wilde je me vertellen?' vraag ik als Grace weg is.

'Nou,' zegt ze langgerekt, 'ik denk dat ik me maar weer eens onder de mensen moet begeven.'

'Hé, Juul, dat is mooi! Ik kan wel iets regelen met de anderen,' zeg ik, doelend op Nina en Sophie, onze beste vriendinnen. Op verzoek van Grace hebben ze hun bezoekjes tot een minimum beperkt, maar ze zouden Julia graag wat langer zien voordat ze naar Michigan vertrekt.

'Oké,' stemt ze aarzelend in.

Ze blaast haar pony uit haar ogen. Een nieuwe gewoonte. 'En ik wil Nathan zien.'

Het voelt als een stoot onder de gordel. 'Nathan?'

'Ik mis hem. Jij niet?' vraagt ze, alsof het geen beladen onderwerp is.

'Ik heb in geen jaren aan hem gedacht.' Dat lieg ik. Toen Julia zijn naam in het ziekenhuis liet vallen, werd ik overspoeld door herinneringen waarvan ik nog steeds aan het bijkomen ben. Maar ik had gedacht dat het stom toeval was dat ze over hem was begonnen.

'Jammer. Het gaat goed met hem. Hij heeft een nieuwe hond,' zegt ze op zangerige toon.

'Hoe weet jij dat?' Het duizelt me. Ik weet dat Julia en Nathan geen Facebook-vrienden zijn en dat soort informatie vind je niet op internet. Ze moet hem kortgeleden hebben gesproken. Ik heb het gevoel alsof ik voor de tweede keer een stomp in mijn maag krijg.

'Wist je dat niet?' zegt ze, en ze blaast haar pony weer uit haar ogen. Het ergert me.

'Nee.'

Ze brengt een hand omhoog en kijkt aandachtig naar haar nagelriemen. Ik denk dat handen veel zeggen over iemands persoonlijkheid. Ik heb de handen van een werker: klein, spits, met rechte vingers en vierkante nagels. Julia's handen zijn slank en mooi, met lange, ovale nagels, scherp als een mes.

Dan richt ze haar blik op me, maar haar ogen kijken me niet aan.

'Had ik al gezegd dat ik denk dat dokter Bauer verliefd op me is?' Het is me niet duidelijk of ze van onderwerp wil veranderen of dat ze is vergeten waar we het over hadden. Dat komt de laatste tijd vaker voor. Ik geef haar het voordeel van de twijfel.

Maar onwillekeurig vraag ik me af of ze het verbond dat we tien jaar geleden hebben gesloten heeft verbroken. Of zou ze het domweg vergeten zijn?

5

JULIA EN HAAR VADER hadden nooit meer ruzie gehad over de universiteit, maar uiteindelijk werd ze op Juilliard noch op Harvard aangenomen. In plaats daarvan kon ze met een volledige beurs dans studeren aan het Oberlin College. Tegen beter weten in bleef ik in Ann Arbor en ging ik naar de universiteit van Michigan, omdat ze me een hogere studiebeurs gaven dan de andere scholen waarvoor ik me had aangemeld.

'We zullen elkaar minstens één keer per maand zien,' verzekerde Julia me de avond voordat ze met haar ouders naar Ohio reed. We zaten in de keuken en nipten aan haar vaders champagne om haar vertrek te vieren. 'Natuurlijk,' zei ik en ik proostte met haar, hoewel ik bang was dat we elkaar pas in de kerstvakantie weer zouden zien. Eerlijk gezegd vond ik het doodeng om alleen te zijn. Gesterkt door het zelfvertrouwen dat ik had gekregen door mijn vriendschap met Julia, was de middelbare school bij lange na niet de martelgang geweest die ik er die eerste ochtend op het Kennedy van had verwacht. Ik had mijn vleugels uitgeslagen en was in de studentenraad gekozen, voorzitter van de natuurclub geworden en opgeklommen tot vierde van mijn klas (twee plaatsen onder Julia, die als één na beste afstudeerde). Ondanks mijn succes beleefde ik mijn studietijd toch als een eenzame periode.

De eerste twee jaar nam ik niet eens de moeite om mensen te leren kennen. Een selffulfilling prophecy, besef ik nu. Waarom zou ik ook? dacht ik. De studie was toch alleen maar een wachtkamer voor het echte leven. Over vier jaar, korte jaren hoopte ik, zouden Julia en ik ons herenigen in New York en beginnen aan onze carrières in de dans en de journalistiek.

Met dit globale plan in mijn achterhoofd zat ik het eerste en tweede studiejaar met mijn neus in de boeken. Ik negeerde de rijkeluisstudentes op mijn slaapzaal, die mij op hun beurt met alle plezier links lieten liggen. Als ik zin had in gezelschap ging ik naar de bibliotheek met Liza, een komisch maar (zoals Julia het noemde) 'ongelukkig ogend' meisje uit Portland. Liza en ik hadden vriendschap gesloten bij de colleges Journalistiek. Doordat Julia het te druk had met haar danslessen kwam ze zelden naar Ann Arbor, maar we belden en e-mailden regelmatig, wat beter was dan niets. Vond ik. We hadden de zomer tenslotte nog.

Nadat mijn studiebeurs in het eerste jaar als gevolg van een begrotingstekort plotseling met de helft werd verminderd, moest ik bezuinigen op mijn gewoonte om Chinees af te halen. Ik was blut en dat deprimeerde me. Liza drong erop aan dat ik zou solliciteren bij de kantine waar zij werkte. Maar ik kon het idee niet verdragen dat ik puree zou moeten opscheppen voor snobistische New Yorkse meiden die waarschijnlijk een uur later hun vinger in de keel zouden steken. In plaats hiervan bemachtigde ik een baan in de World Cup, een café in het centrum. Daar zou ik, stelde ik me zo voor, op zijn minst gratis koffie krijgen.

Hier begon mijn bestaan weer wat op een echt leven te lijken. Na twee jaar als een soort non in afzondering te hebben geleefd, bloeide ik op in de drukte en gezelligheid van het café. Op Charlene na, mijn irritante leidinggevende, kon ik het goed vinden met mijn collega's: Taryn die, ondanks het feit dat hij er doorlopend stoned uitzag, alles over iedereen leek te weten; Ray, een goeiige atleet die geen haast had om af te studeren en Leila, een Libanees-Amerikaanse studente met vlijmscherpe humor.

En dan had je nog Nathan, die mij alleen al door zijn aanwezigheid knikkende knieën bezorgde. Zijn naam kon ik niet hardop uitspreken zonder te blozen. Hierbij vergeleken vielen mijn verliefdheden van de middelbareschooltijd in het niet.

'Hoi,' stelde hij zichzelf voor, alsof we elkaar al jaren kenden. Hij veegde zijn koffiehanden af aan zijn schort, maar in plaats van mijn hand te schudden, keek hij me lang en doordringend aan.

'Eh, hallo,' antwoordde ik beduusd. Niets laten merken, berispte ik mezelf, en ik werkte al stuntelend de rest van mijn dienst af. Hij is je type niet eens.

Maar dat was hij wel. Hij was helemaal mijn type – alleen wist ik pas wat dat was op het moment dat hij voor me stond. Nathan was niet opvallend; gemiddelde lengte, stevig gebouwd en lichtbruine ogen. Toch was er iets aantrekkelijks aan de manier waarop hij een wenkbrauw optrok wanneer hij aandachtig luisterde, de manier waarop hij glimlachte met zijn hele gezicht en recht in mijn ziel leek te kijken, waarvan ik zowel nerveus als opgewonden werd. Hij was, besefte ik algauw, net als Julia, iemand die iedereen voor zich innam. Om wat voor reden dan ook leek hij vastbesloten juist mij voor zich in te nemen. Dat gaf mij opnieuw het gevoel dat ik iets onbeholpens uitstraalde, wat mensen als Julia en Nathan op een of andere manier leek aan te trekken.

Ik functioneerde niet met hem in de buurt, dus deed ik het enige wat ik kon bedenken: me gedragen alsof ik totaal geen interesse in hem had. Maar met mijn koele terughoudendheid was ik niet opgewassen tegen zijn warme hartelijkheid. Hij begon me te plagen. Hij vroeg wiens hart ik al had gebroken en noemde me 'Kleintje' (normaal gesproken ergerde ik me aan opmerkingen over mijn geringe lengte, maar hier moest ik om giechelen). Het duurde niet lang of we wisselden gruwelverhalen uit over Charlene en debatteerden hoogdravend over literatuur (we waren het erover eens dat *Ulysses* één grote grap van James Joyce was, maar bestreden elkaar fel toen hij Jane Austen een schrijfster van onderdrukte romantische gevoelens noemde). Het viel op dat hij met mij anders omging dan met onze collega's. Tegen hen was hij joviaal en luchtig. Tegen mij praatte hij zacht, en hij kwam dicht bij me staan alsof hij me een geheim vertelde. En dan die stem! Zelfs met zijn vlakke mid-westelijke accent had hij iets zangerigs; een overblijfsel van een in Georgia doorgebrachte jeugd. Hij hoefde maar 'Marissa' te zeggen of mijn hart sloeg op hol.

Op een middag greep hij me bij mijn zwarte schort en trok me de voorraadkast in. Ik lachte om mijn zenuwen te verbergen. Ging hij me zoenen? Ging hij me vertellen dat hij wist dat ik helemaal hoteldebotel van hem was?

Maar hij zette zijn handen in zijn zij en sprak: 'Ik denk dat ik Charlene ga vermoorden als ze niet ophoudt. Een gozer van Shaman Drum bood me gisteren een baan aan toen ik daar een boek kocht. Wat denk je Kleintje? Moet ik die aannemen?'

Wat ik dénk? Ik denk dat je me hier niet naar binnen had moeten sleuren voor loopbaanadvies! Ik denk dat je zo dicht bij me staat dat ik ter plekke sterf als ik je niet mag aanraken!

Maar ik lachte en zei: 'In een boekhandel krijg je geen gratis Java koffie.'

Hij fronste zijn wenkbrauwen. 'Dat is waar. Ik denk dat ik wel tegen Charlene op kan als jij maar achter me staat.'

Daarna klopte hij me zachtjes op mijn arm, alsof ik een medespeler was in zijn schoolvoetbalteam. Mijn frustratie sloeg om in woede. Was dit alles wat ik voor hem betekende? Was dit een spelletje? Ik was zo boos dat ik wazig zag en de rest van de middag maakte ik koffie verkeerds van cappuccino's, liet ik kopjes vallen en schold ik binnensmonds op de klanten.

De volgende dag vroeg Nathan me echter of ik zin had om na het werk iets samen te gaan doen. Twee dagen later vroeg hij het weer. We maakten lange wandelingen door de verwaarloosde wijken van de stad, snuffelden in boeken bij mijn favoriete tweedehandsboekwinkel en dronken te veel gin-tonics in de keetachtige woning waar hij met vier andere jongens woonde. Ik voelde me tegelijkertijd euforisch en totaal uit balans. Al het contact met hem was zo geladen dat ik bang was dat mijn hoofd zou barsten van de spanning. Toch deed hij geen enkele poging om verder te gaan dan vriendschap.

Ik weigerde zo'n meisje te zijn dat vraagt: 'Wat hebben wij met elkaar?' Ik bedacht dat als hij meer wilde dan vriendschap, hij daar wel werk van zou maken. Hij was aan zet.

Die winter kreeg Julia een chronische ontsteking aan haar achillespees. Toen ze weigerde om te stoppen met dansen ('En de invalster zeker mijn plaats laten innemen? Dacht het niet,' zei ze spottend), verergerde de ontsteking. Ze negeerde de smeekbedes van haar leraren stelselmatig, maar toen een dokter haar duidelijk had gemaakt dat de achillespees op scheuren stond, stemde ze toe in een rustperiode van twee maanden. Dit betekende dat ze me eindelijk kon komen opzoeken op de universiteit.

Ik had haar niets over Nathan verteld. Nooit eerder had ik iets voor haar geheimgehouden; we hadden de afspraak om elkaar alles te vertellen, ook als het iets vervelends was. Natuurlijk waren daar meningsverschillen door ontstaan, zoals die keer dat ik opbiechtte het vreselijk te vinden dat ze omging met twee American footballspelers die een agressieve dronk over zich hadden. 'Maar ze zijn zo grappig,' had ze tegengeworpen. Echt kwaad werd ze pas toen ik haar erop wees dat ze hen vooral leuk vond omdat ze haar op handen droegen.

Deze keer echter had ik geen zin om mijn dilemma met Nathan uit te leggen, en evenmin in een preek van Julia over hoe ik hem moest versieren. Maar er was nog een reden.

Nathan was zo charismatisch dat ik zeker wist dat Julia zich ook tot hem aangetrokken zou voelen. En ik wilde hem niet delen.

Toch was ik zo stom om Nathan over Julia te vertellen en hij stond erop dat hij haar zou ontmoeten als ze naar de stad kwam. 'Als je me niet voorstelt, zal ik je vriendin in de categorie eenhoorns en kabouters moeten scharen,' zei hij quasivermanend. Met tegenzin gaf ik toe.

Ik dacht dat de World Cup een goede plek was om hen aan elkaar voor te stellen. Ik kon Julia meenemen onder het valse voorwendsel dat ik haar mijn werkplek wilde laten zien en niet speciaal om haar aan Nathan voor te stellen. Ik gokte op een zaterdagmiddag wanneer het café vol zou zitten en Nathan het te druk zou hebben om te kunnen kletsen.

Helaas was dit niet het geval; de World Cup was bijna verlaten toen we binnenkwamen.

'Dus dit is de beroemde Julia,' zei Nathan met een grijns, en hij stak haar zijn hand toe over de toonbank. 'Eens even kijken: Americano met een scheut suikervrije vanillesiroop.'

'Hallo, helderziende vriend,' antwoordde Julia poeslief, en ze posteerde zich op de rotan barkruk. Ze kreeg het voor elkaar om er zelfs met haar voet in het lompe loopgips sexy uit te zien. 'Hoe wist je dat?'

Omdat ik dat drink, dacht ik.

'Gokje,' antwoordde Nathan nonchalant glimlachend.

Toen hij wegliep, draaide Julia zich onmiddellijk met opengesperde ogen naar me toe. 'Lekker ding!'

'Ja, hij heeft een hoop fans.'

'Iemand die ik ken?' vroeg ze slinks.

Julia grapte vaak dat ik een open grootletterboek was en ik vroeg me af of ze merkte dat ik blufte. Maar ik had de laatste tijd mijn pokerface kunnen oefenen en besloot de kans te wagen.

'Nee.'

'Ha. Je bent gek.'

Nathan kwam terug met voor ons allebei een Americano. 'Van de zaak,' zei hij grijnzend tegen Julia. 'Maar nog iets.' Hij rende terug naar de keuken. Bij de aanblik van zijn perfecte achterkant deed Julia alsof ze flauwviel. Afblijven, dacht ik geïrriteerd, maar ik glimlachte goeiig naar haar.

Toen hij een minuut later terugkwam, had hij twee witte bakjes bij zich die hij met een zwierig gebaar op de bar zette. Hij gaf ons twee zilveren lepeltjes. 'Chocolade Lava Cake,' kondigde hij aan. Toen vervolgde hij bijna verlegen: 'Het is een receptje dat ik aan het uitproberen ben. Ik dacht dat jullie mooie vrouwen wel goede proefkonijnen zouden zijn.'

De cakejes – knapperig vanbuiten en smeuïg vanbinnen – waren het lekkerste wat ik ooit had gegeten. 'Wauw,' zei ik haast onhoorbaar, met de sterke zoete chocoladesmaak nog op mijn tong. 'Dit is hemels.'

'Net zo lekker als mijn chocoladekoekjes?' vroeg Julia bijna met een pruilmondje.

'Natuurlijk niet,' loog ik, en ik moest ineens denken aan wat mijn moeder altijd zei: leugentjes om bestwil dienen om de gevoelens van andere mensen te sparen (niet dat mijn moeder zich druk maakte dat ze anderen kwetste).

'Ik mag het eigenlijk niet eens proeven. De dokter heeft gezegd dat ik tijdens het herstel van mijn pees geen pond mag aankomen. Maar in het belang van het onderzoek zal ik een hapje nemen,' zei Julia, en ze nam een muizenhapje. Ze zuchtte en verklaarde dat het heerlijk was, hoewel ik betwijfelde of ze überhaupt iets kon proeven van zo'n klein beetje.

Nathan was duidelijk teleurgesteld dat ze niet een grotere hap nam, maar hij herstelde zich snel. 'Dus je bakt zelf ook wel eens?'

'Jazeker!' antwoordde ze enthousiast, alsof hij haar zojuist had gevraagd of ze de aarde wilde redden. 'Heeft Marissa je dat dan niet verteld? Ik ben legendarisch in bepaalde kringen.' Ze richtte zich tot mij. 'Vertel Nathan over mijn perentaart.'

En zo ging het nagenoeg de hele middag door: Nathan bracht iets ter sprake en Julia liet mij uitvoerig verklaren hoe een en ander verband hield met haar en met onze vriendschap. Ik snapte niet wat haar beweegreden was. Was het een spontane aanval van bescheidenheid waardoor ze zichzelf niet de hemel in kon prijzen? Of probeerde ze Nathan te imponeren door hem te laten zien wat een goede vriendin ze voor me was? Ik was van mijn stuk gebracht, maar nog meer gealarmeerd door een groeiend voorgevoel dat Julia een oogje op Nathan had, en dat dit wel eens wederzijds zou kunnen zijn. Hij leek tenslotte meer dan bereid zijn werk neer te leggen om de middag met haar door te kunnen brengen.

Toen zijn dienst voorbij was, accepteerde Julia enthousiast zijn voorstel om met zijn drieën uit eten te gaan, dus hielpen Nathan en ik haar naar de Red Rock Grill te strompelen. Van daaruit verhuisden we naar Benno's Bar, een twijfelachtige kroeg waar ze zelfs overduidelijk minderjarige bezoekers niet naar hun identiteitsbewijs vroegen. Ik was niet blij met onze uit de hand gelopen afspraak, maar omdat de vonken er zo duidelijk vanaf spatten tussen hen, kon ik er geen eind aan maken zonder zelf tegen de lamp te lopen.

Op een gegeven moment liep Nathan naar de bar om nog meer drankjes te halen en liet hij ons alleen bij ons zitje in Benno's. 'O, ik mis je zo!' schreeuwde Julia over het geroezemoes van de bar heen. Ze sloeg haar armen om mijn nek.

'Dat komt door de alcohol,' zei ik tegen haar, hoewel ik stiekem blij was, al was het alleen maar omdat ze niet zei hoe fantastisch Nathan was, zoals ze constant deed wanneer hij zich even afwendde.

'Nathan en jij hebben het afgelopen semester waarschijnlijk meer tijd samen doorgebracht dan jij en ik in de afgelopen tweeenhalf jaar,' vervolgde ze, van stemming wisselend alsof ze van de ene balletpose in de andere overging. 'Dat is niet eerlijk.'

Ik kende dit patroon goed, maar deze keer stonden er grotere belangen op het spel dan een nieuwe vlam. 'Op het werk bedoel je? Nee hoor, onze diensten overlappen elkaar nauwelijks,' antwoordde ik zwakjes.

'Kom op, Marissa. Het is overduidelijk dat jullie elkaar naast het werk ontzettend vaak zien. Je kunt het me niet kwalijk nemen dat ik van plaats wil ruilen.' Met wie zei ze niet, maar ik wist dat dit hoe dan ook niet veel goeds beloofde.

Het uur daarop voelde ik me alleen maar ongemakkelijker worden. Moet je hem zien zitten met zijn kuiltjes in zijn wangen. En moet je haar zien, hoe koket ze hem duidelijk maakt dat ze even slim als mooi is. De twee mensen die het meest voor me betekenden werden voor mijn ogen verliefd op elkaar – als ik het niet dacht.

Na een laatste rondje liep Nathan met ons mee naar mijn studentenflat. 'Kleintje,' zei hij, en hij boog theatraal voorover om me op mijn wang te zoenen, hoewel hij maar vijftien centimeter langer was dan ik. 'Ik zie je morgen.'

'En Kleine Danseres,' zei hij plagend terwijl hij Julia omhelsde. Mijn gezicht vertrok toen hij mijn bijnaam voor haar gebruikte, hoewel dat makkelijker te slikken was dan de aanblik van hun omhelzing. 'We houden contact, oké?' zei Nathan tegen haar. 'Marissa geeft me je e-mailadres wel.'

Toen ik die nacht op een veldbed lag terwijl Julia in mijn bed lag te slapen, probeerde ik mezelf ervan te overtuigen dat er niets aan de hand was. Het was maar een weekend, het had niets te betekenen. Maar toen Julia naar haar ouders vertrok, had ik nog nooit zo graag afscheid genomen. Toen ik die avond aan het werk ging, had ik mezelf zo opgefokt dat ik Nathan nauwelijks kon aankijken. Had ik hem bijna zover dat hij me leuk vond, komt Julia langs, ze zwaait met haar toverstokje en hij vergeet me gewoon.

'Wat is er in godsnaam aan de hand?' vroeg hij me nadat hij Taryn gedag had gezegd, die samen met ons het café had afgesloten. We stonden in State Street, die onder een deken van sneeuw lag. Ik rilde, hoewel ik niet wist of het van de kou of van de zenuwen was. Ik sloeg mijn armen over elkaar om warm te worden en besefte dat ik er nogal defensief uit moest zien, maar was vastbesloten om zo te blijven staan.

'Niks.'

'Echt niet, Marissa? Ik vind het anders niet niks dat je de hele avond geen woord tegen me hebt gezegd.' In het schemerige licht van de straatlantaarn zag ik dat hij witheet was.

Nou ja, dacht ik. Het is toch voorbij. Waarom ook niet?

'Wat verwacht je dat ik zal zeggen, Nathan? Dat ik doodsangsten uitsta dat je net als iedereen verliefd wordt op mijn beste vriendin? Dat ik mezelf een idioot vind om te denken dat ik voor deze ene keer de gelukkige zou kunnen zijn?'

Op het moment dat de woorden over mijn lippen kwamen, wilde ik in de sneeuw wegkruipen en ter plekke sterven. Ik was dus toch zo'n meisje.

Maar toen ik hem eindelijk aankeek, keek hij niet boos naar me, zelfs niet medelijdend.

'Marissa,' zei hij zacht. 'Ik wilde alleen maar met haar optrekken omdat ze jouw vriendin is. Ik dacht dat dit een goede manier was om meer over jou te weten te komen, niet over haar. Dat is alles.'

Hij maakte voorzichtig mijn armen los en trok me zo dicht tegen zich aan dat ik niet meer kon onderscheiden of de condens voor mijn ogen van zijn adem of de mijne kwam. Hij tilde mijn kin op en streek met zijn vinger over mijn onderlip, daarna over mijn bovenlip. Ik werd helemaal warm vanbinnen.

'Merk je dan echt niet dat ik gek op je ben?' vroeg hij.

Die nacht was er geen twijfel over mogelijk hoe hij over ons dacht en wat we hadden. Maar de volgende ochtend, terwijl ik op de slaapbank lag te kijken hoe de ijsbloemen op zijn ramen smolten in de zon, had ik een onbeduidend maar onwrikbaar voorgevoel dat mijn geluk niet lang kon en zou duren.

Twee dagen later kreeg ik een e-mail van Julia met slechts één zin: 'Ik denk dat ik verliefd ben op je vriend Nathan.'

6

HET IS ONGELOOFLIJK hoeveel spullen Julia in haar studio van vijf bij tien meter heeft gestouwd: videobanden van haar dansvoorstellingen, ingelijste foto's van zo ongeveer iedereen die ze kent, kleding met de prijskaartjes er nog aan, studieboeken, drie zesdelige serviezen die ze nooit gebruikt. Ik heb haar aangeboden om zaterdag te helpen met het inpakken van haar spullen, zodat de dozen vervoerd kunnen worden naar het huis van de Ferrars in Ann Arbor, waar Julia een kleine maand na haar ongeluk naartoe is verhuisd.

'Je bent te goed voor deze wereld,' zegt Dave, die zijn best doet om de porseleinen hond die naast Julia's open haard staat zo goed mogelijk in te pakken.

'Dan ben jij het ook, want jij helpt mij,' zeg ik. Hoewel Dave regelmatig belooft minder te zullen gaan werken, zit hij vaak op zaterdag, en zelfs op zondag, op kantoor. Vandaar dat ik zijn hulp zeer waardeer. Bovendien denk ik dat ik het inpakken van Julia's spullen fysiek noch emotioneel alleen had aangekund.

Ik kijk Julia's studio rond. In elke andere stad zou de ruimte doorgaan voor weinig meer dan een grote kast, maar voor Manhattanse begrippen is het een prima plek. Het appartement ligt op een van de bovenste etages van een oude, verbouwde fabriek, en de zuidwand, die van vloer tot plafond uit langwerpige ramen bestaat, kijkt uit over Lower East Side. Maar hoe vol het er ook staat, de witte plankenvloer, Tiffany-blauwe wanden en antieke kuip in de badkamer zijn zo betoverend dat de studio iets weg heeft van een juwelenkistje hoog in de wolken.

'Ik vind het heerlijk hier.'

'Ik zou het niet doen,' zegt Dave. Hij doelt op het feit dat Grace en Jim, die praktisch eigenaar zijn van Julia's appartement, me hebben aangeboden het voor een grijpstuiver te huren.

'Waarom niet?'

'Gewoon,' zegt hij. Ik krijg kippenvel van het piepende geluid van de transparante tape waarmee hij een doos dichtplakt. 'Omdat het niet goed voelt.'

'Maar waaróm niet?' Van een fiscaal jurist verwacht je een logische verklaring, geen intuïtief antwoord.

Ik weet eigenlijk niet of ik het antwoord wel wil horen. Ik wil al heel lang weg uit mijn smoezelige appartement in Park Slope, een wijk vol speelgoedwinkels en kleuterscholen, waar ik als kinderloze vrouw volledig uit de toon val. Maar omdat ik er al zo lang woon, betaal ik aan huur slechts de helft van het gemiddelde in Brooklyn. Dat betekent dat ik geen wijn uit kartonnen dozen hoef te drinken, en me kussenhoezen van Pottery Barn kan veroorloven zonder me in de schulden te hoeven steken. Kortom, ik voel me gevangen. Dat ik Julia's appartement kan overnemen is de kans waar ik al die tijd op heb gewacht.

'Zou je om te beginnen echt huur aan Julia's ouders willen betalen? Ik weet dat ze er amper iets voor vragen, maar toch,' zegt Dave. Hij schrijft iets onleesbaars op de doos.

'Het is de kans van mijn leven.'

'Ja, maar alles hier doet je aan Julia denken. Elke stap die je zet herinnert je eraan dat je beste vriendin aan de andere kant van het land woont omdat ze niet meer voor zichzelf kan zorgen.'

Ik weet dat hij gelijk heeft. Alle foto's en snuisterijen zijn ingepakt, we hebben het donzige witte dekbed van het bed gehaald en toch zie ik Julia overal. Maar misschien is dat juist de reden dat ik hier wil wonen.

Uiteindelijk hoeft alleen nog Julia's strakke, zilverkleurige laptop te worden ingepakt. Voor zover ik weet heeft ze hem maar één of twee keer gebruikt sinds het ongeluk, dus het verbaast me dat hij nog aanstaat. Als ik hem openklap om hem uit te zetten, licht het scherm op en verschijnen Julia's e-mails in beeld.

Ik ga ze niet lezen, zeg ik tegen mezelf, als waarschuwing maar ook om mijn voornemen kracht bij te zetten. Julia's ondergoedlade en medicijnkastje leeghalen is tot daaraan toe, maar haar e-mails lezen zou op een of andere manier een te grote inbreuk op haar privacy vormen.

Maar de e-mails beslaan het grootste deel van het scherm en mijn oog valt onwillekeurig op de inhoud van haar inbox. De laatste twee e-mails die ze de afgelopen drie weken heeft ontvangen zijn van nbell79@gmail.com.

Nathan.

Ik voel me somber. Gelukkig denkt Dave dat het komt doordat ik Julia mis, en hij is ervan overtuigd dat de Mexicaan en een paar margarita's wonderen zullen doen. Wat het restaurant betreft, heeft hij gelijk. Zodra we Mary Ann's met de gedempte lantaarns en vrolijke Spaanse muziek binnengaan, voel ik de spanning van me afglijden.

'Wilt u al bestellen?' vraagt de ober, die ik herken van al die keren dat we hier eerder aten.

'Een Taco Salade met kip, zonder schelp en kaas. En de dressing apart, graag,' zeg ik.

'Pollo Yucatan,' zegt Dave. 'Geen enchilada met kaas?' vraagt hij aan mij als de ober weg is. Hij geeft me een speelse por. 'Je kunt vandaag best wat stevigers gebruiken, daar ga je niet dood van.'

'Meer koolhydraten verkorten juist mijn levensverwachting.'

Ik neem nog een slokje van mijn margarita. Sommige vrouwen eten bij stress mínder in plaats van meer. Ik niet. Vandaar dat ik sinds Julia's ongeluk flink ben aangekomen en zelfs in mijn favoriete spijkerbroek, die normaal goed afkleedt, een worst lijk. Ik schaam me dat ik me daar druk om maak: ik zie er leuk uit, heb een goed leven en, anders dan mijn vriendin, een gezond, onbeschadigd brein. Dat zou genoeg moeten zijn. Maar dat is het niet, en dus neem ik een salade, in de hoop dat ik gauw weer in mijn skinny jeans pas.

'Marissa, je ziet er fantastisch uit,' zegt Dave terwijl hij zijn vingers door de mijne vlecht. Ik weet dat hij het meent.

'En jij, lieverd, bent een fata morgana,' zeg ik met een half ernstige glimlach. Toen ik Dave drie jaar geleden leerde kennen op Nina's jaarlijkse Derby-feest, was mijn eerste gedachte: te knap voor mij. Donker haar, donkere ogen en een kaarsrecht, wit gebit dat ik nog nooit bij een man in levenden lijve had gezien. Zo iemand verwachtte ik in een sitcom, niet in Nina's woonkamer. Maar hij deed zijn uiterste best een gesprek met me aan te knopen, vroeg mijn telefoonnummer en belde me tot mijn verrassing de volgende ochtend om te vragen of ik plannen had voor die avond. Binnen twee weken hadden we verkering.

'Toen ik je zag, wist ik dat je de ware was,' bekende hij me een half jaar later. Ik wist inmiddels dat hij minder perfect was dan ik had gedacht: zijn rug was licht behaard en hij had de neiging om nogal uit te weiden over het belastingstelsel. Maar sinds hij me naast een kan met mint julep zag staan en reageerde alsof ik een lot uit de loterij was, was – en ís – hij de leukste man die ik ooit heb ontmoet.

Vandaar dat ik me schuldig voel dat ik aan Nathan denk als Dave me geanimeerd het laatste akkefietje met zijn luie baas uit de doeken doet.

7

EEN WEEK LANG beantwoordde ik Julia's e-mail niet. Nathan en ik waren in de zevende hemel en ik was er nog niet aan toe om weer terug op aarde te komen. We spraken tussen de lessen door met elkaar af en in de bibliotheek staarden we elkaar over onze boeken aan terwijl we net deden of we studeerden. 's Nachts haalden we uitzinnig de verloren tijd in die we als gewone vrienden hadden verspild. Verkering met Nathan leek in de verste verte niet op wat ik met mijn halfslachtige vriendjes van de middelbare school had meegemaakt. Die negeerden me in het openbaar, maar waren privé agressief in hun affectie en leken er genoegen in te scheppen om mij voortdurend halve waarheden te verkopen. Met Nathan waren er geen machtsspelletjes. Hij vertelde al zijn vrienden en onze collega's onmiddellijk dat we verkering hadden en pronkte met me alsof ik Julia Roberts in hoogsteigen persoon was in plaats van een klein studentikoos propje met lodderogen. Hij stond urenlang in de keuken maaltijden voor me te bereiden, niet altijd meesterwerken, maar vaak ontroerden ze me omdat ze zo overvloedig waren.

'Marissa, ik hou van je,' zei hij op onze vierde avond samen. 'Je bent perfect.'

'Nee, je houdt helemaal niet van me. Het is veel te vroeg om dat te kunnen weten,' lachte ik hem uit, hoewel ik zelf ook tot over mijn oren verliefd was.

'Ik ben nog nooit in mijn leven ergens zo zeker van geweest,' zei hij zo serieus dat ik hem wel moest geloven.

Hoe euforisch ik ook was, ik kon het rode lampje van mijn voicemail niet voor eeuwig negeren. Nadat ik een aantal van Julia's opgewonden voicemails had beluisterd – 'Waar ben je? Ben je ontvoerd? Ik maak me zorgen!' – wist ik dat ik contact met haar moest opnemen voordat ze me als vermist zou opgeven. Dus belde ik haar uiteindelijk.

'Eindelijk,' snauwde ze.

'Ja, sorry dat ik geen contact heb opgenomen,' mompelde ik. 'Ik had het ontzettend druk met die literatuurscriptie waarover ik je heb verteld.'

'Oké. Ik was al bang dat je ergens in de goot lag. Het is niets voor jou om zo lang niks van je te laten horen.'

'Ik lig niet in de goot,' verzekerde ik haar. 'Maar kunnen we volgende week bijpraten? Ik moet echt aan de slag om die opdracht op tijd af te krijgen.'

'Geen probleem!' antwoordde ze. 'Maar wacht even, voor je ophangt, ik wil je vragen iets voor me te doen. Iets kleins.'

Natuurlijk wil je dat, dacht ik. En het antwoord is nee.

'Ik ben over twee weken in de stad. Kun je een date voor me regelen met dat stuk van je werk?'

Dat stuk van mijn werk? Zo noem je de jongen op wie je zogenaamd verliefd bent?

'Nathan, bedoel je? Ik geloof dat hij al iemand heeft, Juul,' vertelde ik haar. Het kostte me moeite de ongerustheid uit mijn stem te weren.

Ze drong aan. 'Ik denk het niet, Mar. Hij leek echt in mij geïnteresseerd. Het kan natuurlijk aan de wodka hebben gelegen,' giechelde ze. 'Nou ja, dat merken we snel genoeg.'

'Juul...' begon ik.

'Jij bent er dan toch? En kan ik bij jou logeren?'

'J...'

'Perfect! Ik kan niet wachten om je te zien. En Nathan natuurlijk!' Toen hing ze op.

Hoewel Nathan me had bezworen dat hij niet in Julia was geïnteresseerd, kon ik mezelf er niet toe brengen om hem te vertellen over ons gesprek en haar gevoelens voor hem. Ook zei ik niet tegen Julia dat ze niet naar Ann Arbor moest komen of dat Nathan en ik verkering hadden. Alsof ik door de situatie te negeren iets kon veranderen wat al in gang was gezet.

'Wanneer gaan we naar je werk?' vroeg Julia. Ze lag op mijn bed en draaide rondjes met haar voet – vers uit het gips – wat, zoals ze uitlegde, zou helpen om haar spieren weer op te bouwen.

'Ik weet niet zeker of Nathan dit weekend moet werken.'

'Waarom bellen we hem dan niet? Hier, geef me zijn nummer, dan bel ik hem,' zei ze. Ze zwaaide haar benen van het bed en pakte de telefoon van mijn nachtkastje.

'Ik weet zijn nummer niet.'

Ze keek me verbaasd aan. 'Probeer je me nou expres te kwellen?'

'Nee,' zei ik net iets te hard.

'Serieus, Mar, wat is er aan de hand? Ik heb je hier weken geleden om gevraagd! Lang genoeg van tevoren. En je weet dat ik niet veel van je vraag,' zei ze met haar beste gekwetste gezicht.

'Niks,' antwoordde ik nu wat gelijkmatiger. 'We gaan wel naar het café. Laten we eerst wat eten, oké? Ik heb je voor m'n gevoel al in geen eeuwen gezien. Ik wil eerst bijkletsen.'

'Oké,' zei ze mokkend, onmiddellijk gevolgd door een glimlach. 'Ik weet dat je me mist. Ik wil niet dat je je verwaarloosd voelt.'

Na het eten liepen we naar de World Cup waar ik wist dat Nathan aan het werk was. Ik was opgelucht toen het er in tegenstelling tot de vorige keer druk bleek te zijn. Dit gaf me een goed excuus om zo snel mogelijk in en uit te lopen.

'Wie hebben we daar!' riep Nathan ons toe van achter het enorme espressoapparaat.

'Hoi,' zei ik bedeesd.

'Hé, jij daar,' zei Julia tegen Nathan. Ze zag twee lege barkrukken, sprong op een ervan en sloeg met haar hand op de andere in een gebaar naast haar te komen zitten.

Mijn maag draaide zich om. Ik had het Julia tijdens het eten willen vertellen, maar de woorden zaten zo lang achter in mijn keel dat ik ze uiteindelijk maar doorslikte. Bovendien kwekte zij maar door over wat een goede combi zij en Nathan zouden zijn, waar ik geen speld tussen kon krijgen. ('We houden allebei van bakken, sporten en van jou!' zei ze. Ze had geen flauw idee hoe ironisch deze verklaring werkelijk was.)

'Hoi, liefje,' zei Nathan toen hij naar ons toe liep. Julia's gezicht straalde omdat ze ervan uitging dat hij het tegen haar had. Op dat moment zag ik in wat een enorme vergissing ik had begaan.

Nathan keurde haar nauwelijks een blik waardig toen hij over de bar boog en me vol op mijn mond kuste. Daarna grijnsde hij en hij richtte zich eindelijk tot Julia. 'Ik neem aan dat Kleintje je het goede nieuws heeft verteld?'

'Goede nieuws?' vroeg ze scherp, waarmee ze de aandacht trok van de bezoekers die het dichtst bij ons zaten.

'Marissa?' vroeg Nathan, en hij keek me onderzoekend aan. 'Heb je Julia niet over ons verteld?'

'O,' zei Julia, die zich snel herstelde. Ze streek een onzichtbare plooi in haar beige kasjmieren trui glad. 'Natuurlijk heeft ze me dat verteld. Ik was in de war, omdat je klonk alsof je haar zwanger had gemaakt, of zo.'

Ik had het gevoel of ik mezelf in een heel diep gat had gegooid, en dat Julia nog niet had besloten of ze me eruit zou trekken of me zou begraven. Ik keek haar smekend om vergeving aan, maar ze schudde haar hoofd alsof ze wilde zeggen: nu even niet.

We deden alsof er niets aan de hand was, maar zo gauw Nathan wegliep om een klant te helpen, greep ze me hard bij mijn arm.

'Wanneer was je van plan geweest me dat te vertellen?' beet ze me toe. 'Hoe kon je me zo over hem laten praten? Je hebt me compleet voor schut gezet. Wat misschien ook wel de bedoeling was.' Ze pakte haar tas en sprong van haar barkruk af. 'Ik ga naar huis.'

'Natuurlijk,' zei ik met een gloeiend gezicht. Ik keek hoe ze met opgeheven hoofd naar de deur paradeerde.

'Julia voelt zich niet goed,' riep ik naar Nathan over de bar. Tot mijn opluchting leek hij niet door te hebben dat er iets mis was. 'Ik bel je straks wel.'

Julia gaf nauwelijks een teken van herkenning toen ik buitenkwam en we liepen zwijgend naar huis.

'Het spijt me,' zei ik gedwee toen ik de deur naar mijn kamer opende.

'Het is al goed,' mompelde ze, en toen nog een keer. Het klonk meer alsof ze zichzelf ervan probeerde te overtuigen.

Ik nam aan dat ze haar ouders zou bellen om haar op te halen, maar in plaats daarvan kondigde ze aan dat ze naar bed wilde. Ze kleedde zich snel uit en ging met haar rug naar me toe in mijn bed liggen. Ik deed mijn pyjama aan, ging op het wankele bed aan de andere kant van de kamer liggen en deed alsof ik in slaap viel. Maar het duurde uren voordat ik eindelijk sliep.

De volgende ochtend was Julia verdwenen, maar ik was opgelucht dat haar tas nog in de kamer lag. Ik ging me douchen en toen ik terugkwam zat ze met koffie en bagels aan het kleine tafeltje.

'Een zoenoffer,' zei ze, en ze reikte me een piepschuimen beker koffie aan.

'Dank je.'

'Ik heb zitten denken...'

'Het spijt me echt heel erg,' onderbrak ik haar.

'Ik weet het, mij ook. Ik besef dat het erg egocentrisch was om ervan uit te gaan dat Nathan nooit voor jou zou gaan.' Haar woorden staken me, maar ik accepteerde de pijn omdat ik het verdiende. 'Ik bedoel, ik snap uiteraard dat je hem niet kon weerstaan,' legde ze uit. Ze plukte een pluisje van haar elastische trainingsbroek. 'Ik had gelijk door hoe geweldig hij was, terwijl jij elke dag met hem kunt doorbrengen.'

'Ik weet het,' gaf ik toe. Ik kon het niet helpen en vervolgde: 'Maar, Julia, jij kunt iederéén krijgen. Waarom Nathan? Waarom kun je niet gewoon gelukkig zijn voor mij? Je weet dat ik nog nooit verliefd ben geweest.'

'Mar, ik denk dat je de situatie vanuit een andere invalshoek moet bekijken,' zei ze serieus. 'Toen ik er vanochtend over nadacht, besefte ik dat geen enkele man zo geweldig is als onze vriendschap. Dat is het belangrijkste.' Ze liep naar me toe en legde haar handen op mijn schouders. Toen bracht ze haar gezicht zo dicht bij het mijne dat ik de koffie in haar adem kon ruiken. 'Daarom denk ik dat we Nathan allebei moeten vergeten. Het is niet eerlijk tegenover ons en ook niet tegenover hem, als je er goed over nadenkt.'

'Oké,' zei ik, hoewel ik niet goed begreep wat ze nou eigenlijk wilde zeggen.

'Ten eerste heeft hij een wig tussen ons gedreven. Je hebt nog nooit iets voor me verzwegen tot hij op het toneel verscheen,' zei ze ernstig. 'Ten tweede, hoe groot is de kans dat jullie voor altijd bij elkaar blijven? Nul! Maar jij en ik blijven vrienden tot het bittere eind. Ga maar na. Wat gebeurt er als wij naar New York verhuizen? Je hebt gehoord wat Nathan zei toen we laatst samen aten. Hij wil na zijn afstuderen hier blijven.' Ze trok een gezicht alsof hij ons had meegedeeld dat hij op een vuilnisbelt ging wonen in plaats van in Ann Arbor.

Ze was even stil en ging toen verder: 'Om je de waarheid te zeggen, ik geef toe dat ik mezelf niet vertrouw om niet jaloers te worden als jullie samen zijn. Wie weet wat dat voor onze vriendschap kan betekenen.'

Plotseling was het onscherpe beeld van de afgelopen twee weken haarscherp. Het maakte niet uit of Julia echt verliefd op hem was – wat ik zeer betwijfelde, gezien haar eerdere problemen met relaties. Waar het om ging was dat Julia de gedachte niet kon verdragen dat ze alleen zou achterblijven. Of erger: genegeerd zou worden.

Ze gaf me een kus op mijn voorhoofd.

'Je begrijpt me toch, Marissa?'

'Natuurlijk,' zei ik.

Maar ik begreep haar niet. Helemaal niet.

8

DE KANS DAT je om het leven komt in een vliegtuigongeluk is één op de tien miljoen. Praktisch nihil, als je bedenkt dat de kans op een dodelijk auto-ongeluk één op de zevenduizend per jaar is. Toch stappen mensen dagelijks in hun auto zonder hier bij stil te staan. Als ik aan boord van een vliegtuig stap, houd ik deze cijfers altijd voor ogen. Helaas stellen ze me minder gerust dan ik zou willen. Per slot van rekening heb ik geen auto, en hoewel ik niet wiskundig ben aangelegd, vergroot ik daarmee voor mijn gevoel de kans dat dit vliegtuig wél zal verongelukken. Trouwens, Julia heeft nooit autogereden, en zie wat haar is overkomen.

Ontspan je, blijf ik mezelf voorhouden. Ik adem langzaam in en uit, zoals ik vorig jaar heb geleerd tijdens de yogalessen op ons verplichte weekje teambuilding van *Curve*. Terwijl de 757 langzaam opstijgt boven de stad, probeer ik me te concentreren op het grijsbruine Queens en de zilverkleurige weerkaatsingen in het Chrysler-gebouw – alles om maar niet stil te hoeven staan bij het feit dat ik me in een enorm metalen gevaarte bevind waarover ik de komende twee uur van mijn leven geen enkele controle heb, en dat spoedig op tien kilometer hoogte zal zitten.

Om mijn belofte aan Naomi na te komen, heb ik vakantie opgenomen. Maar in plaats van naar een vakantieoord te reizen, vlieg ik naar Michigan waar ik Thanksgiving zal vieren en de week bij mijn familie en de Ferrars zal doorbrengen.

Het is de eerste keer dat ik Julia weer zal zien sinds ze begin oktober uit New York vertrok en ik moet eerlijk bekennen dat ik ertegen opzie. Hoe hard ik ook mijn best doe, het lukt me niet mijn woede over Julia's mailtjes aan Nathan te onderdrukken en ik vraag me voortdurend af waarom ze na al die tijd weer contact met hem heeft opgenomen. Toen ik op hun e-mailwisseling stuitte, schaamde ik me zo dat ik de rest van haar mails niet meer durfde te bekijken. Maar nu heb ik stiekem spijt dat ik niet verder heb gesnuffeld, want dan zou ik weten waarom ze weer contact met Nathan heeft gezocht, en wanneer. Ik wilde dat ik kon geloven dat ze alleen maar in hem is geïnteresseerd omdat 'haar hersenletsel haar dat dicteert', zoals dokter Bauer haar vreemde gedrag sinds het ongeluk omschrijft, maar ik kan het gevoel niet van me afzetten dat het al langer speelt. Het zou me niks verbazen als ze al geruime tijd voor haar ongeluk contact met elkaar hadden.

Sinds het uitruimen van Julia's appartement denk ik daar zo vaak aan dat mijn schuldgevoel zoals gewoonlijk weer komt opzetten. Moet ik het met het oog op de grootste crisis tot nu toe in ons leven niet gewoon loslaten?

De statistieken maken mijn dag weer goed, en het vliegtuig landt zonder problemen. Ik baan me een weg door de drommen reizigers op het moderne en gestroomlijnde Detroit Metro Airport naar de bagageband. Het vliegveld vormt een groot contrast met de in verval geraakte stad die het bedient. Na een paar minuten verschijnt mijn lelijke rode reistas, die ik al sinds mijn studententijd wil vervangen. Als ik even later zuchtend en steunend met mijn loodzware tas op zoek ga naar de uitgang, wordt het me pijnlijk duidelijk dat ik toch ooit een keer naar de sportschool zal moeten.

Sarah wacht me voor de luchthaven op in de Death Star, zoals ik haar enorme zwarte SUV heb gedoopt. Ondanks haar hoog-blonde coupe soleil en het feit dat ze veel dichter bij haar streef-gewicht zit dan ik, zijn we duidelijk zussen: we hebben dezelfde diepliggende bruine ogen als onze vader en een iets te lange neus, en net als mijn moeder zijn we het levende bewijs dat jezelf goed verzorgen een aantrekkelijke verschijning kan maken van een doorsnee vrouw.

'God, wat fijn je weer te zien,' zegt ze, en ze buigt zich over de armleuning heen om me stevig te omhelzen.

'Dag, zusje,' zeg ik. Ik klop haar een beetje ongemakkelijk op haar rug. We hebben elkaar twintig jaar lang zo veel mogelijk proberen te ontlopen, maar sinds mijn zus zich een paar jaar geleden aansloot bij een grote evangelische gemeenschap is ze erg knuffelig en weet ik vaak niet hoe ik moet reageren.

'Maar hoe gáát het nou met je?' vraagt ze, op een manier zoals mensen doen wanneer ze regelmatig tegen anderen zeggen dat ze zich zorgen om je maken. Ik vraag me af hoeveel van haar medebijbelstudenten deze week weer voor me hebben gebeden.

'Prima. Ik vind het ook fijn om je weer te zien.' Als ik Sarah onder het rijden vanuit haar ooghoeken naar me zie kijken, voel ik me gedwongen eraan toe te voegen: 'Dat meen ik', waardoor ik me een nog grotere leugenaar voel. Om mijn gezicht te red-den praat ik de volgende twintig minuten honderduit over mijn werk en over hoe druk ik het heb gehad.

We arriveren bij Sarahs houten bungalow, gelegen in een ge-zellige, onopvallende buurt genaamd Burns Park, een van de betere wijken van Ann Arbor. Behalve een SUV heeft mijn zus alles wat haar hartje begeert: een perfect huis, een fijn gezin, een fantastisch figuur. Logeren bij haar heeft iets weg van een werk-vakantie bij een wijnboer, timmerman of banketbakker, waar je een tijdje verblijft om te zien of je geschikt bent voor het vak. Ik kom altijd een beetje jaloers bij haar vandaan, hoewel het me ook telkens weer doet beseffen hoeveel werk er in dat huisje, boompje, beestje gaat zitten.

'Tante M!' roept Ella. Ze komt door de voordeur naar buiten gestormd en holt de verandatrap af. 'Ik wacht al de hele dag op je!'

'Dag, lieverd,' zeg ik, en ik til haar op in mijn armen. 'Hoe is het met het allerliefste nichtje ter wereld?' Ik zou alles doen voor dit kind. Ze is niet alleen enorm schattig, maar fungeert sinds haar geboorte zes jaar geleden ook als een soort vredesduif tussen Sarah en mij. Hoe vaker ik Ella zie, hoe meer ik ernaar uitkijk om te zijner tijd ook moeder te worden, ook al sta ik erom bekend dat ik niet de minste of geringste behoefte heb om me voort te planten.

Ze kijkt naar me op. 'Tante M, mama zegt dat tante Julia heel erg ziek is. Ben je nu verdrietig?'

'Ja, schatje. Soms ben ik verdrietig,' zeg ik tegen haar. 'Maar gelukkig gaat het elke dag een beetje beter met tante Julia. Misschien mag je binnenkort wel een keertje naar haar toe.'

'Joepie! Dan maak ik een tekening voor haar!' roept Ella uit. Ze springt op en neer. 'Van een ballerina! Net als tante Julia!'

'Ik weet zeker dat ze dat prachtig zal vinden, Ella.'

'Ik durf het bijna niet te vragen, maar hoe gaat het met mama?' Sarah en ik zitten na het eten met een glaasje wijn in de keuken en hebben het zoals gewoonlijk over onze moeder. Ze is ons favoriete gespreksonderwerp, want een van de weinige dingen waar Sarah en ik het over eens zijn, is dat ze niet goed bij haar hoofd is.

'Erger dan anders,' zegt Sarah. 'Ze belde me twee dagen geleden. Ze overweegt van Phil te scheiden omdat ze niet meer tegen zijn gesnurk kan.' Phil is de echtgenoot van mijn moeder, met wie ze een jaar na mijn afstuderen is getrouwd. Zijn hobby is kijken naar golf en hij praat nogal graag over het weer, maar welbeschouwd is het een heel aardige man. Eerlijk gezegd snappen Sarah en ik niet wat hij in onze moeder ziet.

'Ik geef het een week.'

'Zo niet minder,' zegt Sarah. 'Dan staat ze met tweehonderd dollar aan boodschappen in haar winkelwagen bij de kassa van Target en beseft ze dat het zorgeloos shoppen zonder Phil verleden tijd is. Dan kan ze geen tuinkabouters en antirimpelcrème voor haar onderarmen meer kopen. Zijn gesnurk zal ineens klinken als engelengezang.'

We schieten beiden in de lach. Phil verdient goed als werktuigbouwkundig ingenieur, en mijn moeders huwelijk met hem is in wezen niets anders dan een uitgekiende zakelijke verbintenis. Ze wekt de indruk van hem te houden, maar door met hem te trouwen kon ze mooi haar twee banen opgeven en het comfortabele leven leiden waarover ze altijd in haar favoriete romannetjes had gelezen. Aangezien ze van de ene op de andere dag door mijn vader in de steek was gelaten, kon ik haar dat niet kwalijk nemen.

'En hoe gaat het tussen Marcus en jou?' vraag ik aan Sarah, doelend op haar echtgenoot die met zijn vrienden aan het basketballen is.

'Eh...' Ze drinkt haar glas leeg. Ik had geen uitgebreid antwoord verwacht, maar ze vervolgt: 'Niet zo goed als tussen Dave en jou, dat is zeker.'

'Maar jullie lijken zo gelukkig?' zeg ik. Stiekem ben ik blij dat mijn zus vindt dat ik een ideale relatie heb.

'Dat wáren we,' verbetert Sarah me. 'Hij gedraagt zich nogal vreemd de laatste tijd. Afstandelijk. Ik ben bang dat hij iets met een vrouw van de kerk heeft.'

'Dat meen je niet.'

'Jawel.' Ze knikt en trekt een vies gezicht. 'Met de vrouw van de hulppastoor. Walgelijk, toch? Maar ik betwijfel of ze samen de koffer in duiken. Marcus lijkt me te godvrezend om uit zijn broek te gaan. Maar ik heb ze na de dienst wel iets te vaak flirtend betrapt.'

Ze kijkt me vermoeid aan. 'Het ergste van alles is dat die vrouw zo ontzettend gewoon is. Ik bedoel, als ze nou beeldschoon was, dan zou ik ook jaloers zijn, maar het tenminste begrijpen. Maar hij is verliefd op iemand die haar wenkbrauwen niet eens epileert, dus dat is een ander verhaal. Dat betekent dat het meer is dan ordinaire lust.'

'Jakkes,' zeg ik, omdat ik dat juist veel erger zou vinden. Toch kan ik me niet voorstellen dat mijn vriendelijke zwager, die Sarah vanaf hun eerste ontmoeting heeft aanbeden, er een affaire op na houdt, en dat zeg ik dan ook tegen haar.

Zo kletsen we nog een uurtje door totdat het tijd is om naar bed te gaan. Terwijl ik mijn gezicht was en mijn lenzen uitdoe, besef ik dat het lang geleden is dat Sarah en ik zo uitgebreid met elkaar hebben gepraat als vanavond. Natuurlijk vind ik het erg vervelend voor haar dat ze het moeilijk heeft met Marcus. Hij is een goede vader, en ik weet hoe het is om zonder vader op te groeien. Dat wens ik niemand toe, en Ella al helemaal niet. Maar ik vind het fijn dat mijn zus me in vertrouwen neemt en daarmee indirect toegeeft dat haar leven niet volmaakt is. Terwijl ik in slaap val, besef ik dat het een van de weinige gesprekken van de afgelopen maanden was die niet over Julia gingen.

De dag daarop leen ik Sarahs auto en rijd naar de Ferrars, die slechts een paar kilometer verderop wonen. In tegenstelling tot de huizen in de wijk van mijn zus, die op een steenworp van elkaar af liggen, ligt de woning van de Ferrars verscholen in de bossen langs de rivier de Huron, onzichtbaar vanaf de weg en voor de buren. Maar ik ken de streek op mijn duimpje en hoef niet naar de bordjes met huisnummers langs de weg te kijken om te weten welke oprit ik moet hebben.

Ik druk op het glanzende bronzen knopje op de deurpost en hoor geklingel. Het is een vreemd gevoel te moeten aanbellen nadat ik mezelf al die jaren via de zijingang heb binnengelaten. Door het raampje zie ik Jim naar de deur komen lopen.

Hij begroet me hartelijk. 'Marissa, kom binnen. Julia is erg blij dat je komt!'

'Dank je, Jim. Ik ben ook blij dat ik er ben,' zeg ik, en dat meen ik. Ondanks mijn gemengde gevoelens over haar e-mails aan Nathan, mis ik mijn vriendin enorm, en ik kan niet wachten om te zien of het echt zo goed met haar gaat als haar ouders zeggen.

'Is Grace er niet?'

'Nee. Ze is even wat boodschappen doen. Ze kan elk moment terug zijn,' zegt Jim. Hij gebaart me mee te lopen naar de woonkamer.

Ik ben nerveus. Ik ga op de witte suède sofa zitten, maar vrees dat de indigoverf van mijn spijkerbroek op de bekleding zal afgeven, dus besluit ik op de vlekbestendige leren Barcelona-stoel te gaan zitten.

'Oké. Nu je niet meer op de witte bank zit, kan ik je wel iets te drinken aanbieden,' zegt Jim schertsend.

Ik lach, dankbaar voor de afleiding, en zeg dat ik niets hoef.

'Oké. Dan haal ik Julia even."

'Marissa! Hoi hoi!' begroet Julia me enthousiast als ze me ziet.

'Juul, wat zie je er geweldig uit,' zeg ik, en ik loop naar haar toe. Ze ziet er echt geweldig uit. Haar haar is langer dan het in jaren is geweest, en dat staat haar goed. Bovendien ziet haar gezicht er niet meer zo opgeblazen uit als direct na het ongeluk, en ik zie dat ze zelfs een beetje lipgloss heeft opgedaan.

We omhelzen elkaar. Dan houdt ze me op armslengte en kijkt

naar me alsof ze me in geen jaren heeft gezien. Voorzichtig raakt ze mijn haar aan. 'Nog altijd even mooi,' zegt ze.

'Nog altijd even slechte ogen,' zeg ik grappend, maar ik heb meteen spijt dat ik zo luchtig probeer te doen. Bovendien weet ik niet of ze er de humor wel van kan inzien. Er zijn zo veel dingen die ik niet zeker weet.

Tot mijn opluchting lacht Julia. 'Ik zie prima, hoor. Volgens de dokter ben ik weer bijna de oude. Ik loop zelfs bijna normaal!' zegt ze. Ze doelt op de heupklachten die ze sinds haar ongeluk heeft. Haar specialisten konden geen feitelijk letsel ontdekken en gaan ervan uit dat het een gevolg is van het hersenletsel. 'Stel je het brein voor als het controlepaneel van het lichaam,' had een van haar specialisten uitgelegd. 'Zelfs als je heup niets mankeert, krijgt een deel van je hersenen die informatie niet door. Dat beïnvloedt de manier waarop je loopt. Het kan blijvend zijn, maar het kan ook even snel verdwijnen als het is gekomen.'

'Kom,' zegt Julia. Ze trekt op dezelfde manier aan mijn arm als Ella wanneer ze mijn aandacht wil. 'Dan gaan we naar mijn kamer. Ik wil je iets laten zien.'

Het verbaast me te zien dat Julia's vroegere kinderkamer is opgeknapt. 'Wauw, Juul,' zeg ik, om me heen kijkend. De muren, die de laatste keer lichtgrijs waren, zijn nu lilakleurig, en op haar bed ligt een paarse quilt die best mooi zou staan als er niet ook een lila sprei en een dozijn bijpassende kussens op lagen. Paars past absoluut niet bij Julia, die altijd een duidelijke voorkeur had voor neutrale kleuren.

'Het is heel... paars.'

'Ja. Misschien een beetje té, hè?' zegt ze. Ze trekt een wenkbrauw op en kijkt de kamer rond op een manier alsof het haar zelf ook verbaast.

'Een beetje wel,' beaam ik.

'Volgens mijn artsen kan ik obsessies ontwikkelen. Voor

69

woorden of kleuren, bijvoorbeeld, of voor een bepaald soort voedsel. Dat gaat vanzelf. Maar hier word ik in elk geval blij van.' Ze begint Sheryl Crow na te zingen: 'If it makes you happppy, it can't be baaaaad...' Ik glimlach, omdat het luidkeels uitbarsten in een lied typisch Julia is. Zie je wel dat ze vooruitgaat, denk ik bij mezelf. Je moet alleen goed opletten.

Maar mijn optimisme wordt in de kiem gesmoord als er een bolletje wit haar onder het bed vandaan komt gekropen.

'Snowball!' roept Julia uit als ze het witte katje ziet. Ze pakt het dier op en drukt het tegen zich aan. 'Dit wilde ik je laten zien. Mijn nieuwe katje!'

Julia heeft een hekel aan katten. Correctie: háát katten. 'Snowball?' zeg ik voorzichtig terwijl ik argwanend naar het bolletje haar kijk dat tegen haar op klauwt alsof hij haar arm wil openhalen. 'Heb je hem Snowball genoemd?'

'Hallo,' zegt ze, alsof ik traag van begrip ben, en ik besef dat de naam niet grappig is bedoeld. 'Kijk dan toch. Hoe had ik hem anders moeten noemen? Is het geen snóésje?'

Ik geef toe dat ik allesbehalve een kattenvriend ben, maar ik heb wel eens snoezigere katten gezien. Dit mormel komt daar niet eens bij in de buurt. Hij mag dan pluizig en zacht zijn, hij heeft een platte, rimpelige snoet en gemene gele ogen, alsof een buitenaards wezen bezit van hem heeft genomen. Snowball blaast naar me en springt van Julia's tengere arm. Zij lacht alleen maar als hij onder het voeteneinde van het dekbed schiet.

'En, mis je je werk?' vraag ik aan Julia. Ik laat mijn blik langs de tientallen beterschapskaarten gaan die verspreid door de kamer staan en hangen en waarvan er ongetwijfeld een aantal van haar collega's is.

Ze kijkt me vragend aan. 'Mijn werk?

Kom op, Julia. Je bent dol op je werk. Dát herinner je je toch nog wel? smeek ik in stilte.

'Bij je balletgroep?' zeg ik voorzichtig.

Ze hapt niet en mijn optimisme slaat om in pessimisme. 'Geen ballet meer. Volgens de dokter kan ik voorlopig niet dansen. Misschien zelfs nooit meer', antwoordt ze monotoon. Plotseling gaat ze op de rand van het bed zitten. 'O. Au. Ik geloof dat ik een migraineaanval krijg.'

'Shit. Zal ik je ouders roepen?' Julia lijdt sinds het ongeluk aan hoofdpijnen die in plaats van af te nemen alleen maar erger worden. Vorige week, zo vertelde ze me, had ze zelfs zo'n ernstige aanval gehad dat ze was flauwgevallen. Dit beangstigt me meer dan ik laat merken. In een artikel in een van de vele medische tijdschriften die ik me heb toegeëigend van de bibliotheek van *Curve*, las ik kortgeleden dat mensen die aan migraine lijden een vergrote kans op 'verborgen hersenbeschadiging' hebben. Doorgaans veroorzaakt dit type letsel geen symptomen, maar gezien de gevoeligheid en verwardheid van Julia's neurale weefsel door de klap, vraag ik me af of de migraine het letsel niet verergert. Een vergrote kans betekent niet dat het ook gebeurt, breng ik mezelf in herinnering. Bovendien hebben de meeste mensen met hersenletsel last van hoofdpijn, en herstellen desondanks.

'Nee, het gaat wel', zegt Julia. Ze leunt voorzichtig achterover en knijpt haar ogen dicht. 'Ik ga even liggen. Wil je voor je weggaat de rolgordijnen omlaag doen?'

'Natuurlijk.'

'Fijn', fluistert ze. 'Kom je morgen weer?'

'Dat weet je toch.'

Ik tref Grace aan in de keuken, waar ze bezig is de boodschappen op te ruimen.

'Julia heeft migraine', zeg ik tegen haar. 'Zal ik haar medicijnen brengen?'

'Ach', verzucht Grace. 'Nee. De pillen tegen migraine helpen niet. Ik heb voor deze week een afspraak bij een acupuncturist geregeld. Hopelijk helpt dat iets.' Ze zet een bakje bosbessen in de koelkast, sluit de deur en legt dan haar hand op mijn arm. 'Ontzettend fijn dat je er bent, Marissa. Volgens de arts is het goed voor haar om bekenden te zien. Mensen die ze vertrouwt.' Grace kijkt me aan. 'Weet je zeker dat je niet in Julia's appartement wilt?'

'Ik krijg er vast spijt van, maar ik kan voorlopig beter niet verhuizen,' zeg ik. 'En misschien wil Julia op een gegeven moment terug verhuizen. Haar baas zei immers dat ze haar baan vrij zouden houden. Ik denk dat het makkelijker is als ik haar appartement niet overneem.'

'Marissa, we moeten eerlijk tegen je zijn,' zegt Jim terwijl hij de keuken binnenkomt. 'We hebben uitvoerig met Julia's nieuwe team neurologen gesproken, en hoe vervelend ik het ook vind om te zeggen, ze denken niet dat Julia op korte termijn op zichzelf kan wonen. De migraine is geen goed teken.' Hij wrijft over zijn slapen. 'We moeten onder ogen zien dat ze niet meer is wie ze was. De stemmingswisselingen, het geheugenverlies... er valt nog niets te zeggen over wat ze uiteindelijk weer zal kunnen.' Zijn woorden brengen de angsten die ik had verdrongen weer terug.

'Jim, zeg dat niet,' zegt Grace scherp.

'Maar het is zo,' zegt Jim kalm. 'Ik hoop net als jij dat ze niet de rest van haar leven thuis hoeft te wonen. Dat ze ooit weer een zelfstandig leven kan opbouwen. Ik bedoel, ik houd van haar, maar ze is een volwassen vrouw en terugkeren op het nest is wel het laatste wat je wilt voor je dochter.'

'Ja,' zegt Grace gelaten. Ze dept haar ogen met de theedoek in haar hand. 'Dat is wel het laatste wat je wilt.'

'Ze lijkt in elk geval gelukkiger nu,' zeg ik, omdat toch iemand de moed erin moet houden. 'Minder somber en wanhopig dan net na het ongeluk.'

'Dat is inderdaad een verbetering,' erkent Jim.

'Julia's opgewektheid heeft me aangenaam verrast,' beaamt Grace. 'Ze was in het begin nogal onaardig. Ik maakte me zorgen dat ze zo zou blijven.'

Terwijl ik terugrijd naar Sarah, vraag ik me af of het klopt wat ik zei, of dat ik het alleen heb gezegd om de Ferrars – en mezelf – een hart onder de riem te steken. Julia zéí dat ze gelukkig was. Maar ik weet zeker dat als ze nog de onafhankelijke vriendin van drie maanden geleden was en zichzelf nu zou zien, in haar paarse kinderkamer en met haar katje genaamd Snowball, ze ernstig geschokt zou zijn. En dat stemt me diepbedroefd.

Maar ik maak me ook kwaad. Ik zou mijn vuist willen schudden en naar de hemel willen roepen: waarom zij? Julia heeft fouten gemaakt, net als iedereen. Ze is niet volmaakt. Maar ze is een goed mens en heeft deze ellende niet verdiend.

Ik klem mijn handen om het stuur en laat de woede over me heen komen. Want hoe bozer ik me maak over het ongeluk, hoe beter ik de wrok kan loslaten die ik tegen mijn vriendin koester voor het breken van onze belofte.

9

NADAT MIJN VADER ons had verlaten, vierden we nooit meer Thanksgiving. In plaats daarvan nam mijn moeder ons mee naar de Ihop voor een laat pannenkoekenontbijt en gingen we 's middags naar de goedkope bioscoop om twee films achter elkaar te zien. In sommige jaren, wanneer Sarah en ik lang genoeg smeekten, liet mijn moeder ons ophalen door oma zodat we de vakantiedagen bij haar en opa konden doorbrengen in Grand Rapids. Maar meestal durfden we mijn moeder niet alleen achter te laten. Omdat ze weigerde mee te gaan naar Grand Rapids, bleven we met ons drieën in Ypsilanti en deden we alsof het een normale doordeweekse dag was.

Daarom vinden Sarah en ik mijn moeders Thanksgiving-feestmaal nu zo bizar. Het ziet eruit alsof het zo uit de ELLE *Eten* komt. 'Na zeven Thanksgivingdiners waarop mam de keukenprinses uithangt zou ik er toch aan gewend moeten zijn, maar het blijft... bizar,' fluistert Sarah als ik ongelovig sta te kijken naar de gigantische kalkoen, de zeven verschillende bijgerechten, pompoen-, pecan- en appeltaarten, het enorme assortiment koekjes, en de buffettafel vol wijn en cider. Mijn moeder verwart ons gezin duidelijk met leden van de 'Anonieme Overeters' die in hun eetverslaving zijn teruggevallen. Ironisch genoeg durf ik niet een tweede keer op te scheppen omdat ik dat dan de hele maand van haar zal horen.

'Ik ben zó blij dat mijn meisjes er zijn!' zegt mijn moeder als ze uit de keuken komt met een kanten schort om haar middel geknoopt. Ze is meer opgedoft dan normaal. Haar korte blonde bob is net geverfd, haar donkerrode jurk zit als gegoten, en ze draagt een nieuwe met bergkristallen afgezette bril van het luxe Italiaanse merk Fendi. 'Hoi, mam,' zeg ik als ik haar op haar wang kus. 'Mooie bril. Heel hip.'

'Dank je, lieverd, jij ziet er ook goed uit,' zegt ze weinig overtuigend terwijl ze mijn rode coltrui en spijkerbroek in zich opneemt. 'Ik hoop dat je weet hoe ik het waardeer dat je je vakantie met Dave opgeeft om bij mij en Phil te zijn.'

Mijn moeder de martelaar, denk ik, maar ik zeg: 'Ik had toch gezegd dat ik het dit jaar bij jullie zou vieren? Bovendien kan ik Julia dan ook even zien.'

'O, ik ben er kapot van,' zegt ze, en ze staart met een frons in haar glas pinot Grigio. 'Het was zo'n aardige jonge vrouw. Ze had zo'n mooi figuur.'

'Mam, ze leeft nog, hoor!' werp ik tegen. 'En niet dat het belangrijk is, maar ze ziet er nog precies hetzelfde uit.'

'Dat weet ik wel. Doe niet zo somber, Marissa,' zegt ze spottend. 'We mogen God op onze blote knietjes danken dat haar gezicht niet is beschadigd. Zulke schoonheid kom je niet vaak tegen.' Ik knik en rol met mijn ogen naar Sarah, die zich bijna in haar drankje verslikt. Hoewel mijn moeder tijdens mijn middelbareschooltijd nauwelijks aandacht schonk aan Julia en mij, is ze Julia sindsdien zo gaan bewonderen dat ik haar ervan verdenk dat ze Sarah en mij zonder aarzelen zou willen inruilen. Julia is zo vertrouwd met mijn moeders grillen dat ze haar 'Susan, de somatische narcist' noemt, en toch laat ze geen gelegenheid voorbijgaan om haar te vleien. Zet die twee bij elkaar in één ruimte en het mondt uit in een groot slijmfestijn ('Je ziet er geweldig uit!' 'Nee, jíj ziet er geweldig uit!' 'Je schoenen zijn fantástisch!' Enzovoort).

'Hoe gaat het met je vriendin?' vraagt Phil als hij mij de hand schudt – zelfs na al die jaren zijn we in wezen nog altijd slechts bekenden van elkaar.

Ik vind het niet erg om hem op de hoogte te brengen, want ik weet dat zijn belangstelling net zo lang duurt als de televisiereclame; daarna gaat hij gelijk terug naar de bank om naar de rest van het PGA-golftoernooi te kijken. 'Het gaat wel, ze heeft niks gebroken of zo. Maar ze lijdt aan geheugenverlies en heeft heel zware hoofdpijnaanvallen. Ze praat ook nooit meer over haar werk of haar danstroep.'

'Geen ballet meer?' vraagt mijn moeder ontsteld.

'Ze is er nog niet één keer uit zichzelf over begonnen, zelfs niet toen haar dansvrienden haar bezochten in het ziekenhuis. Het is een beetje vreemd. Ze lijkt gewoon... anders,' zeg ik, onzeker of ik kan uitleggen hoe vreemd Julia zich de laatste tijd gedraagt, of dat het überhaupt zin heeft het te vertellen.

'Moeilijk, hoor,' zegt Phil hoofdschuddend. 'Zeg maar tegen haar dat we aan haar denken, en als we iets voor haar kunnen doen...' In plaats van zijn zin af te maken gebaart hij met zijn bierflesje en loopt terug naar de tv.

'Bijna-doodervaringen hebben dat effect op mensen,' zegt mijn moeder wanneer hij wegloopt. 'Dat heb ik gezien bij *Dr. Phil*.'

'Dat is het hem nou net, mam. Ik geloof dat ze zich niet eens realiseert dat ze dood had kunnen zijn. Ze herinnert zich het ongeluk niet echt en hoewel ze precies kan oplepelen wat de artsen haar voorkauwen, lijkt het of ze niet beseft dat ze veranderd is. Ze is bijvoorbeeld geobsedeerd door de kleur paars en ze heeft het over mensen uit ons verleden over wie we het in geen jaren hebben gehad.'

'Jeetje,' zegt Sarah. 'Dat moet moeilijk voor je zijn.'

'Dat is het ook,' zeg ik, en ik voel een steek van dankbaarheid dat mijn zus dit onderkent.

'Dat is een maat van mij ook overkomen,' zegt Marcus. Als Sarah hem vragend aankijkt, vervolgt hij: 'Mijn vriend Trevor was in zijn studietijd een avond op stap en klom voor de grap over het hek van een bouwplaats. In het donker zag hij niet dat er een enorm gat van wel drie meter diep aan de andere kant van het hek zat. Hij viel erin en kwam op zijn hoofd terecht.'

'Marcus, hou alsjeblieft op! Je bent net als die mensen die me allerlei gruwelverhalen over bevallingen gingen vertellen toen ik zwanger was van Ella,' berispt Sarah hem.

'Ik vind het niet erg, hoor,' zeg ik. 'Hoe liep het af?'

'Goed. Ik bedoel, hij moest naar het ziekenhuis en zo, en gedroeg zich een maand lang vreemd. Soms had hij toevallen, dat was eng. Maar voor het grootste deel werd hij weer de oude Trevor, al heb ik hem al tijden niet gesproken,' vervolgt hij onbeholpen. Zo blond en gladgeschoren als hij is, doet hij me aan een golden retriever denken. Hij lijkt opgelucht dat ik niet van slag ben en eventjes heb ik de neiging hem te commanderen om te gaan liggen zodat ik hem op zijn buik kan kriebelen. In plaats daarvan onderdruk ik een glimlach en ga ik naar het toilet.

Om vier uur begeleidt mijn moeder ons naar de eetkamer. Voordat we gaan zitten vraagt ze ons om elkaars hand te pakken en verzoekt ze Sarah om ons eten te zegenen. Ik kijk rond en verwacht dat Sarah op zijn minst zo verrast is als ik; mijn moeder is tenslotte sentimenteel noch gelovig, maar iedereen, ook Ella, heeft het hoofd al gebogen.

Ik sluit met tegenzin mijn ogen als Sarah begint te spreken. 'Lieve God, dank U voor deze heerlijke maaltijd en dat U ons hier vandaag bijeen hebt gebracht. Blijf ons alstublieft zegenen en laat ons elkaar steunen in moeilijke tijden. We bidden vandaag vooral voor Marissa omdat ze Julia bijstaat tijdens haar herstel. Waak over haar en geef haar kracht. We voelen ons nederig en danken U vooral voor de grote zegen die U ons hebt gegeven: elkaar.'

Sarah, die naast mij zit, knijpt in mijn hand voordat ze 'Amen' zegt. Ik knijp terug en als ik mijn ogen open, merk ik verbaasd dat ze een beetje vochtig zijn.

10

'WE ZIJN ER BIJNA,' zegt Julia terwijl ze me aan de hand meetrekt. Ze heeft me al de hele week gesmeekt of ik meega naar een nieuw restaurant in het centrum van Ann Arbor. Bezorgd kijk ik rond in de straat, die schittert van de feestverlichting en de kleurrijk ingerichte etalages, en ik doe alsof de frons op mijn voorhoofd voortkomt uit nieuwsgierigheid. Ik zal geen Oscar winnen voor mijn acteerprestatie, want Julia voelt onmiddellijk dat ik niet op mijn gemak ben. 'Maak je niet druk. Ik weet de weg,' zegt ze. Wat ze niet in de gaten heeft, is dat ik me juist helemaal niet druk maak om haar richtinggevoel. Ik vind het gewoon niet prettig om met haar in het openbaar gezien te worden.

Sinds ik in Michigan ben, heb ik Julia bijna elke dag gezien. Het is allemaal, zoals mijn moeder zou zeggen, van een leien dakje gegaan. We hebben langer en intensiever met elkaar gesproken dan voorheen en ze bracht zelfs dingen uit onze middelbareschooltijd ter sprake die ik totaal vergeten was. Er zijn nog meer gunstige signalen. Ze draagt haar oude kleding weer en hoewel ze nog niet heeft gedanst, heeft ze wel op de loopband van haar ouders getraind, wat volgens haar neuropsycholoog een 'belangrijke stap voorwaarts' is. Ik geef toe dat ze een beetje in de war leek toen ik over een paar wederzijdse vrienden van ons in New York begon, zodat ik me afvroeg of ze niet deed alsof ze zich hen herinnerde. Maar over het algemeen lijkt ze aan de beterende hand.

Twee dagen geleden kreeg ze echter een inzinking.

We waren in de keuken van de Ferrars scones aan het bakken. Ondanks het feit dat Julia zelf nauwelijks gebak at, wist ze van een klont boter en wat bloem altijd een hemels baksel te maken. Deze keer zag het deeg er echter meer uit als een kleiwerkstuk van een kleuter dan als iets wat voor consumptie geschikt was.

'Het hoort toch niet zo plakkerig te zijn?' vroeg ik terwijl ik vergeefs probeerde het mengsel niet aan mijn met bloem bepoeierde handen te laten plakken. 'Wat moet ik nu doen?'

Julia draaide zich met een ruk om alsof ik haar zojuist had gevraagd om haar hoofd in de oven te steken. In haar ogen verscheen een blik van woede die ik in de zestien jaar dat we elkaar kennen nog nooit eerder had gezien, zelfs niet op de dag dat ze in het ziekenhuis een woede-uitbarsting had.

'Als het niet goed is, kun je toch wel zelf uitzoeken hoe het beter kan, slimmerik!' schreeuwde ze naar me. 'Dat doe je toch het allerliefste? Alles verbeteren?'

Ik staarde haar aan, in eerste instantie meer geschokt dan beledigd. Ze staarde zo furieus terug dat ik het gevoel had dat ze me door middel van telekinese tegen de muur probeerde te smijten.

'Dat meen je niet, Juul,' reageerde ik ten slotte kalm. Maar diep vanbinnen wist ik dat ten minste een heel klein deel van haar het wél meende. Toen Julia nog in het ziekenhuis lag, vertelde dr. Bauer ons dat onverschrokken eerlijkheid een van de gebruikelijke neveneffecten van letsel aan de voorhoofdskwabben was. 'Dat betekent niet dat jullie alles moeten geloven wat ze zegt. Soms zal ze wartaal uitslaan,' zei hij. 'Maar wees niet verbaasd dat Julia af en toe de interne filter lijkt te missen die andere mensen ervan weerhoudt alles eruit te gooien en daarmee anderen te kwetsen.' Natuurlijk had Julia gelijk. Ik ben inderdaad iemand die te snel ingrijpt om dingen te verbeteren.

Maar het was pijnlijk te bedenken dat Julia die mening misschien al lang voor haar ongeluk was toegedaan en voor zichzelf had gehouden om mij te beschermen.

'Natuurlijk meent ze dat niet,' hoorde ik Grace achter me zeggen. 'Kom hier, liefje,' zei ze terwijl ze naar Julia toe liep en haar armen om haar heen sloeg. 'Ik weet dat je een slechte dag hebt maar je hoeft niet zo tegen Marissa te schreeuwen. Vergeet niet dat ze je beste vriendin is.'

'Ja,' zei Julia gedwee, en ze begon te huilen.

'Ik wilde je niet van streek maken,' zei ik zachtjes tegen Julia.

'Weet ik,' zei ze tussen het snikken door. 'Ik weet niet wat me bezielde.'

'Waarom ga je niet even liggen?' zei Grace tegen haar dochter terwijl ze haar de keuken uit leidde.

Toen Grace weer terug was in de keuken, had ik het deeg zo vaak gekneed dat het uit tientallen balletjes bestond zonder één geheel te vormen.

'Je moet het niet persoonlijk opvatten, Marissa,' zei ze. Ze keek me meelevend aan.

'Weet ik.'

'Dat houd ik mezelf ook steeds voor,' zei Grace. Ze ging op een stoel zitten en trok haar lange benen als een krakeling onder zich. 'Het doet nog steeds pijn. Ze valt ook wel eens tegen mij uit. Meerdere keren zelfs. Volgens haar neuroloog is dat te verwachten, zelfs nu nog. Dat heeft met die voorhoofdskwabben te maken.' Alsof ze zichzelf eraan moest herinneren, raakte ze heel even haar haargrens aan. 'Laatst zei ze tegen me dat ik er oud uitzag en leek ze niet te begrijpen dat ik daar gekwetst om was.'

'Jakkes.' Grace heeft haar haren inderdaad grijs laten worden en is niet bezweken voor de botox-gekte, maar juist de zilveren strepen in haar haren en de lachrimpeltjes in haar ooghoeken maken haar mooi. Hoe wreed ook, toch lag er een kern van waarheid in Julia's uitspraak.

'Haar nieuwe neuroloog,' vervolgde Grace, 'zegt dat het gebied dat als mentale rem dienstdoet niet goed werkt bij haar. Dus in plaats van voor rood licht te stoppen, rijdt zij in volle vaart door.'

'Wat een griezelige vergelijking.'

'Ja, hè?' zei ze. Ze lachte een beetje, waardoor ik me iets beter begon te voelen.

Juist om die vergelijking maak ik me zorgen terwijl Julia me door de drukke hoofdstraat loodst. We slaan af in de richting van West Liberty, waar het wat rustiger is en dat me, met zijn knusse gebouwen en laaghangende antieke straatlantaarns, doet denken aan de leukste delen van Brooklyn. Een straat verder blijven we staan voor een klein, keurig uitziend café. Boven de deur hangt een bord met het woord BEBER. Slim bedacht, denk ik. Ik herken het woord voor 'drinken' uit de Latijns-Amerikaanse taalgids die mijn bijbel werd toen Dave en ik twee jaar geleden in Chili waren.

'Oké. Hier is 't!' zegt ze, en ze klapt verrukt in haar handen.

'Leuk,' zeg ik. 'Laten we naar binnen gaan.'

'Oké, maar ik moet je eerst iets opbiechten.' Ze kijkt er zo vrolijk bij dat ik bijna verwacht dat ze sprongetjes van blijdschap zal gaan maken.

'Voor de draad ermee.'

'Eh...' begint ze, maar voordat ze de kans krijgt verder te gaan, zie ik iets door het raam. Ik vang maar een glimp op van de persoon aan de bar, maar het is voldoende om hem te herkennen, en op hetzelfde moment besef ik waarom Julia me hiernaartoe heeft gebracht.

'Juul, waarom doe je me dit aan?' vraag ik terwijl ik diep inadem. Ik trek haar weg van het raam naar de met kinderkopjes bestrate parkeerplaats zodat we uit het zicht zijn.

Te laat.

'O, god,' zegt Nathan op lijzige toon als hij door de deur naar buiten komt. 'De twee amiga's, weer samen. Ik dacht even dat ik hallucineerde.' Hij veegt zijn handen af aan zijn spijkerbroek en ik zie dat hij slanker en gespierder is dan in zijn studententijd en dat hij grijs aan de slapen is. Voor zover mogelijk ziet hij er twee keer zo aantrekkelijk uit als tien jaar geleden.

Ik wil hem niet in de ogen kijken, maar ik wil ook niet onbeleefd zijn. Terwijl we elkaar monsteren, voel ik me een beetje licht in mijn hoofd. Dit kan niet waar zijn, zeg ik tegen mezelf. Maar het is wel waar.

'Verrassing!' zegt Julia. Ze geeft Nathan een dikke knuffel.

Hij lijkt totaal niet geschokt door het feit dat Julia als een pre-puberale versie van zichzelf klinkt. Daaruit leid ik af dat hij op de hoogte is van haar ongeluk en niet alleen via e-mail contact heeft gehad, maar haar sindsdien ook heeft gezien.

'Ik ben blij dat je gelijk had. Het is echt geweldig om jullie allebei weer te zien,' zegt hij met zijn blik strak op mij gericht.

Een herinnering is niet slechts een herinnering. Althans, iets dergelijks ontdekte ik tijdens een van mijn eindeloze zoektochten via Google naar de werking van het brein. Uit onderzoek blijkt dat hoe vaker iemand zich een gebeurtenis herinnert, hoe minder nauwkeurig hij in staat is dat te doen; het geheugen wordt beïnvloed door andere factoren, zoals hoe iemand de gebeurtenis heeft ervaren en wat andere mensen ervan vinden. In de hersenen worden feiten en invloedsfactoren samengevoegd, waardoor het voor de persoon lastig wordt om precies te ontcijferen wat echt is en wat verbeelding. Zo verklaren getuigen van misdrijven vaak eerder wat ze in de krant hebben gelezen dan wat ze zelf hebben waargenomen. Om die reden kan ik niet instaan voor de betrouwbaarheid van mijn geheugen, hoewel ik me de dag – om precies te zijn 18 maart 1998 – haarscherp herinner waarop ik Nathan voor het laatst heb gesproken. Ik heb er sindsdien namelijk tientallen, honderden, misschien wel duizenden keren aan teruggedacht.

Ik heb het niet meteen uitgemaakt. Ik had Julia immers alleen beloofd dat ik het zou uitmaken, en niet dat ik meteen de daad bij het woord zou voegen. Ze moet mijn aarzeling hebben aangevoeld, want ze vroeg me regelmatig per e-mail en telefoon hoe Nathan het nieuws had opgenomen. Nooit heb ik haar meer gehaat dan toen. Toch lukte het me niet om tegen haar in te gaan, ook al schreeuwde elke vezel in mijn lichaam: ik neem het terug!

Nathan wist niet dat elk gesprek en elke aanraking tijdens die paar winterweken één langgerekt afscheid was. Ik was niet van plan hem iets te vertellen over mijn gesprek met Julia, dus ik deed alsof er niets aan de hand was. Maar we werden met de dag verliefder. We bleven wakker tot zonsopgang, studeerden samen en gingen overal samen naartoe. We werden Nathan en Marissa. Hij was het eerste waaraan ik dacht wanneer ik wakker werd en de laatste met wie ik sprak voordat ik ging slapen. Een leven zonder hem kon ik me niet voorstellen.

Evenmin kon ik me een leven zonder mijn beste vriendin voorstellen. Uiteindelijk werden Julia's opmerkingen, die ik telkens had genegeerd, me te veel. Het was de hoogste tijd.

De enige manier om de zaak aan te pakken was, zo besloot ik, om mezelf van de wereld te drinken en vervolgens Nathan botweg te dumpen. Maar zoals zo veel keurig uitgewerkte plannen ging het heel anders.

We gingen eten in een plaatselijk café. Algauw merkte ik dat ik niet dronken zou worden. Meer dan een paar slokjes van de gin-tonic kreeg ik niet door mijn keel. Inmiddels was ik zo gespannen dat het niet moeilijk was om een ruzie uit te lokken. Ik begon te klagen dat het nooit iets kon worden tussen ons als hij na zijn afstuderen in Ann Arbor wilde blijven, terwijl ik van plan was om naar New York te verhuizen.

'Het heeft geen enkele zin om zo verder te gaan als het uiteindelijk een langeafstandsrelatie gaat worden,' zei ik. Ik probeerde me groot te houden, hoewel mijn benen trilden onder de tafel waaraan we zaten.

'Mm, daar vinden we wel iets op,' zei hij terwijl hij een kus op de binnenkant van mijn pols drukte. 'Het maakt mij niet uit als ik een paar jaar in New York moet wonen. Als ik maar bij jou kan zijn.'

'Een paar jaar?' vroeg ik kregelig. Snel trok ik mijn hand terug. 'Het zal me minstens tien jaar kosten om hoofdredacteur te worden, en als ik dat eenmaal heb bereikt, ben ik niet van plan meteen weer te vertrekken.'

'Oké. We zien wel als het zover is. Laten we dat wat we hebben niet bederven door pessimistisch gespeculeer,' zei hij en hij stak nonchalant een frietje in zijn mond.

'Dat zeg je alleen maar om mij de mond te snoeren. Het punt is dat dit een studentenliefde is. Die duren nooit zo lang,' zei ik, waarmee ik letterlijk herhaalde wat Julia in mijn studentenkamer had gezegd.

'Mijn ouders hebben elkaar ook tijdens hun studie ontmoet en zij zijn al negenentwintig jaar getrouwd.'

'Ja, dat was in de jaren zeventig,' zei ik minachtend. 'Mijn ouders hebben elkaar op de middelbare school ontmoet en zijn erin geslaagd elkaar helemaal kapot te maken en veertien jaar later te scheiden.'

'Marissa, ik weet niet wat er met je aan de hand is,' verzuchtte Nathan. 'Laten we er een nachtje over slapen en het er morgen nog eens over hebben.'

'Ik wil niet slapen,' zei ik. Ik had het gevoel alsof iemand mijn borst had uitgehold en de lege ruimte met stenen had gevuld. 'Ik wil dat we er een punt achter zetten. Ik wil andere mensen ontmoeten. Het heeft geen zin een relatie te onderhouden waar geen toekomst in zit.'

'Dat meen je niet, Marissa,' zei Nathan. Hij boog zich naar voren.

'Jawel,' zei ik. Om te voorkomen dat hij de tranen in mijn ogen zag, richtte ik mijn blik op mijn bestek.

Nathan pakte mijn hand. 'Marissa Rogers, ik zou morgen met je willen trouwen, als ik je daarmee kon laten zien dat ik het serieus meen. Je hoeft alleen maar ja te zeggen en dan gaan we morgen om negen uur naar het stadhuis om ons met een paar zwervers als getuigen in de echt te verbinden.'

'Dat kun je niet menen,' zei ik, maar toen ik hem aankeek – in zijn goudgroene ogen die me indringend aanstaarden in een poging te begrijpen waarom ik zulke vreselijke dingen zei – zag ik dat hij het wel degelijk meende.

'Het spijt me,' zei ik terwijl ik mijn blik weer van hem afwendde. Ik pakte mijn jas, stond op en liep weg, maar halverwege draaide ik me om en liep ik terug naar de tafel. Ik boog me naar Nathans verbaasde gezicht toe en kuste hem om het gevoel van zijn lippen op de mijne vast te kunnen houden.

'Ik hou van je,' zei ik, 'maar het kan nooit iets worden tussen ons.' *Omdat ik meer van mijn beste vriendin hou dan van jou.*

Het volgende moment liep ik naar de deur en rende de straat op. Ik keek niet een keer om.

Sinds die avond heb ik me vele malen een hereniging met Nathan voorgesteld. Hoewel ik degene was die het had uitgemaakt, was hij in mijn verbeelding de Gemiste Kans. In de loop der jaren werd het verlangen naar hem minder en miste ik hem alleen maar. Ik had hem dingen verteld die ik nog nooit aan iemand had verteld, zelfs niet aan Dave of Julia; bijvoorbeeld dat ik als kind ervan droomde om mijn vader terug te lokken naar huis en hem met plakband aan een stoel vast te maken totdat hij zou beloven dat hij zou blijven. Of dat ik op mijn dertiende diep gekwetst was toen mijn moeder me zei dat ik met mijn lengte geen vijf pond meer mocht aankomen en de rest van mijn leven op dieet zou moeten, terwijl ik het eigenlijk helemaal niet erg vond om maar een meter achtenvijftig te zijn.

Maar nu ik Nathan voor me zie staan, lijkt het in de verste verte niet op het gelukkige weerzien zoals ik me had voorgesteld. Ik ben niet eens blij om hem te zien. Niet onder deze omstandigheden. En zeker niet in een omhelzing met mijn beste vriendin.

'Je had toch gezegd dat je Marissa niet kon overhalen om te komen?' vraagt hij aan Julia.

'Ze heeft het me nooit gevraagd,' zeg ik. Mijn hoofd tolt. Waarom zou Julia dat tegen Nathan hebben gezegd? Wilde ze niet dat ik hem eerder al zou zien? En zo nee, waarom niet?

Julia negeert me. 'Is dat zo?' vraagt ze aan Nathan. Ze kijkt verbaasd. 'Dat kan ik me niet herinneren.'

Ik kijk eerst naar hem en vervolgens naar haar. Een vertrouwd gevoel van woede borrelt in me op. Geen scène maken, spreek ik mezelf toe, maar een ander stemmetje in me zegt: Marissa, het is de hoogste tijd om voor jezelf op te komen, en dat stemmetje gehoorzaam ik.

'Dus ik ben al een tijdje onderwerp van gesprek?' vraag ik. 'Ik heb al een poosje in de gaten dat jullie elkaar mailtjes stuurden, maar ik had nooit gedacht dat het over mij zou gaan.' Terwijl ik dit zeg, steekt mijn nieuwsgierigheid weer de kop op. Het liefst zou ik hun willen vragen: waarom? Waarom hebben jullie het over mij? Maar de woede die in me is opgelaaid heeft de overhand.

'Echt? Hoe wist je dat we contact hadden?' vraagt Julia.

Ik negeer haar vraag en richt me tot Nathan. 'Je weet natuurlijk dat Julia een beetje in de war is.'

Hij trekt zijn wenkbrauwen op, maar kijkt niet boos. 'Het ongeluk? Ja, dat weet ik.'

'Dan weet je ook dat ze geheugenproblemen heeft. Gemakshalve heeft ze me niet verteld dat jullie twee zo dik bevriend zijn geworden.' Ik spuug de woorden uit alsof ze een vloek zijn. Ik besef dat ik een scène aan het maken ben, maar de sluizen staan nu eenmaal open en ik zie geen reden om de anderen niet in de stroom mee te sleuren.

'Ik wilde alleen maar...' begint Julia.

'Ik wil niet eens weten wat je van plan was,' zeg ik verontwaardigd, hoewel dat glashard gelogen is. 'Ik heb tien jaar geleden al besloten dat wat gebeurd is, is gebeurd, en als jij het verleden wilt oprakelen, moet je dat maar in je eentje doen.'

'Marissa, het spijt me,' jammert Julia. 'Wees alsjeblieft niet boos.'

Ik wil wegrennen, ik wil degene zijn die Julia voor het eerst in deze lange, onverkwikkelijke geschiedenis in de steek laat. Tegelijkertijd weet ik dat ik haar niet zonder lift naar huis kan achterlaten. Vooral omdat ik niet zeker weet of ze begrijpt waarom ik boos ben.

'Oké,' zeg ik. 'Ik vergeef je. Laten we hier nu zo snel mogelijk weggaan.'

'Tante Marissa, ben je sjaggie?' vraagt Ella terwijl ik mijn gele poppetje drie vakjes vooruit zet op het bordspel Candy Land.

Mijn nichtje kijkt me met een bezorgde blik aan. Ik schiet in de lach, waardoor Ella op haar beurt begint te giechelen. Dat maakt me nog harder aan het lachen en voordat ik het weet, hebben we allebei de slappe lach.

'Sjaggie? Zegt mama dat als je in een slechte bui bent?' vraag ik terwijl ik mijn ogen met de rug van mijn handen afveeg.

'Ja!' antwoordt ze giechelend. Ze zit op haar knieën op en neer te wippen.

'Nou, lieverd, ik geloof het wel.'

'Dan moet je ijs eten,' verkondigt Ella. 'Dat is het enige wat helpt als ik in een slechte bui ben.'

'Van ijs ga ik me ook altijd beter voelen, Ella,' zeg ik. 'Laten we mama vragen of ze zin heeft om met ons een ijsje te gaan eten.'

Hoewel het buiten nog geen zeven graden is, vindt ook Sarah dat een ijsje precies is wat we nodig hebben, dus trekken we onze warme jas aan om naar Stucchi's te gaan waar je, volgens een onderzoek van een bijzonder kieskeurige culinair journalist, het beste ijs van de hele wereld kunt krijgen.

'Zeg, ik vind het vervelend om erover te beginnen, maar gaat het wel goed met je? Is er iets gebeurd vandaag?' fluistert Sarah wanneer Ella naar de diepvriezer loopt om een smaak uit te kiezen.

Ik geef haar een gedetailleerd verslag.

'Wauw. Ik heb in geen jaren aan Nathan gedacht. Ik wist ook niet dat je nog steeds iets voor hem voelde,' zegt ze.

'Dat is ook niet zo,' zeg ik naar waarheid, hoewel ik zijn gezicht niet uit mijn hoofd kan zetten. 'Ik denk dat ik onze breuk en wat er met Julia is gebeurd nooit echt heb verwerkt. En toen ik die e-mails zag, was het alsof er een oude wond werd opengereten. Ik wil niet dat het me nog dwarszit. Ik bedoel, het is meer dan tien jaar geleden en bovendien hou ik van Dave. Ik ga hem heus niet verlaten om bij Nathan te kunnen zijn.'

'Weet je het zeker?' vraagt Sarah zonder veroordelend te klinken.

'Heel zeker,' zeg ik, en het mezelf hardop te horen zeggen,

maakt me nog zekerder. 'Wat me volgens mij het meest raakt, is dat Nathan en Julia wel eens een relatie zouden kunnen hebben. Het idee alleen dat ze iets met elkaar zouden hebben, is fout, maar ook een vriendschap tussen hen zou puur verraad zijn, gezien de afspraak die ik met haar heb gemaakt.'

Als we de ijsjes krijgen – twee bolletjes truffel en mintchocolade voor mij en vanille en kersenkwark voor haar – gaan we aan een van de kleine tafeltjes aan de muur zitten.

'Volgens mij gaat het hier niet om Nathan,' zegt Sarah na een paar minuten. 'Het gaat om Julia.' Ze neemt nog een hapje ijs en zegt dan: 'Het doet me denken aan een preek die ik laatst hoorde.'

'Sarah,' kreun ik. Ik had kunnen weten dat ze me zou proberen te bekeren.

'Nee, laat me uitspreken,' zegt ze terwijl ze een snelle blik over haar schouder werpt om te zien waar haar dochter is, die bij een bevriend jongetje aan tafel is gaan zitten. 'Onze priester...'

'Die met die losbandige vrouw?'

'Nee, de hoofdpastoor,' zegt ze terwijl ze net doet alsof ze me een mep geeft. 'Afgelopen zondag had hij het over houden van. Hij zei dat de meeste mensen een totaal verkeerd idee van liefde hebben. Ze denken dat liefde betekent dat je jezelf kleiner maakt, je eigen behoeften terzijde schuift en iemand anders ten dienste bent. Maar als je dat doet, word je op den duur rancuneus. Pas wanneer we onze eigen behoeften erkennen en onszelf dezelfde kans geven ons te ontplooien als de mensen om ons heen, kunnen we echt van iemand anders houden.'

'Bedoel je dat ik bang ben om mezelf te ontplooien?' vraag ik. Ik doe mijn best om niet beledigd te klinken.

'Begrijp me niet verkeerd, Marissa. Ik denk dat je dat al heel behoorlijk doet. Als ik mijn vriendinnen hier vertel wat jij voor de kost doet, doen ze net alsof je een of andere beroemdheid bent.'

'Dank je,' zeg ik. Het complimentje verzacht de klap van haar eerdere opmerking.

'Maar als het om Julia en jou gaat, heb ik eigenlijk altijd de indruk gehad dat jij aan het kortste eind trekt. En dit hele verhaal over Nathan is daar een goed voorbeeld van.'

'Ik weet het niet, Saar,' zeg ik, maar terwijl ik het laatste beetje ijs uit mijn bekertje schraap, bedenk ik dat mijn zus – en zelfs haar pastoor – het wel eens bij het rechte eind zouden kunnen hebben.

11

MIJN TELEFOON GAAT.

Tien seconden later gaat hij nog een keer. En weer. Als ik hem geïrriteerd van de toilettafel pak om het alarm uit te zetten, zie ik dat ik drie nieuwe berichten heb.

Gatver. Ik wil die draadloze dwingeland van tweehonderdvijftig dollar door de wc spoelen en de berichten negeren, maar besef dat ik voor mijn eigen bestwil toch beter mijn voicemail kan checken. Stel dat Lynne me probeert te bereiken. Lynne runt het tiende meest winstgevende tijdschrift van de Verenigde Staten. Ondanks haar volle agenda weet ze tijd te maken om dagelijks vage maar dringende berichten achter te laten voor haar personeel. Ik druk op de afspeeltoets en houd de telefoon aan mijn oor.

Het eerste bericht is van Naomi. Opgelucht verneem ik dat ze niet belt op bevel van Lynne. Ze kondigt aan dat ik na twee jaar smeken eindelijk een assistent toegewezen heb gekregen en dat deze begonnen is. Dit is een welkome afleiding en maakt het vooruitzicht om maandag weer aan het werk te gaan aanzienlijk minder stressvol.

Het tweede is van Sophie die zegt dat ze me om een gunst wil vragen en vraagt haar terug te bellen wanneer ik tijd heb.

Als laatste zie ik een nummer in Ann Arbor dat ik niet herken. 'Marissa Rogers? Je spreekt met Jon van West Side Book Shop op West Liberty. Iemand heeft een boek voor je gekocht, maar helaas bezorgen wij niet. Dus ik wil je verzoeken om het vandaag of morgen op te halen. We zijn tot zeven uur open. Bel me als je vragen hebt.'

Julia, denk ik terwijl ik het bericht naar de digitale vuilnisbelt verwijs. Ze heeft waarschijnlijk spijt van wat er de vorige dag bij Nathan is gebeurd – hét bewijs dat haar persoonlijkheid niet helemaal honderdtachtig graden is omgeslagen – en heeft een cadeautje voor me gekocht om het goed te maken.

Ik ken de West Side Book Shop goed, want ik heb er uren doorgebracht in mijn middelbareschool- en studententijd. Maar helaas is het niet ver bij Beber vandaan en loop ik niet warm voor het idee om daar weer naartoe te gaan.

Laat dit alsjeblieft niet weer doorgestoken kaart van Julia zijn, bid ik.

Ik ben razend nieuwsgierig naar wat er in de boekwinkel op me ligt te wachten, maar kan het risico niet lopen om Nathan tegen te komen – niet na wat er gisteren is gebeurd. Om zo onherkenbaar mogelijk te zijn, leen ik een grote wollen muts en een dikke donzen jas van mijn zus en parkeer ik een paar straten verder dan de boekwinkel. Daarna haast ik me door de drukke Main Street, waar de kans dat Nathan me herkent het kleinst is, en duik ik West Side binnen. Op het moment dat ik binnenkom ontsnapt me een diepe zucht; niet alleen ben ik ongezien binnengekomen, er is slechts één andere klant, en aan de gebogen gestalte en versleten jas te zien is het Nathan noch Julia. Missie volbracht.

Een oudere hippie met een baard van een maand begroet me vanachter de toonbank.

'Ik ben Marissa Rogers. Heeft iemand hier een boek voor mij achtergelaten?'

'O ja,' zegt hij, en hij duikt achter de houten boekenplanken die ons scheiden. Ik hoor geritsel en even later komt hij weer tevoorschijn met iets wat lijkt op een antiek exemplaar van Jane Austens *Pride and Prejudice*.

'Wees er voorzichtig mee,' waarschuwt de winkelbediende en ik krijg het gevoel dat hij het boek bijna niet aan me wil overhandigen.

'Natuurlijk,' zeg ik, en ik laat mijn vingers over het stoffen omslag glijden. Ik heb *Pride and Prejudice* ontelbare keren gelezen, maar mijn opwinding is er niet minder om bij de gedachte dat ik deze uitgave aan mijn (toegegeven, kleine) collectie oude boeken kan toevoegen.

'Ik moet zeggen dat dit een geweldige vondst is,' zegt de winkelbediende. 'Het is niet een van de eerste uitgaven, maar wel een zeldzame druk uit de vroege twintigste eeuw. Die komen we zelden tegen.' Hij glimlacht. 'Je wilt vast en zeker weten van wie je dit krijgt. Je boekenfee heeft er een briefje in gedaan.'

Ik open voorzichtig het boek en er valt een papiertje uit. Als ik het oppak zie ik dat het briefje op de achterkant van een recept is geschreven.

Marissa,
Ik voel me vreselijk over wat er gisteren is gebeurd.
Ik had geen idee dat Julia je niet had gewaarschuwd. Ik hoop echt dat dit boek de schok verzacht.
Hoe dan ook, het was geweldig om je te zien – dat was veel te lang geleden. Bel me als je zin hebt, of nog beter, kom langs in het restaurant. Ik ben er meestal tot sluitingstijd.

Nathan

PS Het heeft lang geduurd om mijn mening bij te stellen, maar je hebt gelijk: Austen was eigenlijk geen schrijfster van romantische literatuur. Ik heb dit boek al een jaar willen kopen. Nu krijgt het een goed thuis.

Ik slik de brok in mijn keel weg. Ik was er zo zeker van dat het boek van Julia afkomstig was, dat het geen moment in me is opgekomen dat Nathan de afzender zou kunnen zijn. Ook al was West Side een van onze favoriete boekwinkels en stond zijn restaurant er praktisch naast.

Ik bedank de winkelbediende en loop verdwaasd de winkel uit. Nu let ik niet op wie ik tegen het lijf kan lopen. Voordat ik me kan bedenken, dwaal ik door de straat. Voor de tweede keer sta ik voor Beber.

Mijn gebruikelijke besluiteloosheid en nerveuze kriebels maken plaats voor een moediger en zelfverzekerder gevoel. Sarah heeft gelijk. Ik moet niet langer aan het kortste eind trekken. Ik kan Nathan beter op mijn eigen voorwaarden aanspreken.

Ik zwaai de deur open en stap voortvarend het restaurant binnen. Jammer genoeg is mijn bravoure verspilde moeite. Niet Nathan, maar een knappe roodharige in een zwarte blouse en met een schort voor bemant de mahoniehouten bar.

'Is Nathan er ook?' vraag ik, en ik kijk om me heen. Ik verwacht weinig klandizie om elf uur 's ochtends, maar er zitten toch een paar klanten met cappuccino's en kranten aan de kleine tafels tegen een spiegelwand.

'Ja, maar als je komt voor de vacature van serveerster moet je eerst een sollicitatieformulier invullen,' antwoordt de roodharige terwijl ze het marmeren barblad met een doekje afneemt.

'Nee, nee, ik ben een vriendin,' vertel ik haar, hoewel dit niet helemaal waar is.

'O, oké. Momentje.' Ze pakt de telefoon. 'Nathan? Er is hier iemand die je wil zien. Ze zegt dat ze een vriendin is.'

Zo snel als mijn zelfvertrouwen opkwam, zo nerveus word ik nu. Ik voel mijn handpalmen klam worden. Voordat ik me kan afvragen of dit niet het domste was wat ik had kunnen doen, komt Nathan de keuken uit.

'Hé,' zegt hij, en hij omhelst me stevig. Ik sta erbij als een zout-zak, alsof mijn armen aan mijn lichaam vastgeplakt zitten. Hoe-wel ik niet in staat ben om zijn genegenheid te beantwoorden, wil ik ook niet dat hij me loslaat. Ik kan alleen maar denken aan hoe lekker hij ruikt, hoewel ik niet een bepaalde geur kan on-derscheiden. Het moeten wel feromonen zijn, besef ik, als ik me het artikel uit *Curve* goed herinner over de chemische stoffen die mensen onbewust afscheiden. Meestal gebeurt dit onge-merkt, maar wanneer de juiste twee mensen bij elkaar komen, veroorzaken ze een krachtige seksuele reactie. Dat verklaart waarschijnlijk waarom alle stiekeme ontmoetingen tussen hem en mij tijdens de studie zich nu als een grijsgedraaide film in mijn hoofd vertonen.

Hij laat me los en verbreekt de betovering.

'Ik kan niet blijven,' zeg ik bijna mompelend. 'Ik wilde je al-leen maar bedanken voor het boek. Dat was echt...'

'O, dat stelde niets voor,' zegt hij grijnzend. Hij gebaart me om met hem aan de bar te gaan zitten. 'Kom op, laat me je ten minste op koffie trakteren.'

'Eh...' Ik sta met mijn mond vol tanden.

'Brooke? Twee koffie met gestoomde melk alsjeblieft,' zegt hij tegen de roodharige.

'Geen probleem, baas,' zegt ze met een knipoog. Ik vermoed dat ze een oogje op Nathan heeft en dat zijn flirterig vriendelijke optreden haar niet of nauwelijks ontmoedigt. Maar wat kan mij dat schelen? vraag ik me af en ik probeer de minieme steek van jaloezie te negeren. Nathan heeft waarschijnlijk een vaste rela-tie, of is misschien zelfs getrouwd, hoewel ik zie dat hij geen ring draagt.

'Nou...' zeg ik.

'Nou...' antwoordt hij met een lach. 'Hoe staat het leven?'

Als ik in zijn lachende gezicht kijk, laat mijn beheersing van de Engelse taal me in de steek. 'Goed,' weet ik uit te brengen.

'Dat is mooi. Met mij ook. Zoals je ziet, heb ik eindelijk al dat gepraat over een eigen restaurant en bar in daden omgezet,' zegt hij, en hij gebaart zichtbaar trots om zich heen.

'Ik ben onder de indruk,' vertel ik hem, en ik neem een slok van de koffie die Brooke tersluiks voor me heeft neergezet toen ik niet oplette. 'Je had dit echt niet hoeven doen,' vervolg ik eindelijk, doelend op het boek. Ik denk aan de kleine dingen die hij voor me deed toen we verkering hadden. Op koude dagen stopte hij versgebakken koekjes in mijn jaszak. Ook legde hij kopieën van mijn favoriete gedichten in mijn studieboeken. Als ik erover nadenk, blijken hij en Julia niet zo verschillend wat cadeautjes geven betreft.

'Dat weet ik, maar ik vond het zo vervelend wat er was gebeurd, dat ik gewoon íéts wilde doen,' zegt hij, voor het eerst ongemakkelijk. 'Ik denk dat het nog niet helemaal tot me was doorgedrongen hoe erg het hersenletsel daadwerkelijk is. Ik bedoel, haar moeder vertelde me...'

'Heb jij contact met Grace?' Ik voel een lichte woede opkomen.

'Julia en ik hebben alweer een tijdje contact, Marissa,' informeert Nathan me op zakelijke toon. 'Ze mailde me in oktober en we begonnen over en weer te chatten. Een paar weken geleden kwam ze met haar moeder naar het restaurant en toen kreeg ik een beter beeld van wat er werkelijk aan de hand was.'

Ik draai mijn koffiekopje rond en kijk naar de witte schuimrand tegen de binnenkant van het kopje. 'Goh, ik had geen idee dat jullie zo close waren geworden.'

'Dat zijn we ook niet echt,' zegt hij hoofdschuddend.

Net als ik hem wil vragen om uit te leggen wat hij daarmee bedoelt, begint mijn telefoon in mijn zak te trillen. Automatisch pak ik hem om te kijken wie er belt. Daves naam en foto verschijnen op de glanzende display en met een schok kom ik weer met beide benen op de grond terecht.

'Ik moet nu echt gaan,' zeg ik tegen Nathan, en ik werk de rest van de koffie in één keer naar binnen. 'Ik waardeer de koffie en het boek. Echt. Maar ik moet rennen.'

'Oké, als het moet,' zegt hij lachend. 'Het is fantastisch om je weer te zien, Marissa. Ik heb me de afgelopen jaren vaak afgevraagd hoe het met je zou zijn, dus het is heel fijn om weer met je te kunnen praten. Je zult wel niet zo vaak in Michigan zijn, maar ik ben altijd hier als je nog eens wilt afspreken.' Sommige dingen veranderen blijkbaar nooit, denk ik. In onze studietijd was Nathan altijd direct beschikbaar om met mij samen te zijn. Hij liet zelfs belangrijke projecten voor mij vallen. Het valt me ineens op hoe anders dit is tussen Dave en mij. Om met onze idioot drukke schema's elkaar nog te kunnen zien, plannen wij elke afspraak en zelfs welke nachten we in elkaars appartement doorbrengen. Maar wij zijn volwassenen met een drukbezet leven – geen studenten die zonder al te veel gevolgen alles kunnen verwaarlozen – en daarom moet het wel op deze manier, hou ik mezelf voor.

'Oké,' zeg ik neutraal. Ik ontwaar een goudbruine schittering in zijn ogen en plotseling voelt het of alle adrenaline in mijn lichaam vrijkomt. Vecht of vlucht, besef ik; ik ken het gevoel goed. Tijd om ervandoor te gaan. 'Nou, doeg,' zeg ik gehaast als ik mijn jas grijp. 'Nogmaals bedankt.'

'Geen probl...' begint Nathan te zeggen, maar ik ben de deur al uit.

Dave heeft meestal geen tijd om overdag te bellen, laat staan te mailen, dus zo gauw ik thuis ben bel ik hem terug om te horen wat er aan de hand is.

'Nee, nee, niks aan de hand,' zegt hij mijn zorgen wegwuivend. 'Ik dacht gewoon aan je en wilde weten hoe het ging.'

'O,' zeg ik verbaasd. Ik had tegen hem geklaagd dat zijn werkverslaving de laatste tijd verergerd was (hoewel, toegegeven, het erger leek nu Julia er niet was). Ik had niet verwacht dat mijn gezeur invloed zou hebben. 'Het gaat... wel,' zeg ik.

'Het gaat wel? Julia heeft toch niet weer een woede-uitbarsting gehad?' vraagt hij bezorgd.

'Nee,' zeg ik. Ik weet dat het zou moeten, maar ik heb hem het tweede deel van het verhaal niet verteld – het deel over Nathan. Dat komt wel, besluit ik. Nadat ik het verwerkt heb en heb bedacht hoe ik de situatie een beetje begrijpelijk kan uitleggen.

'O, gelukkig. Je hoeft alleen morgen nog. Voor je het weet ben je weer thuis.'

Nadat we hebben opgehangen, leg ik *Pride and Prejudice* in de la van het dressoir in mijn zus' logeerkamer. Ik ga in de fauteuil zitten en staar een tijdje naar de muur, mijn eigen bescheiden versie van meditatie. In plaats van dat ik mezelf iets zennerigs inpraat als 'Ik ben rustig', denk ik: verleden tijd, verleden tijd, verleden tijd. Tegen de tijd dat ik mezelf uit de fauteuil hijs, heb ik mijn gedachten vrijgemaakt van Nathan. Bijna.

De volgende dag word ik vroeg wakker, ik ga onder de douche en pak mijn tas in. Ik heb besloten om nog een keer bij Julia langs te gaan voordat ik vertrek. Ik ben nog geschokt over wat ze heeft gedaan, maar wil mijn bezoek niet met ruzie afsluiten, aangezien het maanden kan duren voordat we elkaar weer zien. Ik heb mezelf er vanochtend herhaaldelijk aan moeten herinneren dat ze niet zichzelf is. Beschadiging van de voorhoofdskwabben, houd ik mezelf voor. Als zij het niet verdient te worden ontzien, wie dan wel?

'Hoi, hoi, hoi,' zegt Julia vrolijk als ze de voordeur openzwaait. Ze ziet er fantastisch uit in een te groot wit T-shirt met v-hals, zwarte legging en paarse ballerina's; er zijn überhaupt maar drie andere mensen op aarde die wegkomen met zo'n outfit. Als ze zich al herinnert hoe we gisteren uit elkaar zijn gegaan – ik reed de oprit af zonder om te kijken of ze wel veilig haar huis binnenkwam – laat ze daar niets van merken. In plaats daarvan zegt ze lachend: 'Kom binnen, ik zat al op je te wachten.'

Grace en Jim zijn er niet, dus we gaan rechtstreeks naar haar slaapkamer. Het valt me op dat Julia een tafeltje bij haar raam heeft gezet waarop een notitieblok, een paar pennen en opgevouwen kranten verspreid liggen.

'Mijn geïmproviseerde bureau,' zegt ze. 'Ik ben op zoek naar een appartement.'

'Echt? Dat is wel een grote stap, of niet?' vraag ik, met in mijn achterhoofd de uitspraak van haar ouders dat ze er nog niet aan toe is om op zichzelf te wonen.

'Ja, maar mijn moeder zit me vortdurend op mijn lip en daar word ik helemaal gek van. Het lijkt wel alsof ik met haar in de buurt meer vergeet dan gewoonlijk. Ik heb behoefte aan een eigen ruimte. Iets kleins, natuurlijk – misschien één slaapkamer en een leuk keukentje. En een tuin als ik geluk heb, voor Snowball.'

'Wanneer zou je willen verhuizen?'

'De artsen zeggen dat het voorlopig nog niet kan, maar als het zover is, wil ik voorbereid zijn.' Ze laat zich op haar bed zakken naast Snowball, die even een buitenaards oog opent om te zien waar alle deining om is en meteen weer in slaap valt.

'Dat is een goed plan,' zeg ik. Als ik zie dat de omcirkelde advertenties in de lokale kranten staan, vervolg ik: 'In Ann Arbor?'

Ze knikt. 'Dokter Gopal' – haar neuropsycholoog – 'zegt dat het goed voor me is om in de buurt van papa en mama te blijven.

Voor het geval dat. De hoofdpijnaanvallen worden minder, maar soms komen ze ineens opzetten. En ik loop nog steeds het risico een epileptische aanval of een hersenbloeding te krijgen. Vooral dit jaar nog.'

Het verbaast me om Julia zo open over haar gezondheid te horen praten. 'Ik weet dat iedereen doet of ik achterlijk ben,' zegt ze, alsof ze net mijn gedachten heeft gelezen. 'Ik heb onderzoek gedaan. In het begin voelde het of ik apestoned was, alles was zo vaag. Maar ik voel me elke dag een beetje meer mezelf. Ik vond dat ik maar beter kon uitzoeken wat ik kan verwachten.'

Dat is opbeurend. 'Dit is het beste nieuws wat ik de hele week heb gehoord, Juul.'

'Ik wist dat je blij voor me zou zijn,' zegt ze, en ze legt haar hand op de mijne. 'En ik wil je ook nog spreken over wat er is gebeurd.'

Dus ze weet het toch nog. 'Ga je gang,' zeg ik, en ik probeer vriendschappelijk over te komen.

'Ik snap niet waarom je zo overstuur raakte,' zegt ze. Zelfs nu haar stem zo schril klinkt, zit er een vleugje autoriteit in, een terugval naar de oude Julia.

'Meen je dat?' zeg ik. Ik probeer me in te houden, ook nu ik de ader in mijn voorhoofd voel zwellen, alsof ik op het punt sta te ontploffen. 'Je geheugen is misschien niet honderd procent, maar je kunt echt niet vergeten zijn dat Nathan en ik elkaar jaren niet hebben gezien omdat jij me dat liet beloven. En nu heb je besloten dat ik weer met hem mag praten? Omdat jullie tweeën plotseling zo dik met elkaar zijn? Sorry, maar er is duidelijk iets aan de hand en je kunt onmogelijk van mij verwachten dat ik me daar blij mee ben.'

'Marissa, je weet dat ik nooit iets zou doen om jou te pijn te doen,' zegt ze gekwetst. 'Als ik íéts heb geleerd van dit ongeluk, dan is het wel dat je het verleden moet laten rusten. Ik zie niet in waarom ik niet met Nathan kan omgaan. Hij is juist zo behulpzaam sinds ik terug ben...'

'Wat bedoel je? Hoe vaak zien jullie elkaar eigenlijk? En wanneer zijn jullie begonnen met e-mailen?' Ik klink achterdochtig maar kan er niets aan doen. Ik wil weten waarom Julia en hij contact hebben en of het meer is dan vriendschap. Het begint me te dagen dat ik het hem gisteren had moeten vragen toen ik hem zag. Hij heeft geen hersenbeschadiging en is dus beter in staat om de waarheid te vertellen. Was ik nou maar niet dichtgeklapt en weggelopen.

'Bah, kunnen we hier alsjeblieft een andere keer over praten?' vraagt ze. 'Ik krijg hier hoofdpijn van en migraine is wel het laatste wat ik kan gebruiken op dit moment.'

'Maar je begon er zelf over...'

'Marissa, alsjeblíéft.' Julia gaat voorzichtig op de rand van de fauteuil zitten. Ze knijpt haar ogen dicht en wrijft over haar voorhoofd.

Anders dan haar laatste aanval, lijkt deze meer geacteerd. Maar omdat ik nooit een migraineaanval heb gehad, trek ik mijn vermoeden onmiddellijk in twijfel. Ze is verdomme aangereden door een auto. Hoofdpijnaanvallen vormen haar dagelijks bestaan.

'Oké, sorry,' geef ik toe. 'Ik kan beter gaan. Maar het is waardeloos om het er zo bij te laten nu ik vanavond terugvlieg.'

'O,' zegt ze. Ze staat op en komt naast me op bed zitten. 'Dat was ik vergeten. Moet je echt weg?'

'Als ik mijn baan wil houden wel.' Hoewel Naomi waarschijnlijk ontzettend trots op me zou zijn als ik bel om te zeggen dat ik meer tijd vrij neem. Maar ik kan niet wachten om terug te gaan naar het ritme van mijn normale leven, waar geen exvriendjes uit het niets kunnen opduiken en de mensen van wie ik hou niet tegen me uitvallen omdat ik iets niet kan vinden in de keuken.

Ondanks alles wat er deze week is voorgevallen, heb ik een onontkoombare drang om het bij te leggen voordat ik vertrek.

'Komt het wel goed tussen ons?' vraag ik Julia zachtjes.

'Het ís goed tussen ons,' zegt ze, en ze slaat haar pink om de mijne, iets wat we sinds de middelbare school niet meer hebben gedaan. 'Maak je geen zorgen, ik bel je deze week nog en dan kunnen we er verder over praten. Zo gauw ik toestemming krijg van de arts, neem ik het vliegtuig om je te bezoeken.' Haar hoofdpijn lijkt geheel te zijn verdwenen en ze drukt me zo hard tegen zich aan dat ik bang ben dat mijn sleutelbeen zal breken.

Even ben ik bereid om alles wat er is gebeurd te vergeten en gewoon dankbaar te zijn voor de armen van mijn vriendin om me heen.

12

'HET IS MAANDAG zes december, zeven uur in de ochtend, en het is zeventien graden in Central Park. Het belooft een zonnige maar frisse dag te worden, met een maximum temperatuur van min vier...'

Ik kreun en zonder mijn ogen te openen geef ik een klap op de snooze-knop van mijn wekker. Dan draai ik me op mijn rug en tast met mijn hand naar de rechterkant van het bed. Er zit een kuil in het matras, maar Dave is weg.

'Goedemorgen!' zegt hij, alsof hij op afroep de slaapkamer binnenkomt. Hij gaat naast me op het dekbed zitten dat ik over mijn hoofd heb getrokken maar door zijn gewicht weer naar beneden zakt. 'Ik heb een kop koffie met een muffin voor je.'

Ik mompel een dankjewel en neem de koffie van hem aan. Dave is al gedoucht en aangekleed, en heeft zoals gewoonlijk al een paar kilometer gerend, ontbeten en een tiental e-mails weggewerkt voordat mijn wekker afging. Hij is, anders dan ik, een ochtendmens, en als hij niet zo lief was, zou ik me er groen en geel aan ergeren.

'Wat zijn de plannen voor vandaag?' vraagt hij.

'Eh... Vanochtend een belangrijke brainstormvergadering, vanmiddag een week achterstallig werk inhalen en na het werk nog een persbijeenkomst in een of ander hotel.' Ik zucht en vervolg: 'Waar ik aan de drank ga tot ik blauw ben.'

'Grapjas.'

'Wie zegt dat ik grappig probeer te zijn?' vraag ik.

Dave pakt de mok uit mijn handen, zet hem op het nacht-kastje en kietelt me in mijn zij. 'Wat ben je toch een mopper-kont,' zegt hij als ik een gil slaak. Hij kust me zacht, en dan nog een keer, heviger. 'Ik heb je gemist.'

'Ik jou ook,' zeg ik. Ik trek hem op me om te laten zien hoe erg ik hem gemist heb. Maar als Dave en ik verstrengeld onder het dekbed liggen, ergert het me dat ik er niet met mijn gedach-ten bij ben, omdat ik Nathans gezicht steeds voor me zie.

Vastbesloten me door mijn vluggertje met Dave niet te laten af-brengen van mijn voornemen vroeg op kantoor te zijn, neem ik snel een douche. Vervolgens schiet ik in een chocoladebruine wikkeljurk, waarin ik er op een of andere manier redelijk slank en zakelijk uitzie, maak me vlug op en haast me de deur uit. Eenmaal op het drukke metroperron weet ik weer waarom ik normaal gesproken pas na negen uur vertrek, en uiteindelijk laat ik een overvolle trein voorbijgaan. Wanneer ik me eindelijk in de volgende trein weet te persen, draai ik mijn hoofd een cen-timeter te veel naar links en veeg ik mijn rouge er per ongeluk af aan de volle boezem van een Latijns-Amerikaanse vrouw. Daarom verhuizen mensen naar North Carolina en Atlanta, denk ik. Ik herinner me het recente artikel in het *New York*-ma-gazine over de massale trek uit de stad als gevolg van de crisis.

Tot mijn verrassing ben ik als eerste op kantoor. Althans, dat denk ik. Als ik mijn kamer aan het einde van de gang (het zo-veelste bewijs, zoals ik Naomi al zo vaak duidelijk probeer te maken, dat het minuscule, raamloze kamertje ooit een bezem-kast is geweest) binnen ga, blijkt er een blondine aan mijn com-puter te zitten.

'Eh, hallo?' zeg ik voorzichtig, maar mijn bloed begint te ko-ken. Ik ben nog geen week weg en mijn kamer wordt ingepikt?

Ik kijk om me heen. Tot mijn opluchting bevinden mijn boeken, smurfpoppetjes die ik van Dave voor mijn verjaardag heb gekregen en de Annie Leibovitz Lavazza-kalender zich nog op hun oude plek. Ik ben dus niet vervangen. Maar wat doet die vrouw dan aan mijn bureau?

De blondine draait zich om en kijkt me met een stralende glimlach aan. Ze ziet er onberispelijk uit: een frisse witte blouse, knikkergrote roze pareloorbellen en een zwartwollen kokerrok die haar lange, zongebruinde benen goed doet uitkomen. Ineens heeft mijn bruine jurk iets smoezeligs en aftands, en ik heb er spijt van dat ik die ochtend na het douchen geen zelfbruiningsmiddel heb gebruikt.

'Ik ben Ashley! Je nieuwe assistente,' zegt de blondine. Ze steekt me een gemanicuurde hand toe. Met haar rimpelloze gezicht schat ik haar niet ouder dan vijfentwintig jaar.

Wat kan ik daarop zeggen? Ik heb meteen een hekel aan haar.

'Hoi, Ashley,' zeg ik, en ik verman me. 'Ik hoorde al van Naomi dat je was begonnen en ben blij dat je voor ons komt werken. Ik wist alleen niet dat wij deze kamer zouden delen.'

'O!' zegt ze lachend. 'Dat is ook niet zo. Naomi vroeg me te kijken hoe het met dat idiote artikel over afvallen stond. Ik ging ervan uit dat het geen probleem zou zijn om er hier even naar te kijken.' Ze is even stil en vervolgt dan: 'Omdat ik gisteravond al om negen uur weg moest, ben ik vroeg begonnen, zodat ik meteen verder kon met waar ik was gebleven.'

Aha, het bekende 'als laatste weg, als eerste begonnen'-verhaal. Ik had het zelf vaak genoeg gebruikt toen ik nog assistent was, en hoewel ik een medeworkaholic gewoonlijk met open armen zou ontvangen, begrijp ik niet waar ze de brutaliteit vandaan haalt om ongevraagd op mijn computer in te loggen.

Maar als ik haar terecht wil wijzen, klinkt het alsof ík voor Ashley werk, in plaats van andersom. 'Eh, voortaan kun je die info beter vanaf je eigen computer opvragen. Zal ik je even laten zien hoe dat moet?' zeg ik bijna verontschuldigend.

'Ach, nee,' zegt Ashley, en ik zou zweren dat ik iets van sarcasme in haar stem hoorde. 'Ik heb alles onder controle.'

Dat kind is hier dan niet om me te vervangen, ze zou het maar al te graag willen, besef ik. Ik sta op het punt te zeggen dat ze mijn computer niet meer mag gebruiken, maar ze is me voor: 'Ik heb het druk, dus ik moet ervandoor.' Ze draait zich op haar hakken om en loopt weg, maar als ze bij de deur is, draait ze zich naar me om en kijkt me met een schuin hoofd aan. Haar blik valt niet anders te omschrijven dan meewarig. 'Ik hoorde van het ongeluk van je vriendin. Wat erg voor je. Als je erover wilt praten, ik zit aan de andere kant van de gang.'

'Dat kun je niet menen,' zeg ik. Ik sluit Naomi's deur achter me. Het is vijf uur en ik heb eindelijk tijd om met haar te praten.

Naomi schuift haar bril omhoog en zet hem in haar haren, die ze met een potlood heeft opgestoken. 'Wat niet?' vraagt ze met een uitdrukkingsloze blik.

'Ashley,' sis ik. 'Ze zat vanmorgen op mijn computer en heeft al mijn mappen verplaatst. En alsof dat al niet erg genoeg is, heeft ze ook nog drie van mijn schrijvers wijsgemaakt dat ze het artikel van me overneemt!'

Ik voeg er korzelig aan toe: 'En ze is veel te mooi!'

Naomi schiet in de lach, en voor het eerst die dag lach ik ook. Ik besef hoe bespottelijk ik moet overkomen. 'Marissa, ze is drieëntwintig en heeft nog nooit bij een blad gewerkt. Ze mag dan slim zijn, ze heeft nog veel te leren. Waarom voel je je door haar geïntimideerd?' vraagt ze. Daarmee slaat ze de spijker op de kop.

'Ik voel me helemaal niet geïntimideerd,' lieg ik.

'Nee, natuurlijk niet,' zegt Naomi plagend. 'Ik wed dat als ze koffie voor je zou halen, je dol op haar zou zijn.'

'Wie niet?'

'Ga je jas maar halen,' zegt Naomi. 'Je hebt een lange dag achter de rug. We wippen snel bij die persbijeenkomst binnen en gaan daarna even samen iets drinken.'

'Even samen iets drinken' is Naomi's codetaal voor minimaal een glas of vijf. Nadat we een paar slim-tini's (die zo sterk en zoet zijn dat we vermoeden dat er alleen diesel en Candarel in zit) hebben gedronken in de danszaal waar de persconferentie wordt gehouden, begeven we ons naar de hotellounge op de begane grond. Daar geeft Naomi de barman een veel te grote fooi voor onze Chi-Chi's, zodat we vervolgens ook nog een gratis rondje krijgen. 'Nog eentje om het af te leren,' dringt ze aan, en hoewel de lounge al een beetje begint te draaien, ga ik er niet tegenin. Ik vind het prettig niet alles meer even scherp te zien.

'Wat moet ik nu met Julia en Nathan?' vraag ik. Ik heb het hele verhaal al twee cocktails daarvoor uit de doeken gedaan en haar meerdere malen gevraagd wat zij ervan vindt, maar ik blijf aandringen. In mijn beschonken toestand ben ik ervan overtuigd dat het me elk moment duidelijk kan worden. 'Vind je niet dat ik moet uitzoeken wat er tussen die twee gaande is?'

'Als het aan je vreet, zou ik dat zeker doen,' zegt ze. Ze maakt een indrukwekkend nuchtere indruk. 'Nogmaals, ik vind dat je de stoute schoenen moet aantrekken en Nathan om duidelijkheid moet vragen. Het lukt je toch niet de situatie te negeren en er een punt achter te zetten.'

'Ik blijf me afvragen wat er gebeurd zou zijn als ik Julia tien jaar geleden niet haar zin had gegeven,' beken ik. 'Zou het tussen Nathan en mij iets geworden zijn?'

Naomi kijkt me met een 'alsjeblieft, zeg'-gezicht aan. 'Marissa, je weet dat ik om je geef, maar jouw probleem is dat je geen flauw idee hebt hoe goed je het eigenlijk hebt. Ik bedoel, je bent een kei in je werk...'

'Helemaal niet.'

'Ik ben jouw baas en zeg dat het zo is,' zegt Naomi. 'En Dave... Laat ik het zo zeggen: als jullie uit elkaar gingen, zou ik geen nee zeggen als hij me het hof zou maken. Zelfs niet als dat het einde van mijn huwelijk zou betekenen.'

'Je houdt van Brian, gek,' zeg ik tegen haar. Ik kijk even omlaag naar mijn jurk om te zien of ik mezelf, zoals ik vermoed, heb ondergespetterd tijdens het praten. Dat is het geval. Ik neem mezelf voor geen sterke drank meer te drinken. 'En Dave is een workaholic. Daar heb jij een hekel aan.'

'Eh, Brian is geen Dave,' zegt ze. Ze perst nadrukkelijk haar lippen op elkaar. Dan lacht ze. 'Je begrijpt wel wat ik bedoel. Het is een mooie man, en oké, hij heeft iets te veel enthousiasme voor zijn werk. Maar je had het veel erger kunnen treffen. En die vijf kilo waar je altijd maar over zit te klagen? Het wordt tijd dat je dat uit je hoofd zet en gaat leven. We kunnen er niet allemaal uitzien als Lynne,' zegt ze, doelend op onze hoofdredacteur. Lynne is zo iemand die van nature slank blijft en zonder problemen voorzitter van de pro anorexia-stichting zou kunnen worden.

'Het is inmiddels al tien kilo,' zeg ik mistroostig, en ik drink mijn glas wodka-jus leeg.

'Hoe dan ook. Wat ik bedoel is: wees er trots op.'

'En wat mag dat betekenen?'

'Wat denk je?'

'Je lijkt die therapeut van mij wel die ik vorig jaar heb gedumpt. Het zou me niks verbazen als je me dadelijk honderdvijftig dollar voor deze sessie rekent.'

'Weet je wat?' zegt Naomi ineens opgewonden.

'Wat?'

'Ik heb een idee! Ik heb een derde coach nodig voor Take the Lead.'

'Die hardloopvereniging?' vraag ik voorzichtig. Zelfs in beschonken toestand weet ik dat ik niet geïnteresseerd ben in iets waarbij mijn borsten, die met geen sportbeha zijn in te tomen, me in het gezicht kletsen terwijl ik loop te hijgen en te puffen.

'Ja, die hardloopvereniging,' zegt ze quasi-geërgerd.

'Maar ik loop niet hard.'

'Lieverd, dat kan ik van mezelf niet eens zeggen. Maar dat maakt niks uit! Take the Lead is geweldig. We leren kansarme basisschoolmeisjes zelfrespect en discipline terwijl ze trainen voor een vijfkilometerloop. Dat lijkt me heel goed voor jou. Dan ga je alles wat meer in perspectief zien,' voegt ze eraan toe.

'Wat wil je daarmee zeggen?'

'Dat weet je zelf ook wel,' antwoordt Naomi lachend. 'Denk er maar over na. Ik moet eind volgende week iemand hebben. Het is maar voor anderhalf uur per week, in de namiddag.'

'Oké, ik zal erover nadenken,' verzeker ik haar, maar ik heb het nog niet gezegd, of mijn gedachten dwalen af naar de pot Ben&Jerry's in mijn diepvriesvak en mijn 300-draad-lakens waar ik onder kruip zodra ik thuiskom, vermoedelijk mét ijs.

Hoewel ik sinds het ongeluk bang ben voor taxichauffeurs, ben ik te dronken om bezwaar te maken als Naomi me achter in een taxi duwt. Als ze me wankelend ziet instappen, moet ik haar beloven meteen drie aspirines in te nemen als ik thuis ben. 'Geloof me, dat is de beste manier om een kater te voorkomen,' zegt ze, waarna ze de chauffeur instrueert de Brooklyn Bridge te nemen. Als ik roep dat zij van alcohol alleen maar nog verstandiger lijkt, voor zover mogelijk, lacht ze en zegt ze dat ik onder zeil moet zodra dat menselijkerwijs mogelijk is.

En dat is precies wat ik het liefst zou doen. Maar ik heb Dave beloofd te bellen zodra ik veilig binnen ben, dus plof ik neer op de bank – mijn bed met de gladde lakens, zo'n vijftien meter verderop, is te veel gevraagd – en graai in mijn tas naar mijn telefoon.

'Marissa? Waarom bel je in hemelsnaam op dit late uur?'

Shit. Ik besef dat ik per ongeluk het telefoonnummer van mijn moeder heb gebeld, dat in mijn favorieten onder Daves nummer staat. Die iPhone heeft ook van die kleine rottoetsen.

'Wat is er mis met je iPhone?' vraagt mijn moeder. Oeps. Kennelijk hardop gezegd.

'Hoi, mam,' zeg ik, hoewel het meer als 'homma' klinkt.

'Marissa Marie Rogers, ben je soms dronken?' vraagt ze.

'Neuh,' brom ik. 'Hoe kom je dabij?'

'Omdat het elf uur is en je klinkt alsof je net drie verstandskiezen hebt laten trekken.'

'Dat klopt,' zeg ik onduidelijk. 'Toevallig heb ik dat een paar uur geleden laten doen.' Ik begin hysterisch te lachen omdat dit voor mijn gevoel het grappigste is wat ik ooit heb gezegd.

'Marissa,' zegt mijn moeder op verwijtende toon zodra ik weer op adem ben gekomen. 'Hoe vaak moet ik nog zeggen dat mensen die geen maat weten te houden het snelst dik worden.' Ze zwijgt even, en ik hoor haar iets fluisteren tegen Phil waarin de woorden 'dronken' en 'te dik' voorkomen.

'Is dat zo, ma?' zeg ik. Ik heb haar nog nooit 'ma' genoemd, maar op een of andere manier lijkt me dat makkelijker dan 'mam'. En na haar antwoord weet ik eigenlijk ook niet of ze het drieletterwoord wel verdient. 'Stel dat ik belde om te zeggen dat ik was aangerand? Of dat het uit is met Dave? Zou je dan ook meteen over calorieën beginnen?'

'Wat wil je van me, Marissa?' vraagt ze met schrille stem.

Ik zucht en heb ineens het gevoel dat ik een week zou kunnen slapen.

'Niets. Helemaal niets,' zeg ik, en ik hang op.

13

NA EENENDERTIG JAAR op dezelfde planeet als mijn moeder te hebben gewoond, zou ik moeten weten dat Pasen en Pinksteren op één dag moeten vallen voordat mijn moeder haar excuses zal aanbieden. Toch verwacht ik dat zij het is als de telefoon de volgende ochtend gaat.

'Mam?' vraag ik terwijl ik de telefoon met beide handen vasthoud, alsof dit me in balans houdt in de ronddraaiende kamer. Na de nacht te hebben doorgebracht op de bank, en met een promillage alcohol in mijn bloed dat er niet bepaald om liegt, begint de dag allesbehalve fantastisch.

'Als je me zo wilt noemen, prima,' zegt Dave waarmee hij in één klap mijn kleine sprankje hoop op excuses de grond in boort.

'O, hoi.'

'Dat klinkt enthousiast!'

'Sorry, ik heb een kater.'

'Ik had al een vaag vermoeden toen je gisteravond niet belde.'

'Eh. Sorry. Ik viel gelijk in coma toen ik thuiskwam. Maar je vindt het vast leuk om te horen dat ik eerst dronken mijn moeder heb gebeld.'

'Ah, Susan,' verzucht Dave. Hoewel hij bepaald niet haar grootste fan is, behandelt hij haar altijd met respect. 'Hoe was dat?'

Ik gluur even in de spiegel, waar ik meteen spijt van heb. 'Zoals te verwachten.' Er is niet genoeg Laura Mercier-foundation op de wereld om mijn wallen te camoufleren.

'Dus niet goed, maar ook niet heel erg slecht. Je dacht tenslotte dat zij het was die jou nu belde,' zegt Dave lachend.

'Nou, als de definitie van waanzin is dat je telkens hetzelfde doet maar een ander resultaat verwacht, dan ben ik rijp voor het gesticht.'

Ik praat hem bij over de rest van de avond en vertel hem in het kort over Ashley en het computervoorval. Voordat we ophangen, vraagt hij of ik 's avonds vrij ben.

'Ja, natuurlijk. Hoewel ik je niet kan beloven dat ik in vorm zal zijn.'

'Geen probleem,' zegt hij. 'Zal ik je rond zessen van je werk halen?'

'Prima, wat mij betreft. Maar kun jij wel zo vroeg vrij krijgen?'

'Ik kan vrij krijgen, zwartkijkertje. Tot straks, ik hou van je.'

'Ik ook van jou.' Was dat maar genoeg om niet langer aan mijn verdomde ex-vriendje te hoeven denken.

Ik moet er slechter uitzien dan ik dacht, want als ik Naomi in de keuken van het kantoor tegenkom, vraagt ze me of ik soms zwanger ben.

Ik maak mijn flesje cola open en zeg: 'Dat geloof je zelf toch niet, hè?' Naomi zweert bij ibuprofen, maar cola is mijn ultieme antikatermiddel. 'Zou ik gisteravond zo veel hebben gedronken als ik wist dat ik zwanger zou zijn? De baby zou ter wereld komen met een hoofd als een wodkafles.'

'Spot er maar mee. Ik was mijn hele zwangerschap van Isla een wrak omdat ik bijna een maand lang alcohol had gedronken voordat ik wist dat ik zwanger was,' zegt ze met opengesperde ogen.

'Godzijdank zijn er voorlopig geen Rogers Bergman-baby's op komst,' verzeker ik haar.

'Gelukkig maar, want even serieus, ik zou niet weten wat ik moest doen als jij met zwangerschapsverlof zou gaan.'

'Ik ook niet,' zeg ik, en ik drink de cola op.

De rest van de dag is eerlijk gezegd verloren. Het kost me grote moeite om niet in slaap te vallen tijdens een vergadering met de afdeling Verkoop. Ook ben ik bijna een uur bezig met het redigeren van een artikel voordat ik besef dat ik maar één verandering heb aangebracht en nauwelijks begrijp waar het stuk over gaat. Als Ashley me rond vier uur vraagt of ze me kan helpen, ben ik zelfs opgelucht om haar te zien.

'Ja, ja en nog eens ja. Ik heb veel werk voor je.'

'Fantastisch,' zegt ze zo opgewonden dat ik haar bijna wil vragen of ze misschien pep heeft gesnoven voordat ze bij me aanklopte. 'Geloof het of niet, maar ik had al zo'n gevoel dat je het druk zou hebben.'

'Nee, hoor, ik heb alles onder controle,' zeg ik. Maar terwijl Ashleys ogen me opnemen, besef ik dat ik er niet bepaald zo uitzie, hangend in mijn stoel met mijn oude broek en allesbehalve modieuze trui. 'Ik heb gewoon lang op een assistent moeten wachten en loop achter met werk dat ik nu graag door jou zou willen laten doen.' Weer klink ik verontschuldigend.

'Mooi!' zegt Ashley terwijl ze haar rode gebreide jurk gladstrijkt. 'Daar ben ik voor.'

'Uitstekend.' Ik pak een stapel dossiers van de boekenplank. 'Aan elk dossier zitten instructies geniet met telefoonnummers die je nodig hebt en informatie over waar je het dossier moet opbergen als je ermee klaar bent.'

Ashley kijkt verbaasd en ik kom in de verleiding om te zeggen: zie je wel? Ik heb je toch gezegd dat ik alles onder controle heb? Maar ik zeg: 'Als je dit voor het eind van de week klaar zou kunnen hebben, zou dat fantastisch zijn. O ja, en als er iets niet duidelijk is, moet je het vragen, hoor. Dat is echt geen probleem.'

'Dank je, Marissa,' zegt ze, en haar glimlach lijkt oprecht; een welkome afwisseling van het chimpanseeachtige ontbloten van de tanden dat ze tot nu toe steeds deed.

'Nee, jíj bedankt, Ashley.'

De volgende twee uur lijken er wel twintig. Net als ik het geen seconde meer achter mijn beeldscherm denk vol te kunnen houden, belt Gladys, onze receptioniste. 'Er is hier een knappe jongeman voor jou,' zegt ze plagend.

'Nou, nou, Gladys,' hoor ik Dave op de achtergrond zeggen. 'Die knappe jongeman is vijf minuten geleden vertrokken. Zeg maar tegen Marissa dat ik het ben, anders is ze teleurgesteld.'

Dit is nou Dave: vrouwen zijn gek op hem. Niet alleen op een 'ik wil met je naar bed'-manier, hoewel dat soms ook voorkomt. Ik weet niet of het komt doordat hij zo close met zijn moeder en zus is opgegroeid, of dat hij totaal niet bedreigend is, of beide. Zelden ontmoet hij iemand van het vrouwelijke geslacht die zich niet tot hem aangetrokken voelt. Of het nou Gladys is, of mijn zus of zijn baas, die haar wel en wee dagelijks als een moeder aan hem doorbrieft.

'Nou, Gladys, als de knappe man al weg is, mag je de lelijkerd wel doorsturen.' Nog geen minuut later staat Dave in mijn deuropening. Hij lacht maar ziet er ook een beetje bezorgd uit. 'Hoe voel je je?'

'Ik heb me wel eens beter gevoeld,' beken ik.

'Weet je zeker dat je een uitstapje aankunt?'

'Ja, frisse lucht zal me goed doen. Waarheen?'

'Dat laat ik je zien wanneer we er zijn,' zegt Dave geheimzinnig.

Ik zet mijn monitor uit en pak mijn jas en tas, vastbesloten om gezellig mee te doen, ook al heb ik flashbacks van Julia's vreemde actie in Ann Arbor vorige week. Ik heb Dave nog niet over Nathan verteld. Ik heb nog niet de juiste manier gevonden om het zo uit te leggen dat het niet klinkt of ik elke seconde van de afgelopen tien jaar aan hem heb gedacht. Dave denkt dat Nathan een kortstondige relatie uit een ver verleden is en ik heb besloten om dat zo te houden. We lopen naar de metro, waar we de F-trein in zuidelijke richting nemen. Na ongeveer een kwartier knappen mijn oren en besef ik dat we onder de rivier door rijden.

'Brooklyn?' vraag ik argwanend. Dave heeft zolang ik hem ken in Manhattan gewoond en wanneer we uitstapjes plannen, komen we daar onvermijdelijk ook terecht. Als ik hem niet had kunnen overhalen minstens één keer per week de nacht in mijn appartement door te brengen, was hij zelfs een van die New Yorkers die het eiland Manhattan nooit verlaten.

'Ja,' zegt hij, en hij laat het daarbij.

We stappen uit in Bergen Street, in het centrum van Cobble Hill. Dave neemt me mee naar Clinton Street, een paar straten verderop. Ondanks de natte trottoirs en kale bomen, lijkt het op de set van een speelfilm. 'Je lijkt hier aardig goed de weg te weten voor iemand die Brooklyn liever mijdt,' zeg ik tegen Dave, maar hij glimlacht alleen maar.

Uiteindelijk bereiken we een roodbruin stenen herenhuis met een staalblauwe voordeur. Dave loopt de trap op en gebaart me mee te komen. Hij haalt een sleutelbos uit zijn zak en opent de voordeur.

'Hè?' zeg ik verbaasd, nog daas van de avond ervoor.

'Momentje,' zegt hij, en hij pakt me bij mijn hand. Dan leidt hij me door de hal naar een deur aan de achterkant van de begane grond en zwaait deze open. 'Welkom in mijn nieuwe woning!'

'Echt waar?' vraag ik als ik de woonkamer in loop.

'Echt waar. Laat me je rondleiden.'

Het appartement is niet groot, maar het is prachtig, met donker gepolijste hardhouten vloeren, een marmeren open haard in de woonkamer en de grote slaapkamer, een houten aanrechtblad in de keuken en een kleine, lichte tweede slaapkamer die geschikt is als werkruimte. Of, besef ik, als babykamer. Maar het mooiste is de kleine achtertuin in het verlengde van de keuken, waarop Dave het alleenrecht blijkt te hebben.

'Ik vind het fantastisch. Kun je je de barbecues voorstellen die je hier kunt houden? De dinertjes?'

'Nee, Marissa. Die wíj hier kunnen houden,' zegt hij, en hij slaat zijn armen om mijn middel. 'Wat ik daarstraks eigenlijk wilde zeggen is: welkom in ónze nieuwe woning.' Hij kijkt me lang en indringend aan; zijn warme bruine ogen herinneren me eraan waarom ik verliefd op hem ben geworden. 'Ik wil met je samenwonen. Maar jij hebt het er nooit over gehad en ik wil je niet onder druk zetten. Dus zeg ik je vrijblijvend dat wanneer je er klaar voor bent, als je er ooit klaar voor bent, dit ook jouw huis is.' Hij graait in zijn zak en haalt er nog een set sleutels uit, die hij in mijn hand stopt.

'Tot wanneer is het huurcontract geldig?' vraag ik terwijl ik het in mijn hoofd probeer uit te rekenen. Het is halverwege december, dus als hij nu al de sleutels heeft, moet hij het contract eerder deze maand hebben getekend maar heeft hij zijn spullen nog niet verhuisd.

'Het is geen huurhuis, ik heb het gekocht. Ik spaar al heel lang en de markt is nu zo gunstig...'

'Wát heb je gedaan?'

'Tja,' zegt hij schaapachtig. 'Een collega heeft me er een paar maanden geleden op attent gemaakt en ik vond het zo geweldig dat ik nauwelijks meer naar iets anders heb gekeken. Ik wist dat jij het ook prachtig zou vinden. Maar het was net na Julia's ongeluk en je had al zo veel aan je hoofd... Ik wilde afwachten of het zou doorgaan. Toen jij in Michigan was, heb ik de koop gesloten.'

'Is het niet heel erg duur?' vraag ik ongelovig. Ik kan het me niet eens veroorloven om in deze buurt te huren, laat staan iets te kopen.

'Nee. Ik had al een poos gespaard en mijn ouders hebben me wat geld gegeven, dus de hypotheek is minder dan de helft van de aankoopsom. Als je wilt bijdragen, wat voor mij niet hoeft, zou het minder zijn dan de helft van wat je nu voor je huurwoning betaalt.'

'Wauw. Ik weet niet wat ik moet zeggen.' Het appartement is werkelijk perfect. Dave is perfect. Alles is perfect. Toch wil ik bij het vooruitzicht van zo'n belangrijke beslissing het liefst terugrennen naar mijn eigen huis en me tot volgende zomer onder het dekbed verstoppen. Bij Dave intrekken is niet hetzelfde als in Julia's appartement gaan wonen. Dit betekent mijn eigen ruimte, mijn veiligheid, opgeven om met Dave te gaan samenwonen. Stel dat het een ramp wordt? Stel dat hij vindt dat ik niet de ware ben omdat ik te nonchalant ben om de dop goed op de tandpasta te draaien of omdat ik zijn laatste tacochips opeet? Stel dat ik me schuldig voel omdat hij het grootste deel van de hypotheek moet ophoesten?

Stel, denk ik als de paniek toeslaat en me bij de keel grijpt, dat Dave niet degene is bij wie ik hoor?

Mijn hoofd tolt van alle mogelijkheden maar ik durf ze geen van alle hardop uit te spreken.

Bovendien wil ik hierover niet met Dave praten, maar met Julia. De oude Julia.

'Maak je geen zorgen,' zegt Dave, en hij kust me op mijn voorhoofd. 'Ik weet dat je er goed over wilt nadenken. Zullen we gaan eten en er een andere keer op terugkomen?'

'Oké,' stem ik in. 'Maar kun je me nog één keer de rondleiding geven?'

'Deze kant op.'

14

DOORGAANS NEGEER IK de adviezen die ik zelf in *Curve* geef, zoals: eet geen appelbeignets (ze bevatten zo veel transvetten dat je ze net zo goed in cyanide kunt bakken); zorg voor minimaal acht uur slaap (dus niet naar *The Daily Show* kijken); drink geen grote hoeveelheden alcohol (waarom zou ik me druk maken als ik toch al vrijwel zeker aan een leverziekte zal bezwijken?); en mijn persoonlijke favoriet: begin de dag goed door de trap te nemen (wat zou betekenen dat ik vierentwintig trappen op zou moeten om mijn kantoor te bereiken).

Maar ik moet bekennen dat het artikel dat ik nu aan het redigeren ben mijn aandacht verdient.

Waar zijn vrienden goed voor? Allereerst, zo blijkt uit recent onderzoek, voor een langere levensverwachting, maar ook voor een betere geestelijke gezondheid, een slanker figuur en een positiever toekomstbeeld. Een Australische studie onder meer dan duizend mensen liet zien dat vrouwen met een grote vriendenkring vijfentwintig procent minder kans hebben om vroegtijdig te sterven dan vrouwen met weinig sociale contacten. Uit een andere studie van de Harvard Universiteit bleek dat mensen met veel sociale contacten cognitief beter functioneren en minder vaak depressief zijn dan muurbloemen uit dezelfde leeftijdscategorie. En alsof dat niet al bewijs genoeg is, toonde een vergelijkbaar onderzoek aan dat vrouwen die er vrienden met gezonde gewoonten op na houden – zoals gezond eten, regelmatig sporten en niet roken – een zestig procent kleinere kans op overgewicht hebben dan vrouwen met weinig vrienden of vrienden met ongezonde gewoonten. 'Het bewijst dat kwantiteit belangrijk is,' zegt dr. Stephen Jones, psycholoog aan het Montefiore Medical Center in New York. 'Goede vrienden stimuleren je om je best te doen en verstandige keuzes te maken, zowel op het persoonlijke als op het zakelijke vlak,' verklaart hij. 'Ook gemotiveerde mensen hebben pieken en dalen. Een netwerk houdt je ook in minder goede tijden op de been.'

Help, denk ik terwijl ik het manuscript op mijn bureau gooi. Ik ben de klos.

Ik voel me al een tijd erg eenzaam. Ik heb nooit een grote vriendenkring gehad – dat was meer iets voor Julia – maar sinds kort heb ik het gevoel dat ik me als enige op het onbewoonde eiland Marissa bevind. Julia blijft voorlopig in Ann Arbor en Dave werkt aan een belangrijke zaak, wat betekent dat hij nog langer dan de gebruikelijke twaalf uur per dag bezig is met het zo gunstig mogelijk invullen van de belastingpapieren van zijn klanten, of wat een fiscaal jurist zoal doet om miljoenenbedrijven te vrijwaren van vervolging wegens fraude. (Dat is althans mijn interpretatie van het werk dat hij doet.) Toen ik hem er onlangs op wees dat hij de laatste tijd zo vaak overwerkte, verwachtte ik een aanvaring – zijn overwerken is een van de weinige dingen waar we ruzie over maken – maar hij verzuchtte alleen maar: 'Je hebt gelijk, Marissa. Ik baal er ook van, maar ik kom er niet onderuit.' Mijn ergernis sloeg om in medelijden met ons beiden: met mezelf, omdat ik avonden achtereen alleen zat, met Dave, omdat hij nog maar een schaduw was van de persoon die ooit een leven buiten zijn werk had.

Tot mijn spijt heb ik Nina en Sophie maar twee keer gezien sinds Julia's ongeluk. Ik besef dat het aan mezelf ligt: telkens als ze iets willen afspreken, kom ik met de aloude smoes dat ik het te druk heb. Maar als ik, zoals de onderzoeken uitwijzen, niet voortijdig wil komen te overlijden aan obesitas, domheid of depressie, moet ik de deur uit en me een beetje sociaal gaan gedragen.

In een opwelling bel ik Sophie op haar werk. 'Heb je al lunchplannen?'

'Hè, hè, dat werd tijd,' antwoordt ze.

'Waarom doe je eigenlijk niks met je verjaardag?' vraagt Sophie me een uur later. Ze houdt keurend een feloranje blouse omhoog. In plaats van uitgebreid te lunchen, hebben we besloten een broodje falafel te kopen bij een stalletje op Fifth Avenue en Anthropologie binnen te wippen om te kunnen profiteren van de vakantie-uitverkoop.

'Ik vind eenendertig jaar bepaald geen leeftijd om vrolijk van te worden,' zeg ik. Ik snuffel door een rek met kleren die voor de helft zijn afgeprijsd. 'Trouwens, ik ben ook niet in de stemming voor een feestje.' Ik heb het nog niet gezegd of ik herinner me mijn voornemen me socialer te willen opstellen.

'Je bedoelt toch niet vanwege Julia?' Sophie kijkt me met een 'doe me een lol'-gezicht aan, en omdat ze als twee druppels water op Lucy Liu lijkt, moet ik onwillekeurig denken aan de scène uit *Kill Bill* waarin ze slaags raakt met Uma Thurman. Niet zo gek dus dat ik 'm behoorlijk knijp.

'Eh...' stamel ik, omdat ik niet zo snel weet hoe ik haar aandacht moet afleiden.

'Marissa,' zegt ze vermanend, 'dat ongeluk is inmiddels drie maanden geleden. Ik weet dat je er kapot van bent en het erg vindt dat ze niet meer in New York woont – ik bedoel, dat vinden we allemaal – maar je moet wel weer een beetje plezier gaan maken.'

'Dat probeer ik ook.'

'O ja?' Sophie kijkt me sceptisch over haar zwartgerande bril aan. 'Geef eens een voorbeeld?'

'Ik verzoek de rechtbank de zaak tot na de lunch te schorsen,' zeg ik schertsend.

Sophie werkt als advocaat arbeidsrecht, en hoewel ze een hekel aan haar werk heeft, is ze een kei in haar vak. Een paar maanden geleden nam ze een zaak aan waarin iemand valselijk werd beschuldigd van seksuele intimidatie en bespaarde ze het bedrijf dat ze verdedigde miljoenen dollars. Het heeft geen enkele zin om met haar in discussie te gaan.

Sophie kijkt naar het schermpje van haar BlackBerry. 'O... eh, ik moet gaan. Jeff heeft me ergens voor nodig,' zegt ze, doelend op haar superviserende partner.

'Komt dat even goed uit,' zeg ik lachend, hoewel ik echt opgelucht ben.

'Denk maar niet dat je van me af bent,' kaatst ze terug, en ze kust me op mijn wang. 'Ik wil je zaterdag zien. Dan gaan we iets leuks doen.'

'Leuk, hoor,' zeg ik grappend. Maar als ik haar blik zie, geef ik me gewonnen. 'Zeg maar waar, dan ben ik er.'

'Knippen graag. Kórt.'

Rubia kijkt me aan alsof ik haar zojuist heb gevraagd mijn oren eraf te knippen.

Ik druk een foto van Anne Hathaway met krullende bob, die ik uit de *People* heb gescheurd, in haar hand. 'Zo wil ik het graag.'

Ik ben nooit iemand geweest die met een nieuw kapsel verandering wil uitdragen, zelfs niet na een verbroken relatie. Sterker nog, nadat ik het had uitgemaakt met Nathan liet ik mijn haar groeien tot het over mijn bh-bandje viel, alsof lang haar me, net als Samson, kracht zou geven. Maar na de afgelopen stormachtige maanden voel ik dat een nieuwe look precies is wat ik nodig heb, en de dag voor mijn verjaardag lijkt me het perfecte moment voor een drastische verandering.

Rubia is niet blij met mijn verzoek. 'Maar, Marissa,' sputtert ze met haar zware Poolse accent tegen, en ze gebaart druk met haar kam. 'Je haar. Zo mooi.'

'Maak je geen zorgen,' verzeker ik haar terwijl ze mijn hoofd masseert dat ze overvloedig heeft ingezeept met shampoo. 'Zodra ik hier klaar ben, stuur ik de paardenstaart naar Wigs for Kids.'

'Ik ben bang dat je er met kort haar niet meer uitziet als Marissa!' waarschuwt ze me. Maar als ik haar ervan heb overtuigd dat ik het meen – nee, ik zal echt niet boos op je zijn als het resultaat tegenvalt – begint ze mijn haar voorzichtig te knippen. Ze knipt en snijdt, totdat er in totaal dertig centimeter af is. Als ze dan eindelijk tevreden is, föhnt ze mijn haar droog, spuit er een fijne mist haarlak overheen en draait me vervolgens rond in de stoel zodat ik het resultaat kan bekijken.

'Wauw.' Rubia heeft gelijk, ik lijk niet meer op mezelf. Maar wat ik in de spiegel zie bevalt me: een vrouw die er moderner, en op een of andere manier slimmer en chiquer uitziet dan de vrouw die veertig minuten ervoor in de stoel plaatsnam.

'Marissa, de verbeterde versie,' zegt Rubia grinnikend. Ze is zichtbaar opgelucht dat ik niet in tranen ben uitgebarsten. 'Je lijkt wel een filmster.' Ik bloos. Ze overdrijft, maar het verbaast me hoe goed mijn ogen uitkomen en dat ik voor het eerst jukbeenderen lijk te hebben.

'Rubia, je bent geniaal,' zeg ik tegen haar. Ik geef haar een enorme fooi.

Zie de magische stemmingsverbeterende effecten van een nieuw kapsel, denk ik, terwijl ik die avond voor de spiegel ronddraai. Ik was die ochtend chagrijnig wakker geworden. 'Eenendertig is veel erger dan dertig,' had ik geklaagd toen ik met Dave zat te ontbijten bij ons favoriete eetcafé. 'Morgen ben ik officieel in de dertig, dat klinkt toch heel anders dan net geen twintiger meer.'

'Ik vind het juist leuk om in de dertig te zijn,' zei hij terwijl hij een hap van zijn toast nam. 'Ik zou voor geen goud meer twintig willen zijn of, God verhoede, een tiener.'

'Jij hebt makkelijk praten, ouwe. Jij hebt al vier jaar aan het idee kunnen wennen.'

'Die is raak.' Hij deed alsof hij de ober wenkte. 'Geen koffie meer voor deze wijsneus. Ze is nogal prikkelbaar vandaag. Als ze nog meer cafeïne krijgt, slaat ze op tilt.'

'Haha.'

'Het leven gaat snel, dus je kunt er beter van genieten dan je druk maken over je leeftijd,' vervolgde hij nuchter, maar daardoor nam mijn ergernis juist toe, hoewel ik wist dat hij gelijk had.

Maar na mijn bezoek aan de kapper is mijn chagrijnige bui verleden tijd. Als ik me sta op te doffen voor mijn avondje uit, ben ik zelfs vrolijk. Ik heb met Nina en Sophie afgesproken om mijn verjaardag te vieren met een etentje bij de Half King, een populair restaurantje in de uitgeverswereld waar Nina graag netwerkt en ze heerlijke fish-and-chips hebben.

'Een nieuw jaar, een nieuwe Marissa!' roept Sophie vanaf de tafel waaraan ze met Nina op mij zit te wachten.

'Zo, wat zie jij er sexy uit.' Nina fluit goedkeurend.

'Dames, jullie gaan toch niet zitten slijmen omdat jullie geen cadeautje bij jullie hebben, hè?' zeg ik tegen hen. We lachen en praten bij over de gebeurtenissen van de afgelopen maanden. Sophie vertelt ons dat haar baas, die toezicht hield op de seksuele-intimidatiezaak, haar op subtiele wijze seksueel probeerde te intimideren. Nina laat foto's zien van haar nieuwe hond Max, een Franse buldog met winderigheid, die wordt versterkt door zijn voorliefde voor kamerplanten. Ik op mijn beurt vertel hun over mijn avonturen met Ashley en over Daves nieuwe appartement, dat hen doet watertanden. 'Je zou gek zijn als je niet bij hem introk,' gilt Nina praktisch. 'Ik bedoel, je zult maar zo'n echtgenoot en huis in de wacht slepen!'

'Hij is nog láng niet mijn echtgenoot,' verbeter ik haar.

'Ha! We zullen zien hoe lang je dat volhoudt,' zegt ze veelbetekenend. 'Pete deed me al na vier maanden samenwonen een aanzoek.' Hoewel Nina een echte carrièrevrouw is – ze is hoofd Publiciteit bij een grote uitgeverij – is ze ook de huismus van ons drieën, die 'op het punt staat een kind te nemen', zoals ze zelf zegt.

Sophie en Nina informeren nieuwsgierig naar het laatste nieuws over Julia, maar ik heb haar nauwelijks gesproken sinds ik terug ben uit Michigan. Ik heb herhaaldelijk geprobeerd haar te bereiken, maar ze reageert niet op mijn telefoontjes of e-mails. Ongetwijfeld weet ze dat ik erachter probeer te komen wat er tussen haar en Nathan speelt.

'Ik weet zeker dat het niks te betekenen heeft,' zegt Sophie tegen me. Ze weet niet wat zich tijdens mijn vakantieweek in Ann Arbor heeft afgespeeld. Ik heb hun er niets over verteld omdat ik niet wil dat mijn verontwaardiging over Julia's gedrag hun vriendschap met haar zal beïnvloeden.

'En als dat wel zo zou zijn, dan komt dat doordat ze zichzelf niet is,' vervolgt Sophie. Sophie vertelt dat Julia haar laatst op haar werk belde en tegen de secretaresse over haar menstruatie begon. 'Nancy kan heel wat hebben, maar ik denk dat ze het na een kwartier tamponpraat helemaal had gehad,' zegt Sophie. 'Julia is altijd al een kwebbel geweest, maar ze werd nooit zo persoonlijk, zeker niet tegen vreemden. Je moet toegeven dat ze op het moment nogal onvoorspelbaar is.'

'Ik mis Julia,' zegt Nina droevig. 'Ik wou dat alles weer bij het oude was.' We knikken somber en Sophie gebaart naar de ober dat we nog een rondje willen.

Het gesprek komt uiteindelijk weer op een ander onderwerp en we kletsen nog urenlang bij een drankje en veel te veel friet. Als we buiten voor de pub afscheid nemen is het koud, maar vanbinnen heb ik een warm, tintelend gevoel. Misschien hebben de onderzoeken gelijk en is vriendschap inderdaad gezond, denk ik. Ik besluit vaker met hen af te spreken in plaats van om de twee maanden een keer bij te praten.

Maar als ik nog even naar hen zwaai, voel ik me toch weer een beetje eenzaam. Sophie en Nina zijn geweldig, maar ze zijn Julia niet.

15

JULIA BELT NIET eens om me te feliciteren met mijn verjaardag. Ik hoor pas een paar dagen voor kerst van haar, ondanks mijn herhaalde pogingen om haar te pakken te krijgen.

'Ben je daar?' zegt ze aan de andere kant van de lijn. Haar stem klinkt geforceerd.

'Juul? Ja, met mij. Wat is er aan de hand?' vraag ik, en ik klem de telefoon tussen mijn hoofd en schouder terwijl ik een stukje pakpapier vastmaak met plakband.

'O, niets. Je weet wel. Een beetje van dit en een beetje van dat...'

'Nou, ik ben blij van je te horen,' vertel ik haar. 'Ik was een beetje ongerust toen je me niet terugbelde.'

'Ik schaamde me,' zegt ze zacht.

'Hè? Waarvoor?'

'Ik was gearresteerd,' fluistert ze bijna.

'Je bent wat?' Ik schiet overeind, onzeker of ik haar goed heb verstaan.

'Ik ben betrapt op winkeldiefstal. Ik wilde het je niet vertellen maar dokter Gopal zei dat ik me er niet voor hoefde te schamen en dat ik er eerlijk over moest zijn.'

Ik gooi het cadeau dat ik aan het inpakken was op de salontafel en loop naar de keuken. Bij dit gesprek heb ik absoluut chocola nodig.

'Wat is er gebeurd?' vraag ik voorzichtig, vastbesloten om niet afkeurend te klinken.

'Nou, ik was bij T.J.Maxx...'

'O?' Ondanks haar ommezwaai in smaak, kan ik me Julia, die altijd naar luxe warenhuizen ging, moeilijk voorstellen in een vestiging van een populaire discountketen.

'Ja, het bevalt me daar. Je kunt er alles krijgen,' zegt ze. Jatten, wil ik zeggen, maar besef dat dit niet het juiste moment is. 'Maar goed, het was alleen maar een zonnebril,' zegt ze verdedigend. 'Ik keek hoe hij stond en zette hem daarna op mijn hoofd. Blijkbaar ben ik toen zonder dat ik er erg in had de winkel uit gelopen.'

'Dus het was een vergissing?' dring ik aan, en ik slik het stuk pure chocola door waar ik op zat te sabbelen.

'Ik weet het niet,' zegt ze. 'Maar ik weet bijna zeker dat het zo is gegaan. Het was zo vreselijk dat ik heb geprobeerd het te verdringen.'

'Bah. Wat rot voor je, Juul. Het lijkt me heel erg,' zeg ik tegen haar.

'Dat was het ook,' snift ze. 'Ze fouilleerden me om te zien of ik nog iets anders had gestolen. Het was érg vernederend. Uiteindelijk lieten ze me gaan, omdat mam over mijn ongeluk vertelde en ze met me te doen hadden of zo.'

'Godzijdank. Wat vindt je neuroloog ervan dat je het voorval wilt verdringen? Dat klinkt niet goed.'

'Hij zegt dat ik er met mijn psychiater over moet praten.' Daarna zegt ze verdrietig: 'Marissa, ik wilde dat je hier was. Ik ben zo eenzaam. En ik voel me de helft van de tijd verward en wazig.'

Ik wijs haar er niet op dat dit het tegenovergestelde is van wat ze me vorige maand in Michigan vertelde. In plaats daarvan zeg ik: 'Liefje, ik wilde ook dat ik daar was. Ik had echt willen komen voor kerst, maar ik heb Dave beloofd de vrije dagen met zijn ouders door te brengen.'

'Maar Dave is joods. Het maakt hem niet uit of je er bent met kerst.' Ze zegt het niet onvriendelijk, maar de opmerking steekt me toch.

'We vieren Chanoeka met zijn ouders, en Kerstmis in zijn nieuwe appartement,' vertel ik haar en dan corrigeer ik mezelf snel. 'Óns nieuwe appartement.' Ondanks mijn bedenkingen heb ik Daves voorstel eerder deze week geaccepteerd en ben ik langzaam begonnen mijn spullen ernaartoe te verhuizen.

'Wat bedoel je met óns appartement? Je gaat toch niet samenwonen?'

'Dat doen we al.' Ik glimlach bij de herinnering aan Dave die praktisch een gat in de lucht sprong toen ik ja tegen hem zei. 'Ik probeer je dit al weken te vertellen. Het is een grote stap, maar we zijn er allebei erg enthousiast over.'

'Denk je echt dat dit een goed idee is?' vraagt ze. 'Want ik denk van niet. Ik denk niet dat Dave erg geweldig zal zijn om mee samen te leven. Je kunt net zo goed alleen zijn. Je weet dat hij nooit thuis zal zijn.'

'Wat?' vraag ik verrast. Voor haar ongeluk moedigde ze me constant aan om de sprong te wagen en bij Dave in te trekken en ik verwachtte daarom dat ze ten minste een beetje positief zou zijn. Eigenlijk rekende ik erop dat ze me zou verlossen van mijn knagende twijfel. 'Ik snap het niet, Juul, ik bedoel, je hebt natuurlijk recht op je eigen mening, maar dit is een grote stap voor ons, en Dave probeert minder hard te werken. Bovendien wéét ik dat je weet hoe goed hij voor me is,' zeg ik tegen haar. Voordat ik mezelf kan inhouden, vervolg ik: 'Of ben je dat vergeten?'

'Nou zeg, dat is gemeen,' zegt ze. 'Ik kan maar beter ophangen.'

'Niet ophangen. Ik meende het niet.' Wat mankeert me? Julia is misschien recht voor z'n raap, maar ik plotseling ook. Zo wil ik niet met elkaar omgaan, maar ik weet niet hoe ik moet reageren op deze nieuwe rechtdoorzeeversie van mijn vriendin. 'Ik zou gewoon graag willen dat je mijn beslissing respecteert. Wat wil je dan dat ik doe? Dave zeggen dat ik van gedachten ben veranderd?'

'Nee, dat kan niet,' geeft ze toe. 'Het spijt me.'

'Mij ook,' zeg ik, hoewel ik eigenlijk wil zeggen dat ze die eerlijkheid maar voor zich moet houden. Ze is altijd positief geweest over mijn relatie met hem en het idee dat ze al die jaren toneel heeft gespeeld stuit me tegen de borst.

Ik herinner me dat we op een avond Chinees aten in haar appartement en ik tegen haar zei dat ik dacht dat ik verliefd was. Dave en ik gingen toen vier maanden met elkaar om en hij had al verschillende keren tegen me gezegd dat hij van me hield. Ik nog niet, maar ik was voor hem gevallen en hard ook; het was een kwestie van tijd dat ik het ook tegen hem zou zeggen.

'O, god, M,' gilde Julia. 'Ik ben zóóó blij voor jullie! Jullie krijgen belachelijk mooie kinderen.'

'Denk je?' had ik haar gevraagd, verrast door haar overdreven reactie. Normaal gesproken was Julia de eerste die me waarschuwde dat New Yorkse mannen je onmiddellijk inruilden zodra er een mooiere vrouw voorbijkwam. Wanneer zij, Dave en ik samen uit waren, merkte ik dat zij elkaar weinig te melden hadden.

'Natuurlijk,' had ze gezegd, en ze had haar eetstokjes in de lucht gestoken om het te benadrukken. 'Ik kan zien dat hij echt van je houdt. Let maar op: het worden mooie baby's. Mooie baby's die hun peetmoeder zullen veráfgoden. Hint, hint.'

Maar vandaag zijn alle sporen van Julia's positieve houding gewist, net als een groot deel van haar geheugen.

'Het gaat me alleen maar om wat goed voor jóú is,' zegt ze om aan te geven dat we toch nog niet klaar zijn met dit onderwerp.

'Als je bij iemand intrekt is het gebeurd. Je trouwt uiteindelijk bij gebrek aan beter.'

'Juul, dat klinkt niet als een negatief gevolg van samenwonen.'

'Weet je dat zeker?' piept ze. 'Echt heel zeker? Want ik heb een voorgevoel dat het niet goed afloopt.'

Ik haal diep adem. Het is duidelijk dat ze, om wat voor reden dan ook, niet langer een fan van Dave is en dat ze erover zal blijven doorzeuren als ik er geen stokje voor steek. 'Oké, ander onderwerp graag.' Ik wil nog steeds beginnen over de zaken die vorige maand onbesproken bleven. 'Want er is iets waar ik...'

'Ik moet eigenlijk ophangen. Ik heb zo meteen weer een afspraak bij de dokter. We praten snel verder, oké? Hou van je!' zegt ze. Voordat ik kan antwoorden, hoor ik een klik en daarna de kiestoon.

Gefeliciteerd, Juul. Missie volbracht, denk ik. Het is je weer gelukt om niet met mij over Nathan te praten.

16

DE KERSTVAKANTIE VERLOOPT vlekkeloos. Dave en ik gaan met de trein naar zijn ouderlijk huis in Chappaqua en vieren een mooie Chanoeka met zijn familie. Eerste kerstdag brengen we alleen door. We geven elkaar cadeautjes en bereiden een heerlijke driegangenmaaltijd waar we langer over doen dat we hadden gedacht omdat we tussendoor zo nodig de keukenvloer moeten inwijden. 's Avonds videochat ik eerst met Sarah, Ella, Marcus, mijn moeder en Phil, wat er onwennig en lacherig aan toegaat, en ik heb daarna een prettig telefoongesprek met Julia, Grace en Jim. Wanneer 26 december aanbreekt, stel ik tot mijn verbazing vast dat ik voor de verandering eens geen last heb van een kater na de kerst. Dit jaar voel ik alleen opluchting.

Om onbegrijpelijke redenen staat het merendeel van de uitgeverswereld erop hun kantoren open te houden tussen kerst en oud en nieuw, hoewel er die dagen weinig tot geen werk is dat kan of moet worden gedaan. *Curve*, allesbehalve een trendsetter, doet die week alsof het vol in bedrijf is en degenen van ons die geen vakantie hebben opgenomen, glippen net voor de lunch binnen om een paar uur later alweer stilletjes te vertrekken.

Ik heb echter besloten het grootste deel van de zes uur waarin ik aan mijn bureau gekluisterd ben zinvol te besteden. Na alle boeken, tijdschriften en internetbronnen over jonge vrouwen met traumatisch hersenletsel te hebben doorgespit, lijkt het me een logische stap een artikel over dit onderwerp te schrijven.

Om eerlijk te zijn heb ik mijn buik vol van het onderwerp afslanken. Bij elk nieuw artikel over vetverbrandend supervoedsel, koolhydraatafbrekende supplementen of strakke-billenoefeningen heb ik het gevoel dat iemand een spijker steeds dieper mijn schedel in slaat. Zelfs de informatieve artikelen over voedsel in het algemeen, waar ik normaal gesproken graag aan werk, hangen me de keel uit. Als ik niet snel wat meer stimulerend werk ga aanpakken, zal ik alle videobanden van fitnessgoeroe Richard Simmons moeten afwerken tot mijn hart het begeeft.

'Naomi, ik wil een artikel schrijven,' verkondig ik. Ik zit tegenover haar aan haar bureau, in de canvas regisseursstoel.

'Eh, oké,' zegt ze nadenkend. Ze schuift het document opzij waar ze met een groene pen in heeft zitten strepen. 'Het is altijd goed een onderwerp zo nu en dan van een andere kant te belichten. Wat had je in gedachten? Wil je een onderzoekje doen of liever een interview met een beroemdheid?'

'Dat is nou net het probleem.' Ik ga nerveus op mijn handen zitten. 'Ik wil eens een keer over iets anders schrijven dan diëten. Ik dacht zelf aan een artikel voor de gezondheidsrubriek.'

'Prima,' zegt ze. 'Die moet nodig worden opgefrist. We kunnen niet eeuwig over borstkanker en varkensgriep blijven schrijven. Waar zat je precies aan te denken?'

'Ik zou een artikel willen schrijven over traumatisch hersenletsel.'

Naomi kijkt me kritisch aan.

'Zeg nou niet meteen nee, want het komt verrassend vaak voor,' zeg ik. 'Het schijnt een van de meest voorkomende letsels bij vrouwen onder de veertig te zijn. Plus dat er meer jonge vrouwen aan sterven dan aan hartziekten of de meeste vormen van kanker. Een prima onderwerp voor onze doelgroep dus.'

'Je hebt je research dus al gedaan,' zegt Naomi. Ze leunt achterover in haar stoel. 'Vertel er eens iets meer over.'

Ik haal diep adem. 'Wat mij vooral boeit, is dat de meeste vrouwen die hersenletsel oplopen niet meer degene zijn die ze voor hun ongeluk waren. Hun persoonlijkheid verandert. Dat is een groot probleem, zowel voor henzelf als voor hun familie.'

'Net als bij Julia?' vraagt Naomi.

Ik knik. 'Gelukkig gaat het langzaamaan beter met haar. Hopelijk behoort ze tot de degenen die uiteindelijk weer de oude worden.' Ik wenste dat ik daar evenveel vertrouwen in had als dat ik deed voorkomen. Soms was de research naar persoonlijkheidsverandering zo confronterend dat ik even afstand moest nemen en pas op een later tijdstip verder kon lezen. Ik wilde dan een antwoord op bepaalde vragen, maar was niet voorbereid op wat ik zou vinden. Toch ben ik ervan overtuigd dat het een uitstekend artikel kan worden, en het zou wel eens de uitdaging kunnen vormen die ik nodig heb om van mijn dikke krent af te komen. Ik heb behoefte, nee, ik snák naar een project waarin ik me kan vastbijten. Hopelijk doet het me vergeten hoe eenzaam ik ben en kom ik eindelijk van die riedel in mijn hoofd over Julia en Nathan af.

'Dat is inderdaad interessant,' zegt Naomi. 'Het mag niet over Julia gaan, maar als je andere slachtoffers van hersenletsel kunt interviewen, zou dat je verhaal alleen maar versterken. Uiteraard moet alles wel met cijfers en onderzoek worden onderbouwd,' voegt ze eraan toe.

'Dus ik kan eraan beginnen?' vraag ik opgewonden.

'Dat denk ik wel.' Naomi draait zich naar haar computer en klikt een kalender open op haar scherm. 'Ja, er is ruimte in het juninummer. Dan heb je...' – ze gaat het weer na op de kalender – '... tot maart om je eerste concepttekst in te leveren. Heb je daar genoeg aan?'

'Meer dan genoeg,' verzeker ik haar. 'Heel fijn. Ik wil heel graag eens iets anders doen.'

'Ik weet er alles van,' zegt Naomi lachend. Ze legt haar in felgroene Crocs gestoken voeten op haar bureau. 'Ik stond vorige maand op het punt te solliciteren bij *Boating Today*.'

'Dat lieg je.'

'Ja, ik heb het ook niet gedaan,' bekent ze. 'Maar ik heb er wel aan gedacht. Ik weet hoe saai het is om constant over hetzelfde onderwerp te moeten schrijven.' Ze richt haar pen op me. 'Als het je te veel wordt, hoor ik graag wat ik voor je kan doen. We willen dat je het hier naar je zin hebt.'

'Ik heb eindelijk een echte klus voor je,' zeg ik die middag tegen Ashley over de rand van haar werkplek.

Ashley kijkt op van haar computer. Ik zie dat ze op Facebook zit, maar ze doet geen enkele poging het te verbergen. In de geest van de tijd, negeer ik mijn innerlijke Scrooge en ik zeg er niets van. Per slot van rekening heeft ze het werk dat ik haar afgelopen week heb opgedragen verrassend goed gedaan.

'Meen je dat?' Haar ogen glanzen van opwinding.

'Ja. Weet je het een en ander over het menselijk brein?'

'Ik heb tijdens mijn studie in New Haven een paar psychologievakken gevolgd,' zegt ze, waarmee ze wil laten doorschemeren dat ze op Yale heeft gezeten. Ze vervolgt: 'Mijn hoofdvak was Klassieke literatuur, dus ik weet niet of je wat aan me hebt. Maar als je een redacteur nodig hebt, wil ik je wel helpen met de redactie van je artikel.'

Ik onderdruk mijn neiging te snuiven maar bedwing me. 'Het lijkt me niet verstandig nu al redigeerwerk te doen. Maar je kunt me wel helpen met mijn research. Materiaal verzamelen, onderzoeken doorspitten, kortom, je handen uit de mouwen steken.' In gedachten zie ik Ashley met haar roze nagels in de modder wroeten. 'Durf je dat aan?' vraag ik met een glimlach.

'Natuurlijk,' antwoordt ze. Haar babyblauwe ogen staan plotseling weer mat en verveeld. Ik vraag me af of ik er wel goed aan doe om haar om hulp te vragen, maar bedenk dat het met het oog op het vele werk in ieders belang is dat ik samenwerk, ook al zou ik het liever alleen willen doen.

'Fijn. Ik denk dat je er veel aan zult hebben. Als het goed gaat, zal ik Naomi vragen of je een zijkolom mag schrijven,' zeg ik. 'Dat was ook mijn eerste stukje.'

'O, ik heb al heel wat artikelen geschreven voor *Yale Daily News*,' informeert ze me trots. Opnieuw een verwijzing naar Yale.

'Maar een stukje in een nationaal tijdschrift staat toch ook wel leuk op je cv, nietwaar?' zeg ik. Het klinkt lang niet zo bitter als ik me voel.

'Dat is waar,' beaamt ze, en ze gooit haar blonde haar over haar schouder.

'Mooi. Oké, we zien na het researchgedeelte wel hoe het gaat.'

Haar enthousiasme keert terug. 'Super! Ik begin meteen.'

Productief Yale-wonder of niet, het lijkt me in mijn eigen belang dat ik alles duidelijk op een rijtje zet voor Ashley. Ik ga achter mijn computer zitten en tik een e-mail met een gedetailleerde taakverdeling, waarin ik haar opdraag pas aan de zijkolom te beginnen als ze de rest van het materiaal heeft verzameld en ik heb kunnen nadenken over het onderwerp. In een PS'je voeg ik eraan toe:

Ik weet dat je ook klusjes voor andere collega's doet, maar ik verwacht van je dat je prioriteit geeft aan dit artikel. Het is een belangrijk stuk voor me. Mocht je achterop raken of problemen hebben met de research of informatie verzamelen, trek dan meteen aan de bel.

Ze e-mailt me onmiddellijk terug:

Uiteraard ga jij voor.

17

'IK KAN NIET GELOVEN hoe mooi het hier is,' zegt Sarah tegen me. We zitten op de bank in Daves nieuwe appartement. Correctie: óns nieuwe appartement, omdat ik bijna helemaal over ben, hoewel de meeste van mijn dozen nog ingepakt staan.

'En ik kan niet geloven dat je echt hier bent!' antwoord ik. Vorige week liet ze me weten dat Marcus en zij naar New York kwamen voor een last minute weekendje weg. In de negen jaar dat ik hier woon, heeft Sarah me twee keer bezocht. Haar eerste bezoek, een paar maanden nadat ik hiernaartoe was verhuisd, verliep – op z'n zachtst gezegd – slecht: ik had haar een verkeerde routebeschrijving gegeven naar mijn appartement en ze kwam terecht in een gevaarlijk deel van de Bronx. Hierdoor was ze zo van slag dat ze pas weer naar New York kwam toen ze er twee jaar geleden niet onderuit kon vanwege een verplicht congres voor haar werk. Tijdens dat bezoek weigerde ze de omgeving van Times Square te verlaten. De enige keer dat ik haar zag was om te eten bij Ruby Tuesday, waar we naast een groep Duitse tieners zaten die zo veel lawaai maakten dat we onszelf amper konden horen kauwen, laat staan met elkaar konden praten.

'De aanbieding van het reisbureau was zo aantrekkelijk en toen Marcus' zus zei dat ze wel op Ella wilde passen, waren we verkocht. Bovendien, nu het tussen jou en Dave serieus wordt, vonden we het hoog tijd om hem eens flink aan de tand te voelen,' zegt ze, en ze kijkt in de richting van de keuken waar Dave en Marcus staan te kletsen.

'Zo serieus zijn we nou ook weer niet,' zeg ik met een blik op Dave, die in zijn spijkerbroek en poloshirt de meest sexy man is die ik ooit heb gezien.

Sarah port me in mijn ribben. 'Nou, dan heb ik een nieuwtje voor je, zusje. Samenwonen wordt over het algemeen als serieus beschouwd.'

'Gesproken als een ware Mid-westener,' zeg ik tegen haar. 'In New York is samenwonen praktisch een zakelijke overeen-komst, maar jullie streng gelovigen keuren het af, nietwaar?'

'Nou ja, seks voor het huwelijk mag ook niet, en je weet hoe dat is afgelopen,' zegt Sarah, doelend op haar eigen zwanger-schap toen ze met Marcus trouwde.

'Dan hoef ik je dus niet te waarschuwen dat ik besmettelijk ben, want je hebt de heidense koorts al.'

'Jij snapt het.'

'Maar hoe gaat het nu met jou en Marcus?' vraag ik zacht, zo-dat hij me niet kan horen.

Sarah trekt een voet onder haar dij en draait zich naar me toe. 'Beter,' zegt ze. 'Veel beter. Ik heb niet met hem over dat mokkel gesproken, maar gezegd dat ik meer aandacht nodig heb. Hij doet nu echt harder zijn best.'

'Dat is mooi,' zeg ik tegen haar. Ik kijk naar Marcus die ge-animeerd staat te gebaren terwijl hij met Dave kibbelt over Jon-ny Damon en het lot van de Red Sox. 'Maar denk je niet dat je iets over die vrouw moet zeggen?'

'Waarom zou ik?' vraagt Sarah, haar wenkbrauwen fronsend. 'Ik denk dat hij dan alleen maar achterdochtig wordt en zich ongemakkelijk rond Tina – zo heet ze namelijk – gaat gedragen, wat iedereen moet opvallen. We zitten nu in een groepje met haar en haar man.'

'In een groepje?'

'Een soort Bijbelstudiegroep,' legt ze uit. 'Ik zie haar dus niet alleen in de kerk maar ook nog eens elke donderdagavond.'

'Eh, Saar?' zeg ik. 'Je weet dat ik van je hou, maar zou je niet overstappen naar een andere groep? Een zonder die verleidster?'

'Jij bent altijd al de slimste thuis geweest,' zegt ze quasinadenkend en we giechelen er samen om.

'Ik moet je iets vertellen,' zegt Sarah die avond als we de geïmproviseerde eettafel afruimen.

'Wat dan?' vraag ik licht gealarmeerd vanwege de toon in haar stem.

'Rustig maar, het is niets ergs. Ik kwam alleen maar...'

'Julia tegen?'

'Laat me uitspreken, kwebbelkous.' Dan fluistert ze: 'Nathan.'

'Ga weg! Weet je überhaupt nog hoe hij eruitziet?' fluister ik terug, en ik kijk naar Marcus en Dave die bijna comateus op de bank tv zitten te kijken.

'Eerst niet. Ik heb hem maar een paar keer gezien toen jullie met elkaar omgingen,' zegt ze. Ze gebaart me om mee te gaan naar de slaapkamer, waar Dave en Marcus buiten gehoorsafstand zijn. 'Ik liep hem vorige week tegen het lijf toen ik boodschappen deed. Hij dacht even dat ik jou was, want hij riep jouw naam toen hij me zag.'

'Dat meen je niet.'

'Jawel, maar hij realiseerde zich meteen dat jij het niet was.'

'Natuurlijk, want jij bent slanker en knapper...'

'Alsjeblieft, zeg. Maar goed, ik vroeg of hij Marissa Rogers bedoelde en toen hij ja zei, zei ik dat ik je zus ben en stelde ik me voor. Eigenlijk voor de tweede keer dus.'

'En toen?' vraag ik nieuwsgierig, niet in staat om mijn opwinding te verbergen. Verleden tijd of niet, een klein deel van me wil weten of het boek dat hij me gaf niet meer betekende dan slechts een vriendschappelijk gebaar. Dat, hoe belachelijk deze wens ook mag zijn, hij zich nog steeds tot mij aangetrokken voelt... en niet tot Julia.

'Hij wilde weten hoe het met je gaat.'

'En?'

'Ik zei dat het fantastisch met je gaat. Dat je in New York woont en er werkt als redacteur, wat hij blijkbaar al wist, en dat je een geweldige man als vriend hebt. Hij zei dat hij blij was om dat te horen en vroeg of je verloofd was.' Mijn hart slaat even over maar ik reageer zo normaal mogelijk en Sarah gaat verder. 'Ik vertelde hem dat dit niet zo is, maar dat het een kwestie van tijd is,' zegt ze beschermend. Terwijl zij zich de ontmoeting probeert te herinneren, wordt het me duidelijk dat mijn zus de afgelopen maanden van een ongeïnteresseerde partij in mijn leven tot mijn vriendin is verworden. Het is een onverwachte maar welkome verandering.

'Heeft hij nog iets gezegd over dat we elkaar in november hebben gezien? Of iets over Julia?'

'Dat is het gekke,' zegt Sarah. 'Niet dat de hele ontmoeting niet gek was, maar gezien wat jij me verteld had over de laatste keer dat je hem zag, probeerde ik wel wat meer los te peuteren.'

'We hebben duidelijk dezelfde genen,' lach ik.

'Ik deed alleen maar mijn zusterlijke plicht,' zegt Sarah, en ze salueert naar me. 'Ik vertelde hem dat je je goed houdt onder Julia's ongeluk. Toen zei ik: "Je kent Julia toch? Marissa vertelde me dat jullie contact hebben."'

'Dat zei je niet!'

'Graag gedaan. Toen zei hij: "O ja, Julia. Ik heb gehoord dat het veel beter met haar gaat." Alsof hij door iemand anders op de hoogte wordt gehouden! Ik vermoed dat hij dacht dat ik het wel aan jou zou doorvertellen en dat hij daarom net deed of ze geen contact hebben. Hij had duidelijk niet door dat ik op de hoogte ben van de hele verachtelijke affaire.'

'God, wat zou hij te verbergen hebben?' vraag ik mezelf hardop af. Misschien zat mijn intuïtie er niet ver naast... Misschien speelt er toch iets tussen hen. 'Nou, in elk geval bedankt dat je me dit hebt verteld,' zeg ik tegen Sarah, en ik omhels haar.

Ze lacht en beantwoordt mijn omhelzing. 'Je hoeft me niet te bedanken, hoor. Ik had het eigenlijk niet willen zeggen... Wat mij betreft moet je je energie niet aan die vent verspillen. Het is niet goed voor je relatie met Dave en ook niet voor je vriendschap met Julia. Maar ik besefte dat ik het zou willen weten als ik jou was. Vandaar.'

'Vandaar,' zeg ik, knikkend. 'De vraag is, wat doe ik ermee? Ik denk dat ik geen rust zal hebben totdat ik weet wat er speelt tussen Nathan en Julia.'

'Weet je zeker dat je de waarheid wilt weten?'

'Zo goed als zeker.'

'Zorg er dan voor dat je daarachter komt en sluit daarna de hele affaire af.'

Nog geen uur nadat ik Sarah en Marcus heb uitgezwaaid wordt er een pakje van Julia bezorgd. Als ik het karton openscheur glimlach ik weemoedig. Ik ben blij dat mijn zus en ik dichter tot elkaar komen, maar door haar bezoek besef ik eens te meer hoezeer ik Julia de laatste tijd heb gemist.

Op het moment dat de inhoud van de doos in mijn schoot valt, maakt mijn weemoed plaats voor een gevoel van angst, en ik wilde dat ik het pakket op de stoep had laten staan.

Boven op drie ingelijste foto's ligt een kaart met een mierzoete foto van een slapend poesje in een mand en een kort berichtje van Julia aan de binnenkant:

Marissa,

Ik zocht mijn oude spullen in de kelder bij mam en pap uit en vond deze. Die moest ik natuurlijk naar je opsturen! Kijk eens hoe jong en gelukkig we toen waren. Ik wilde dat we terug konden gaan in de tijd, tot voor het ongeluk. Sorry dat ik zo depressief klink, maar het is waar. Ik mis je verschrikkelijk, lieve schat.

xoxo, Julia

Als ik de foto's niet al had gezien, had Julia's briefje me aan het huilen gebracht. Er gaat geen dag voorbij dat ik niet wens dat we de klok konden terugdraaien en konden veranderen wat er op die fatale septemberavond gebeurde. Als ik naar de drie vervaagde foto's in de witte houten lijstjes staar, twijfel ik er geen moment meer aan dat het ooit nog kan worden als vroeger.

De eerste foto is onschuldig genoeg: Julia en ik arm in arm na ons eindexamen van de middelbare school. Ze ziet er tot mijn schrik even stralend en mooi uit als op haar dertigste. Ik niet zozeer, maar ik stel blij vast dat ik er in het vierde decennium van mijn leven veel beter uitzie dan in het tweede. In elk geval heeft Julia gelijk: we zien er onmiskenbaar gelukkig uit.

De tweede foto is ongeveer hetzelfde. Gemaakt tussen het eerste en tweede jaar aan de universiteit. Julia en ik zijn bezig haar auto te wassen op de oprit bij Jim en Grace. Onze t-shirts en korte broeken zijn doorweekt en we lachen hysterisch terwijl we de slang dreigend op degene richten die de foto maakt.

De derde foto bezorgt me een knoop in mijn maag. Nathan, Julia en ik in de bar op de avond dat het allemaal begon. Ik herinner me dat Julia, die het leuk vond om onze uitstapjes te documenteren, haar camera bij zich had, hoewel ik me niet herinner dat deze foto gemaakt werd, of door wie. Net als op de andere twee foto's kijkt Julia gelukkig, en Nathan laat zijn beste kuiltjeslach zien. Ik probeer te lachen, maar heb een trieste, bijna obsessief onzekere blik in mijn ogen. Hoe kan het Julia zijn ontgaan dat ik er miserabel uitzie? Zelfs als dit haar toen niet was opgevallen, hoe kan ze me dan deze foto sturen nadat ze heeft gezien hoe overstuur ik was van de door haar in scène gezette ontmoeting met Nathan?

Ik kijk nog een laatste keer naar de foto's voordat ik ze terug doe in de doos waarin Julia ze gepost heeft en zet de hele bliksemse boel in mijn kast. Ik vind de derde foto helemaal niet mooi, maar wat hij symboliseert nog veel minder. Julia vertelde me altijd wat er in haar omging, het maakte niet uit wat. Nu lijkt ze alleen nog maar door passief-agressieve boodschappen met me te kunnen communiceren. Ik besluit gedecideerd dat ik niet ga meedoen aan haar zieke spelletjes. Ze zal zich naar míjn regels moeten gaan gedragen.

Ik zit op mijn bed en toets Julia's mobiele nummer in.

'Met Marissa.'

'O, hoi,' zegt ze buiten adem.

'Heb je even?'

'Natuurlijk,' zegt ze hijgend in de telefoon. 'Sorry, ik ben net klaar met balletles.'

'O? Ik dacht dat je niet kon dansen. Wat een goed nieuws,' zeg ik, en ik herinner mezelf eraan dat ik me niet moet laten afleiden omdat ik anders niet meer over de foto's kan beginnen.

'Ja. Alleen jammer dat ik daarna bijna van het dak was gesprongen,' zegt ze vlak, maar ze forceert dan een lach.

'Ho, niet zo snel, Ophelia. Wat is er aan de hand?'

'Ik wist niet meer hoe het moest.'

'O.'

We zwijgen een minuut, wat troostend zou moeten zijn – hoewel we bekendstaan om onze marathongesprekken, is Julia een van de weinige mensen bij wie ik niets hoef te zeggen – maar in dit geval onderstreept het juist mijn gespannenheid.

Eindelijk schraapt ze haar keel en gaat ze verder. 'Het is al erg genoeg dat ze me niet laten springen vanwege mijn hoofd,' zegt ze. 'Maar dan kom ik in de les en kan ik me niet eens de dingen herinneren die een peuter al weet. Alsof posities ingewikkeld zijn.'

'Wat vervelend voor je,' zeg ik. 'Is dit de eerste keer dat je weer danst sinds je ongeluk?'

'De tweede keer.'

'Het zal wel wat tijd kosten, denk je niet?' zeg ik, terwijl ik me een onderzoek herinner waar ik vorige week op stuitte. Iemand met hersenletsel moet zich iets soms wel twaalf keer herinneren voordat het kwartje valt. Aan de andere kant, na wat ik heb gelezen over valse herinneringen, vraag ik me af of de opgeroepen herinnering de echte is of iets wat de persoon uiteindelijk opnieuw aanleert. Deze vraag moet ik onthouden als mogelijke input voor mijn artikel.

'Rot op met die tijd,' zegt Julia boos met een hoge stem, waardoor ze klinkt als een puberjongen die stoer probeert te doen. 'Ik probeer nú te leven, niet morgen of volgende week.'

'Dat weet ik,' zeg ik, en ik loop naar het raam. Het regent licht en het gras in de achtertuin ziet er sponzig en grauw uit.

'Nee, dat weet je niet,' zegt ze, en ze klinkt nu vooral vermoeid.

'Je hebt gelijk. Dat weet ik niet,' geef ik toe. 'Maar ik weet wel dat dit heel moeilijk voor je moet zijn en dat maakt me verdrietig.'

'Ik heb jouw medelijden niet nodig.'

Ik slik en overweeg hoe ik zal reageren. Dan zeg ik: 'Julia, ik heb geen medelijden met je. Maar zoals je al schreef op de kaart die je me stuurde, is het bijna onmogelijk om niet te wensen dat het ongeluk niet was gebeurd. Vooral als je je niet meer kunt herinneren hoe je moet dansen.'

'Dus je hebt mijn pakketje ontvangen?' vraagt ze, iets energieker dan een seconde geleden.

Ik haal diep adem. 'Ja, ik heb het vanmiddag ontvangen. Ik waardeer het echt dat je me iets stuurt, want dat betekent veel voor me. Maar, Juul, waarom heb je me in godsnaam een foto van ons met Nathan gestuurd? Je weet net zo goed als ik hoe slecht het afliep in november. En je hebt nog altijd mijn vraag niet beantwoord over wat er precies gaande is tussen jullie. Wilde je met die foto soms zeggen dat jullie iets met elkaar hebben?'

Julia zucht hoorbaar. 'Je weet dat ik nooit iets zou doen om jou te kwetsen.' Moest ik daarom van jou iemand opgeven die wel eens mijn grote liefde zou kunnen zijn? vraag ik me af, maar ik zeg niets.

Na een minuut gaat Julia verder. 'Nathan is gewoon een vriend die me af en toe helpt.'

'Waarmee dan?'

'Hij heeft me op appartementen gewezen en soms kookt hij voor me als ik in het restaurant langskom.'

Nu is het mijn beurt om te zuchten. Ik denk aan hoe Nathan viergangenmaaltijden voor me kookte in zijn kleine keukentje; eten was zijn idee van romantiek. Mijn intuïtie over hen kan kloppen, ook al hebben ze misschien nog geen echte relatie.

'Dat verklaart nog niet waarom je überhaupt contact met hem hebt opgenomen,' zeg ik tegen Julia. 'Of heeft hij contact met jou gezocht?'

Stilte.

'Julia?'

'Marissa, ik ben eenzaam. Jij bent er niet voor me. Ik heb helemaal geen vrienden meer in Ann Arbor. Wat moet ik dán?'

'Juul, ik ben ook eenzaam. En je weet dat ik alles doe wat ik kan om je te steunen. Het spijt me dat ik nu niet in Michigan kan zijn, maar ik kom zo vaak mogelijk.'

'Het is niet meer hetzelfde,' snift ze. 'Jij en ik waren een team. En nu ben ik helemaal alleen.'

Hersenletsel of niet, Julia weet nog steeds hoe ze mijn gevoelige snaar kan raken. Ik wil me niet schuldig voelen – tenslotte heb ík haar niet voor die taxi geduwd, en ook niet gezegd dat ze terug moest gaan naar Ann Arbor – maar toch voel ik me zo. Omdat ze gelijk heeft. Ze is helemaal alleen, midden in het Midwesten, terwijl ik in New York het droomleven leid dat we ons samen zo veel jaar geleden hadden voorgesteld.

'Oké,' beaam ik. 'Sorry. Vertel me alsjeblieft niets meer over Nathan, oké?'

'Oké,' zegt ze, duidelijk blij dat ik het onderwerp laat rusten.

En weer laat ik het erbij zitten.

18

ELE WEEK SLAAP, werk of reis ik op de kop af zevenenvijftig uur
niét. Waardevolle tijd die voorbijvliegt en waar ik zeer zuinig op
ben. Dus ik zou liegen als ik zei dat ik graag een zonnig februa-
riweekend opofferde voor mijn Take the Lead-cursus. Maar ik
had Naomi beloofd dat ik haar zou helpen, zodat ik mezelf
dwong een glimlach op te zetten en probeerde de fijne kneepjes
van het communiceren met negen- tot elfjarigen onder de knie
te krijgen. Na twee volle dagen van ijsbrekers, cursussen, groeps-
fitness en onderwijsvideo's werd ik coachwaardig geacht.

Maar zodra ik voor een tiental gretige, nieuwsgierige kinderen sta die me vanuit hun halve cirkel aanstaren, wil ik dat de
cursus drie keer zo lang had geduurd. Ik ben totaal onvoorbe-
reid om deze kleine mensjes te helpen alles uit zichzelf te halen
en vind ik dat ik niet meer voor hen zou mogen doen dan ze de
wc te wijzen.

'Je hoeft niet zenuwachtig te zijn,' fluistert Naomi. Ze klapt
een paar keer in haar handen om ieders aandacht te krijgen.
'Hoi, meiden! Wat fijn dat jullie er allemaal weer zijn. Ik ben
coach Naomi en dit is coach Alanna,' zegt ze met een knikje naar
de slungelige brunette aan wie ik nog maar even daarvoor ben
voorgesteld. 'Degenen van jullie die het vorige seizoen ook mee-
deden, zullen wel al gezien hebben dat we een nieuwe coach
hebben. Zeggen jullie even hallo tegen coach Marissa?'

'Hallo, coach Marissa,' zeggen ze. Hun stemmen weerkaatsen
tegen de wanden van de gymzaal waar we de komende vier

maanden lang elke dinsdagmiddag zullen samenkomen.

'Dag, meisjes,' zeg ik. De vlinders in mijn buik ontpoppen zich als vleesetende rupsen.

Een bonenstaak in een SpongeBob-t-shirt steekt haar vinger op. Ik kijk op haar naamkaartje, glimlach en zeg: 'Ja, Lisa?' precies zoals me op de cursus is geleerd.

'Waar is coach Beverly?' vraagt ze.

'Coach Beverly is naar Los Angeles verhuisd voor haar nieuwe baan,' zegt Alanna langzaam en met een kinderlijk stemmetje. Ik kijk naar Naomi, die verbijsterd haar wenkbrauwen optrekt bij de bevoogdende toon van de babyfluisteraar. 'Coach Marissa was zo aardig haar plaats in te nemen. Jullie mogen je nu om beurten voorstellen en één ding vertellen dat de meeste mensen waarschijnlijk niet over jullie weten.'

Terwijl we de rij langsgaan, kom ik te weten dat Caitlin, een meisje uit groep vijf en de kleinste van het stel, zangeres wil worden. 'Net als Lady Gaga,' zegt ze. Margarita, die pijnlijk verlegen is, durft nauwelijks haar naam te zeggen, maar Naomi krijgt haar op een of andere manier toch zover dat ze vertelt dat haar grootmoeder, die ze de liefste persoon van de wereld vindt, volgende week uit Mexico op bezoek komt. Lisa vertelt ons tot onze ontsteltenis dat ze altijd SpongeBob kijkt als ze uit school komt. En Josie, een knap meisje dat zich daar maar al te bewust van is, vertelt ons dat haar nieuwe broertje te veel huilt. 'Ik wou dat hij weer terugkroop in mijn moeders vagína, waar hij vandaan komt,' zegt ze. Ze kijkt naar de andere kinderen die hysterisch lachen, hoewel ik zeker weet dat het merendeel van de meisjes geen idee heeft wat het betekent.

'Het probleem is,' mompelt Naomi zacht, 'dat Josie vorig jaar de leider van de onruststokers was. Negeer haar maar zo veel mogelijk als ze dergelijke taal uitslaat, tenzij ze vloekt of anderen pest.'

Terwijl we verder het rijtje afgaan, zie ik een mollig meisje met een bril op aan het einde van de halve cirkel op en neer wippen op haar knieën. Ze lijkt zich slechts met moeite te kunnen inhouden. Ze gaat zelfs op haar handen zitten, alsof ze zichzelf moet bedwingen niet te gaan zwaaien om de aandacht te vragen.

Eindelijk is ze aan de beurt. 'Ik ben Estrella,' zegt ze enthousiast. Ze kijkt de andere meisjes een voor een aan alsof het juryleden van *Idols* zijn en dit haar enige kans is om de volgende Idol van Amerika te worden. Josie slaat haar ogen ten hemel, maar Estrella trekt zich er niets van aan. 'Wat jullie waarschijnlijk niet van mij weten is dat mijn naam "ster" betekent,' zegt ze langzaam. Ze articuleert duidelijk.

'Ja, *sabemos*,' zegt een meisje dat Charity heet sarcastisch.

Naomi kijkt naar Charity, maar spreekt de hele groep aan. 'Dames, zullen we Estrella netjes laten uitpraten? Ze heeft jullie ook niet onderbroken.' De meisjes gehoorzamen meteen, gekalmeerd door Naomi's rustige autoriteit. Nu begrijp ik waarom ze vorig seizoen werd uitgeroepen tot Take the Lead-coach van het jaar.

Als iedereen zich heeft voorgesteld, lezen Naomi, Alanna en ik om beurten een lesplan voor over hoe belangrijk het is dat individualiteit en persoonlijke kracht worden gewaardeerd. Om duidelijk te maken wat we bedoelen, laten we de meiden een warming-upoefening doen waarbij ze van de ene kant van het basketbalveld naar de andere kant moeten rennen en weer terug. Bij terugkomst moeten ze iets roepen over wat ze leuk aan zichzelf vinden om vervolgens het stokje aan het volgende meisje in de rij te geven, die dan op en neer moet rennen. 'Probeer iets te zeggen wat niets met je uiterlijk te maken heeft. Bijvoorbeeld, ik ben aardig tegen mijn klasgenoten, of ik ben goed in wiskunde,' legt Naomi uit. Dan wendt ze zich tot mij en glimlacht. 'Coach Marissa, zou jij willen beginnen?'

Ik kijk haar met grote ogen aan, alsof ik wil zeggen: doe me een lol, dit is mijn eerste dag! Maar Naomi blijft glimlachen en gebaart me naar het rode lint te lopen dat we op de grond hebben gelegd als start- en finishlijn.

'Oké,' mompel ik binnensmonds. Ik besef dat ik een rolmodel ben, of ik dat nu leuk vind of niet. Dat betekent dat ik Naomi pas ná de les zal kunnen vermoorden.

Ik ren naar de andere kant van de gymzaal, tik de gele gipsplaatwand aan en ren terug. Het zweet breekt me uit; niet alleen omdat het bloedheet is in de zaal, maar ook omdat de meisjes, die nog nooit vrouwenborsten tegen een kin hebben zien kletsen, me met open mond aangapen. Uiteraard ben ik opgelucht als ik eindelijk het rode lint bereik. *Pff.*

'Coach Marissa, wat vind jij een goede eigenschap van jezelf?' vraagt Alanna nadrukkelijk, alsof ik niet al te snugger ben (wat ik kennelijk ook niet ben; ik ben het hele doel van de oefening vergeten).

Ik verstijf. 'Eh...' Denk na. Ik heb mooi haar. Nee, dat valt onder uiterlijk. Wat dan...

'Ik ben een harde werker,' zeg ik snel.

'Dat is een goeie!' zegt Naomi enthousiast. 'Geef het stokje maar door!'

Ik kijk naar de eerste in de rij en daar staat Estrella. Ze straalt, alsof ze op het punt staat Barack Obama in eigen persoon de hand te schudden. Ze pakt het stokje van me aan, buigt zich naar me toe en zegt wijs: 'Iedereen is de eerste keer nerveus, coach Marissa. Dat geeft niet. Je hebt het gewéldig gedaan.'

'Dank je, Estrella,' zeg ik. Een negenjarige die me opvoedt, denk ik verbijsterd als ik de een meter twintig lange spring-in-'t-veld met klapwiekende ellebogen en schuddende buik heen en weer zie rennen.

'Haha, daar gaat onze bodybuilder!' zegt Josie, net hard genoeg zodat iedereen, inclusief Estrella, het kan horen.

'Josie, dat is niet aardig,' zegt Naomi scherp. 'Als je mee wilt doen met Take the Lead, moet je iedereen hier respecteren. Ook Estrella.'

'Sorry,' zegt Josie, maar het klinkt allesbehalve of het haar spijt.

Na de langste tweehonderd meter ter wereld, komt Estrella eindelijk over de finish. 'Ik ben hoogbegaafd!' roept ze trots zodra ze op adem is gekomen.

Ze reikt Josie het stokje aan en zegt: 'Dat kan niet iederéén zeggen.'

Het is niet duidelijk of ze met die opmerking expliciet op Josie doelde. Maar als ik Josie zie wegrennen, zo elegant dat een boek op haar hoofd zou blijven liggen, voel ik stiekem bewondering voor de eigenaardige, onverstoorbare Estrella.

19

HET ADVOCATENKANTOOR waar Dave werkt gaat een feest organiseren, midden in de ergste recessie van de laatste dertig jaar. 'Het is bedoeld als morele oppepper,' legt hij bedeesd uit en hij overhandigt me de A5-formaat uitnodiging in reliëf. De kaart is mooier dan alle huwelijksuitnodigingen die ik ooit heb ontvangen. 'Ze hebben tot na de vakantie gewacht om geld te besparen.'

'Gedrúkte uitnodigingen?' zeg ik. Ik kan mijn ogen niet geloven. 'Waarom niet meteen de tekst op briefjes van honderd laten drukken? Ze konden op zijn minst dóén alsof ze proberen te bezuinigen.'

'Je weet dat advocaten gedijen wanneer de economie inzakt.'

'Niet zó veel.'

'Wat kan ík eraan doen?' zegt hij. Hij steekt zijn handen theatraal in de lucht. 'Ik zal erheen moeten, tenzij er een ramp gebeurt.'

'Je moet de goden niet verzoeken,' kaats ik terug en ik klem de uitnodiging aan de koelkast met een magneet van Gaudí die Julia een paar jaar geleden voor me meebracht uit Spanje. 'Moet ik mee?' vraag ik. Ik wil niet moeilijk doen, maar het staat me tegen dat we een van de weinige avondjes samen die we deze maand hebben aan zijn werk moeten besteden. Het werk dat ook wel bekendstaat als de plek waar hij twee derde van zijn leven doorbrengt.

'Wil je dat doen? Iedereen neemt zijn wederhelft mee en ik wil er echt niet zonder jou heen.' Hij loopt naar me toe en masseert mijn schouders, wetend dat ik in bijna alles zal toestemmen als er maar een massage tegenoverstaat.

Ik zucht. 'Oké dan.'

'Dank je, schatje,' zegt hij, en hij kust me in mijn nek. 'Wie weet kom je leuke mensen tegen.'

'Wie weet.'

Terwijl ik de collectie rijkeluisdochters observeer die rondhangen in zijden cocktailjurken die elk afzonderlijk meer dan mijn hele garderobe bij elkaar hebben gekost, moet ik vaststellen dat ik hier beslist geen 'leuke' mensen tegenkom. Maar gelukkig is Daves collega Pete er ook. Pete is kattig en bot en normaal gesproken het type dat ik niet kan uitstaan, maar omdat ik zeker weet dat zijn botte gedrag voortkomt uit de stellige ontkenning van zijn latente homoseksualiteit, geef ik hem het voordeel van de twijfel. Bovendien mag Pete mij, wat hem aardiger maakt. Het is een prettig gestoorde vriendschap.

Pete, gekleed in maatpak, roze overhemd en fuchsiarode stropdas, loopt op zijn dooie gemak op Dave en mij af. 'Marissa, je ziet er... goed uit,' zegt hij en hij kust me op beide wangen voordat hij me omzichtig van top tot teen opneemt.

'Je bent zelf ook aangekomen,' kaats ik terug, totaal niet beledigd. Ik draag mijn favoriete mouwloze zwarte jurk en heb mijn haar laten föhnen in een slordige speelse bob ('Net als in *Valley of the Dolls!*' had Rubia uitgeroepen toen ik haar vertelde hoe ik het wilde hebben). Ik voel me sexy en vol zelfvertrouwen, ondanks, of misschien wel dankzij, de rijke en perfecte huisvrouwen door wie ik word omringd.

'Het was maar een grapje, hoor,' zegt Pete. 'Je ziet eruit alsof je zo uit bed komt. Héérlijk. Blijkbaar doet het huisje, boompje, beestje je goed.' Hij trekt zijn wenkbrauwen goedkeurend op in Daves richting.

'Blijkbaar,' zeg ik lachend.

Dave begint een gesprek met een partner van het kantoor, en dus lopen Pete en ik naar een ober die borrelhapjes serveert.

'Dat moet je de firma wel nageven,' zegt hij tegen me met een mond vol in bacon gerolde dadel. 'Ze weten hoe ze moeten uitpakken.'

'Breek me de bek niet open.'

'Jouw elitaire moraal weerhoudt je er anders niet van om je te goed te doen aan de weelde,' zegt Pete als ik een krabkoekje van het dienblad van een andere ober gris.

'Moet jij niet slijmen bij je collega's?'

'Ik begeef me liever onder het plebs,' gniffelt hij. We lopen naar de bar en Pete brengt me op de hoogte van de laatste roddels bij Wyman, Stewart en Piechowsky. Zo hoor ik onder andere dat Philip Wyman in eigen persoon laatst is betrapt terwijl hij zich schaamteloos vergreep aan de juridisch secretaresse van Jeffrey Stewart jr. Pete wijst Wyman aan die zijn arm stevig om een aantrekkelijke oudere vrouw heeft geslagen. 'Zijn vrouw, natuurlijk,' zegt hij zachtjes. 'De hele firma is op de hoogte, maar zij weet van niets.'

Ik dep mijn mondhoeken met een servetje en ontdek een restje cocktailsaus op mijn onderlip. Ik vraag me af hoe lang ik daar al mee rondloop. Als ik de tweede keer dep, hoor ik Pete fluiten. 'Vers vlees.'

'Waar?' vraag ik bedachtzaam. Ik ben gewend aan Petes fluitjes, die vooral bestemd zijn voor jonge, aantrekkelijke, zwaar opgemaakte dames – kortom, vrouwen die nooit zouden vallen op een kalende vent met een buikje tenzij hij op zijn minst een paar miljoen op de bank heeft staan (en dat heeft Pete niet). Dit versterkt mijn aanname dat Pete veel weg heeft van een homoseksuele modeontwerper: zijn interesse in vrouwelijke vormen is strikt esthetisch van aard.

'Die kant,' zegt hij en hij draait me in die richting om het offerkalf te kunnen bewonderen.

'O nee, nu ga ik echt naar huis,' mompel ik, en ik draai me om zodat de lange blondine naar wie Pete wellustige blikken werpt mijn gezicht niet kan zien.

Van alle plekken in de hele stad kom ik haar uitgerekend híér tegen. Ik leg aan de verbaasde Pete uit wie Ashley is en dat ik mezelf nog liever aan mijn stilettohakken spies dan dat ik over koetjes en kalfjes ga praten met een assistente die zich vermoedelijk geschikter acht om mijn baas te zijn dan andersom. Maar net als ik ons nerveus naar een tafel in een donkere hoek probeer te manoeuvreren, sta ik ineens oog in oog met de barbie zelve.

'Marissa? Ik dacht al dat jij het was! Wat doe jíj hier?' vraagt Ashley, zowel uit de hoogte als verbaasd.

'O, hoi, Ashley,' zeg ik alsof ze me nog niet was opgevallen. 'Ik ben hier met mijn vriend,' zeg ik, en ik knik in Daves richting. Hij kijkt onze kant op en komt naar ons toe als hij de paniek op mijn gezicht leest. Een bewijs dat bidden werkt.

Ik introduceer ze plichtmatig en op haar beurt stelt Ashley me voor aan Jason Benninger, haar verloofde die een deur verder dan Dave blijkt te werken.

'Kleine wereld, hè, Benny?' vraagt Dave, en hij neemt een slok van zijn biertje. 'Ik kan bijna niet geloven dat je verloofd bent met Marissa's assistente.'

'Ik ben redactieassistente, niet Marissa's assistente,' verbetert Ashley hem. Tot mijn vreugde trekt Dave zijn wenkbrauw naar haar op als ze dit zegt.

'Zo is dat, schatje. Jij gaat ooit de wereld veroveren,' zegt Jason. Hij slaat zijn arm om haar heen en zegt tegen ons: 'Ashley en ik hebben ons een paar maanden geleden verloofd toen we met mijn familie op Capri waren.'

Ashley steekt haar ring onder mijn neus om hem te laten bewonderen, alsof ik die fonkelende steen niet al vierhonderd keer heb gezien.

'Mooi.'

'Dank je,' zegt ze, en ze bekijkt de ring met een blij gezicht.

'Maar goed,' zeg ik met de bedoeling om het gesprek daarbij te laten.

Jason snapt de hint niet. 'Marissa, ik hoor van Ashley dat jullie samen een verhaal schrijven over traumatisch hersenletsel. Fascinerend onderwerp.'

Dus we schrijven het samen? 'Zei ze dat?' vraag ik aan Jason.

Ashley glimlacht en legt haar hand op mijn arm. 'Ik heb Jason verteld hoe geweldig je voor me bent, Marissa. Dat je me de kneepjes van het vak leert en dat je me de kans geeft om samen met jou aan dit belangrijke artikel te werken. Het is zo'n goede leerschool voor me geweest om al die onderzoeken uit te kammen. Nogmaals bedankt,' zegt ze, en ze klinkt oprecht. Ik weet niet of het door de alcohol komt of door Ashleys plotselinge verandering van onderwerp, maar ik ben overrompeld door haar dankbaarheid. Ik heb nog niet bedacht dat ik haar verkeerd heb ingeschat, of ze vervolgt: 'Het moge duidelijk zijn dat werken bij *Curve* niet bepaald mijn eerste keus was. Vanwege de recessie kon ik moeilijk bij *The New Yorker* of *Vogue* binnenlopen en daar een baan aannemen zoals ik had gepland. Maar dit verhaal geeft me de hoop dat het niet alleen over anticellulitiscrème en dieetkoekjes zal gaan. Hersenloos gezwets,' zegt ze, en ze lacht veelbetekenend naar me.

Ik knipper met mijn ogen en staar haar aan. 'Ik geloof dat ik niet eens goed weet hoe ik hierop moet antwoorden,' zeg ik uiteindelijk tandenknarsend.

Blijkbaar heeft Ashley een bord voor haar kop, want ze lacht weer en zegt: 'Nou, het was gezellig, maar Jason en ik moesten ons maar eens onder de andere gasten begeven.'

Ik drink mijn laatste restje champagne op en zet het glas met een klap op de tafel rechts van mij. 'Ik ben zó blij dat we elkaar even hebben gesproken, Ashley. Ik zie je op kantoor.'

20

DE DAAROPVOLGENDE dinsdagmiddag verheug ik me tot mijn eigen verbazing op het coachen, vooral omdat ik eerder van mijn werk kan vertrekken. Terwijl Naomi en ik lijn 6 naar de Bronx nemen, lees ik mijn les door. Vandaag gaat het over pesten. Ik denk aan de mooie, brutale Josie en hoop van harte dat de les bij haar zal aankomen.

Als we de gymzaal binnenkomen, begroeten de meiden me alsof ik Britney Spears in hoogsteigen persoon ben.

'Coach Marissa!' roept Charity terwijl ze haar armen om mijn middel slaat.

'Ren je vandaag weer mee?' vraagt Lisa enthousiast. 'Coach Beverly deed dat nooit.'

'O nee?' zeg ik. Ik dacht dat het verplicht was, anders zou ik de rondjes die ik vorige week met de meisjes heb gerend maar wat graag hebben overgeslagen.

'Nee,' zegt Lisa hoofdschuddend. 'Niet één keer.' Uit de teleurstelling in haar stem leid ik af dat ik vandaag weer mee zal moeten rennen, evenals de keren daarna. Shit.

'Coach Marissa is véél beter dan coach Beverly,' zegt een meisje dat Anna heet en haar strakke zwarte krullen in vijf staartjes draagt.

'Echt wel!' beaamt Margarita, wippend op haar tenen.

Ik vraag me af wat ik van hun enthousiaste ontvangst moet vinden en bekijk de meisjes argwanend om te zien of ze me misschien voor de gek houden. Maar ze menen het serieus, tenzij ik iets heb gemist.

'Ze moesten gewoon even wennen aan het idee van een nieuwe coach,' zegt Naomi tegen mij als we in de ton naar lesmateriaal zoeken. 'Nu willen ze allemaal dikke vriendinnen met je worden.'

Mooi, want vriendinnen kan ik op dit moment goed gebruiken. 'Waarschijnlijk omdat ik er idioot uitzie en toevallig ook nog eens even groot ben als zij.'

'Piper is anders wel langer dan jij,' verbetert Naomi me met een gemene grijns.

Ik steek een vermanende vinger naar haar op. 'Coach Naomi, de les van vandaag gaat over pesten. Je wilt toch zeker geen pestkop zijn, of wel?'

'Nééééé,' zegt ze met een uitgestreken gezicht, maar dan barst ze in lachen uit.

Voor de warming-upoefening krijgt ieder meisje een roze of groene sticker en leggen we een zachte rubberen bal midden in de zaal. 'Het is de bedoeling dat degenen met een roze sticker de bal niet in handen krijgen,' legt Alanna de meisjes uit. 'Iedereen met een groene sticker moet proberen de bal naar een ander groen meisje te gooien. Als je groen bent en een roze meisje krijgt de bal na jou, dan moet je aan de kant gaan staan.' Josie, Anna en Renee zijn roze; tot mijn opluchting is Estrella een van de negen groenen.

Ik had verwacht dat de meiden, van wie de meeste honderd keer wereldwijzer zijn dan ik op die leeftijd, het een suf spelletje zouden vinden, maar ze rennen lachend en gillend rond. Zelfs de meisjes die aan de kant moeten gaan staan lijken zich prima te vermaken.

Als bijna alle groenen aan de kant staan, pakken Naomi, Alanna en ik een bal en vragen de meisjes goed naar ons te kijken. Ik sta in het midden, tussen Naomi en Alanna in, die 'gemene' dingen tegen mij zeggen terwijl ze elkaar de bal over mijn hoofd toegooien zodat ik er niet bij kan.

'De bal niet aan haar geven, hoor, want zij is stom,' zegt Alanna.

'Ik vind haar ook stom! Ze slijmt bij de meester, de uitsloofster,' zegt Naomi. Ik probeer haar vergeefs te blokkeren zodat ze de bal niet naar Alanna kan gooien. 'Moet je haar nou toch zien!' zegt Naomi. 'Ze kan niet eens sporten!'

Dit gaat nog een paar minuten zo door, waarna we ons bij de meisjes in de kring voegen.

'Op welke manier was ons spel anders dan dat van jullie?' vraagt Naomi als we weer zitten.

Estrella's vinger schiet de lucht in.

'Ja, Estrella?'

'Jullie deden gemeen tegen coach Marissa. Wij deden niet gemeen tegen elkaar.'

'Heel goed, Estrella,' zeg ik tegen haar. 'Hoe noemen we dat, wanneer een persoon of groep met opzet gemeen tegen iemand doet, omdat ze denken dat dit leuk is, of dat ze iets van die andere persoon willen, of gewoon zomaar?'

Alleen Estrella steekt haar vinger op. Ik bijt op mijn lip om mijn glimlach te verbergen. Wat een doorbijtertje.

'Wil iemand anders het dit keer zeggen?' vraagt Alanna. 'Margarita? Jessica?' De meisjes schudden hun hoofd. 'Oké, Estrella, wat denk jij?'

'Pesten!' antwoordt ze.

'Dat klopt, Estrella,' zeg ik. 'Daar gaat het vandaag over. Over pesten.'

Naomi vertelt de meisjes dat ze als kind werd gepest – wat moeilijk is voor te stellen, omdat ze nu zo rustig en zelfverzekerd is – en dat ze elke dag huilend uit school kwam. 'Wil iemand anders misschien iets vertellen over hoe zij ooit gepest is?'

Estrella's vinger gaat meteen weer de lucht in. Ik kijk de kring rond en zie Josie en Lisa nerveus met elkaar fluisteren. 'Meisjes,' zeg ik, en gelukkig houden ze daarna hun mond.

'Zeg het maar, Estrella,' zegt Naomi zodra duidelijk is dat de anderen zich niet geroepen voelen iets te zeggen.

'Vorige week heeft iemand...' begint ze met dramatisch samengeknepen ogen. 'En ik noem geen namen, maar het was iemand die heel populair is, tijdens de gymles mijn rokje verstopt, zodat ik de rest van de dag in deze gymbroek moest lopen,' zegt ze, en ze wijst op de blauwe linnen shorts die ze aan heeft.

'Hoe voelde je je toen?' vraagt Naomi. Ik glimlach, omdat haar favoriete therapieslogan rechtstreeks uit het Take the Lead-boekje komt.

'In het begin vond ik het heel erg,' zegt Estrella, die de groep rondkijkt. 'Maar toen ik thuiskwam heb ik het aan mijn moeder verteld. Ze legde uit dat iemand die dat soort dingen doet zich eigenlijk niet zo goed voelt over zichzelf.' Estrella zet haar vuisten in haar zij en buigt zich voorover. 'Ze moet gemeen tegen anderen doen om zichzelf beter te voelen. Dat is heel triest,' zegt ze hoofdschuddend.

Alanna, Naomi en ik kijken elkaar verbaasd aan, en ik heb de neiging om te klappen voor Estrella's stimulerende bijdrage. Blijkbaar zijn de andere meisjes ook onder de indruk, want de een na de ander komt los en vertelt over de keer dat ze zelf gepest zijn.

Anna is de laatste die iets wil zeggen. 'Ik weet niet of mijn verhaal ook met pesten te maken heeft,' zegt ze verlegen.

'Vertel het maar gewoon. In een kringgesprek bestaan geen foute antwoorden,' zegt Naomi uitnodigend.

'Nou,' zegt Anna, en ze trekt aan een van haar staartjes. 'Ik heb een nichtje dat altijd zegt wat ik moet doen. Als ik bijvoorbeeld naar het park wil, dan zegt ze: "Nee, we gaan een ijsje kopen." Dan moet ik doen wat zij zegt, want anders wordt ze boos en praat ze niet meer met me. Dan word ik ook boos, maar dat zeg ik nooit tegen haar.'

'Dat is ook een vorm van pesten,' zegt Naomi. 'Pesten is niet alleen schelden of andere mensen lichamelijk pijn doen. Een ander dwingen en willen dat ze doen wat je zegt valt er ook onder. Dat is niet aardig of sportief.'

'O,' zegt Anna. Dan glimlacht ze. 'Dan had ik het toch goed begrepen.'

'Ja, heel goed,' zegt Naomi. Een paar andere meisjes knikken ernstig.

Later, als we rondjes rennen in de zaal, besef ik hoe kwetsbaar deze meisjes zijn – zelfs de stoere Josie. Al rennend gaan mijn gedachten terug naar mijn eigen jeugd. Toen ik zo oud was als zij, werd ik in de onderbouw voortdurend gepest door drie klasgenoten. Als ik mijn huiswerk niet liet overschrijven, prikten ze me in mijn buik en noemden ze me Shamu, naar de orka in Sea World, dat ik sindsdien weiger te bezoeken. Ik zag ertegenop naar school te gaan, maar anders dan Estrella's moeder, zei mijn moeder dat het mijn eigen schuld was. 'Zolang jij het laat gebeuren, zullen ze je blijven pesten,' mopperde ze. Natuurlijk werd het alleen maar erger toen ik me ging verweren, vandaar mijn besluit om de middelbare school in een andere stad af te maken.

Een paar jaar geleden zaten Julia en ik tijdens kerst in een café in Ann Arbor, toen we een van de meisjes tegenkwamen die me jarenlang hadden gepest.

'Marissa?' zei Stacy. Uit de manier waarop ze naar onze tafel toe kwam lopen, vermoedde ik dat ze al een aantal Miller Lites achter de kiezen had. Ze was zeker vijftien kilo aangekomen sinds ik haar voor het laatst had gezien, en haar bruine krullen waren slordig blond geverfd waardoor haar haar nog meer kroesde dan vroeger. Hoe kinderachtig het ook mag klinken, toen ik haar zag, was ik blij dat mijn haar die dag beter zat dan ooit.

'Stacy?' zei ik, van mijn à propos door de onverwachte ont-moeting met de aanstichter van mijn jeugdtrauma. Ik verwacht-te half en half dat ze haar arm zou uitsteken en me in mijn buik zou prikken.

'Ja, dus je kent me nog? Wat leuk je hier te zien!' kirde ze. Dit bevestigde mijn eerdere vermoeden dat ze al behoorlijk in de olie was.

'Vind je?' zei ik uit de hoogte. Ik zag dat Julia me met een op-getrokken wenkbrauw aankeek.

Stacy vroeg wat ik na mijn eindexamen had gedaan, dus ik vertelde haar met een zekere trots dat ik in New York woonde en thuis was vanwege de vakantie. Op haar beurt vertelde ze dat ze gastvrouw was bij Chili's. 'Niks bijzonders, maar ik kan er de rekeningen van betalen,' zei ze, zichtbaar ongemakkelijk onder haar bekentenis. Ik overwoog net of ik een hatelijke opmerking zou maken toen Julia ons onderbrak. 'Dat is vast leuk om te doen,' zei ze tegen Stacy. 'En met deze crisis mag je blij zijn dat je werk hébt.'

'Ja,' zei ze, met een peinzende, dronken blik. Ze keek naar Ju-lia en toen weer naar mij. 'Maar ik zal jullie niet langer storen. Ik kwam alleen maar even gedag zeggen.'

Toen Stacy weg was, gaf ik Julia op haar kop. 'Als jij je er niet mee had bemoeid, had ik die kwelgeest uit mijn jeugd kunnen terugpakken!'

Ik verwachtte dat Julia een leuke stunt zou bedenken, waar ze om bekendstond, maar ze schudde slechts haar hoofd en keek weemoedig in Stacy's richting. 'Ach, nee,' zei ze. 'Dat verdient ze niet. Jij kunt in deze fase van je leven al zeggen dat je haar voor-bij bent gestreefd.'

Julia mocht dan veel aandacht eisen en weten hoe ze mensen moest manipuleren, maar ze was nooit met opzet onaardig. Zoals toen met Stacy, deed ze meestal haar best iemand een goed gevoel over zichzelf te geven. Dat was een deel van haar aantrekkingskracht.

Terwijl ik terugdenk aan die avond van al die jaren geleden, vraag ik me onwillekeurig af of de Julia van toen, die mij en iedereen in haar omgeving wist op te peppen, nog ergens in haar zit en ooit weer tevoorschijn zal komen.

21

IK WEET DAT ruwweg tussen twee en drie uur 's middags de lichaamstemperatuur daalt, het bioritme vertraagt en de gevreesde middagdip toeslaat. Ik weet ook dat M&M's en koffie niet de beste remedie zijn tegen de dip, maar eerder een flinke dosis zonlicht en beweging in de vorm van een stevige wandeling. Dit weet ik omdat ik erover heb geschreven, in verschillende verschijningsvormen, en dat minstens zes keer in de afgelopen vijf jaar. Toch doe ik het enige wat binnen mijn macht ligt wanneer ik na de lunch hard aan het werk zou moeten zijn maar mijn ogen niet open kan houden: ik wandel naar het koffieapparaat in de keuken en maak een chocoladekoffie voor het dubbele effect van de cafeïne en de cacao.

'Ik had nooit een zoetekauw achter jou gezocht,' zegt Ashley, die achter me aan komt met Farrah, een andere redactieassistente, op haar hielen. Ze loopt naar de koelkast, haalt er een limoengroen plastic tupperwarebakje uit en trekt het deksel eraf. 'Wil je er een?' vraagt ze, en ik zie dat er perfect gesneden schijfjes Granny Smith in zitten, besmeerd met een heel dun laagje pindakaas. Natúúrlijk snoept Miss Wespentaille de perfecte combinatie van proteïnen, koolhydraten en vet.

'Nee, dank je,' zeg ik tegen haar. Ik schuif een verschoten dollarbiljet in het apparaat naast de koelkast, toets de code in en kijk tevreden toe hoe het zakje M&M's op de metalen bodem van het apparaat ploft. Vervolgens scheur ik de verpakking open en stop ik er een paar in mijn mond. Dan kijk ik naar Ashley. 'Hemels,' verzucht ik tevreden en ik houd haar het zakje voor. 'Wil je er ook een?'

Ze maakt een afwerend gebaar. 'Ik eet alleen pure chocola.'

'Jammer,' zeg ik met een vleugje medelijden, en ik loop met beduidend meer energie terug naar mijn kantoor.

Lynne Pelham is er een ster in om redactievergaderingen om vijf uur 's middags te plannen. Ondanks de frequentie waarmee ze dit doet, kan ik er niet aan wennen. Op deze avond in januari heeft ze de hele redactie ontboden om het juninummer te bespreken in de donkere vergaderzaal tegenover haar kamer. Normaal gesproken is dit een winstgevend nummer omdat vrouwen rond mei in paniek beginnen te raken over het aanstaande badpakkenseizoen. Het is misschien nog te vroeg om het zeker te weten, deelt Lynne somber mee, maar waarschijnlijk wordt het juninummer veel dunner dan normaal – wat een goede eigenschap is voor een vrouw, maar níét voor een tijdschrift.

'Daarom heb ik jullie vandaag bij elkaar geroepen,' zegt ze, en ze slaat haar roodgeaderde handen in elkaar.

Naomi mag dan mijn leidinggevende zijn, ze doet alsof ze een leerling is die gedwongen wordt om een vreselijk saaie les uit te zitten. 'Ze bedoelt vanavond,' schrijft ze op haar notitieblok, zodat ik het kan lezen. Ik grijns. De ramen van de vergaderzaal kijken uit over Bryant Park en ik zie dat de straatverlichting al aan is. 'Ik moet op tijd thuis zijn voor de *David Letterman Show*,' schrijf ik terug, en ik kijk weg zodat het niet opvalt dat we berichtjes uitwisselen.

Lynne gaat door. 'We moeten dit nummer een hoog "wauw"-gehalte meegeven. Gezondheidsbladen hebben het dan misschien nog niet zo zwaar als modebladen of andere tijdschriften, maar de enige reden dat jullie hier zitten in plaats van een uitkering te hebben, zijn de advertenties voor voedingsmiddelen.

Andere advertenties lopen slecht. Héél slecht. Het. Gaat. Niet. Goed. Met. Ons!' Ze gooit haar goudblonde haar over haar schouder en recht haar rug, waardoor ze eruitziet als een Europese prinses die net een trektocht door de Serengetiwoestijn heeft overleefd en blij is dat ze het kan navertellen.

'Lynne, wat bedoel je precies met "wauw"?' vraagt Roxanne, onze hoofdredacteur. 'Wil je de gebruikelijke onderwerpen maar dan in een nieuw jasje? Of bedoel je helemaal buiten de gebaande paden treden, zoals die opstellen van honderd woorden die we in het septembernummer hebben gedaan?'

'Beide,' zegt Lynne vaag. Ze kijkt naar Naomi. 'Laten we de huidige line-up doorlopen. Vertel welke artikelen je hebt gepland, dan brainstormen we daarna over hoe we ze interessanter kunnen maken voor adverteerders.'

Ik slik. Plotseling lijkt mijn hersenletselartikel ongelooflijk stom. Ik snap niet dat ik er een fiat op heb gekregen. Het komt er nooit door.

En ja hoor, als Naomi het te berde brengt, blaft Lynne: 'Wiens idee was dat?'

'Het mijne,' piep ik.

Lynnes reactie verbaast me. 'Goed gedaan, Marissa. Ik vind het een prima idee. Het is niet ons geijkte soort artikel, maar we moeten hoger inzetten als we een Ellie willen winnen op het American Society of Magazine Editors-congres. En we weten allemaal dat deze prijs meer advertentie-inkomsten betekent. Dames, ik wil meer van wat Marissa heeft bedacht. Denk scherp, slim en klantgericht. Denk aan *The Atlantic*, maar dan voor vrouwen die niet dik willen worden.'

Naomi schrijft '!!!!' op haar notitieblok en ik durf niet haar kant op te kijken omdat ik bang ben dat ik de slappe lach krijg.

'*The Atlantic* voor vrouwen die niet dik willen worden,' giert ze een uur later in mijn kantoor.

'Ja, ik bestierf het zowat,' zeg ik terwijl ik de tranen van het lachen uit mijn ooghoeken wrijf. 'En dan te bedenken dat mijn artikel de richtlijnen bepaalt voor onze nieuwe journalistieke normen.' Ik hoor voetstappen buiten mijn kantoor. 'Sst,' zeg ik tegen haar.

Er wordt geklopt en voordat ik kan reageren laat Ashley zichzelf binnen.

'We zijn in bespreking,' zegt Naomi tegen Ashley met haar beste coachstem.

'O,' zegt Ashley. 'Het spijt me.' Alle sporen van de arrogante houding die ze meestal tegenover mij aanneemt zijn verdwenen.

'Maakt niet uit,' zeg ik. 'Het is toch al laat en ik sta op het punt om weg te gaan. Kun je morgenochtend meteen langskomen?'

'Ja, natuurlijk,' zegt Ashley bijna bedeesd. Als ze de deur achter zich dichttrekt, richt ik me tot Naomi. 'Waarom gedraagt ze zich met jou in de buurt plotseling als een engel?'

Naomi kijkt geamuseerd. 'Kijk je wel eens naar de *Dog Whisperer*? Dezelfde methodes kun je op mensen toepassen, echt waar. Je moet gewoon duidelijk maken dat jij de baas bent. Anders loopt ze over je heen. Het is niet zo netjes om te zeggen, maar het gaat op voor iedereen aan wie je leidinggeeft. Les 101 Zoogdiergedrag.'

'Is dat hoe jij mij in bedwang houdt?' vraag ik afkeurend.

'Nee, godzijdank ben jij heel braaf,' zegt Naomi terwijl ze een pen naar me gooit. 'Blaf, nu!'

Ik lach. 'Ik wilde dat ik hetzelfde van Ashley kon zeggen, maar ze lijkt er voortdurend op uit mijn gezag te ondermijnen.' Ik vertel haar over de scène op het feest van Daves werkgever.

'Ik denk dat je er te veel achter zoekt. Ze wil zich beter voordoen voor haar verloofde, maar ze bedoelt er waarschijnlijk niks mee.'

'Daar ben ik niet zo zeker van.'

'Ik durf te wedden dat ze zich voornamelijk om die reden zo gedraagt,' zegt Naomi tegen me. 'Maar zelfs al probeert ze *All about Eve* na te spelen, wat dan nog? Weet je wat mijn moeder altijd tegen me zegt? Bedenk wat je uit een situatie wilt halen, niet hoe je je erbij voelt. Zo krijg je betere resultaten.'

'Interessante theorie.'

'Je wilt toch dat dit blondje goed werk voor je doet?'

'Uiteraard.'

'Maak je dan niet druk over hoe fantastisch ze zichzelf vindt. Controleer haar werk. Doet ze wat je van haar vraagt, prima. Zo niet, vertel haar dan wat je nodig hebt. Als dat niet werkt, haal haar dan van het artikel af.'

'Makkelijker gezegd dan gedaan. Zo veel assistenten hebben we nou ook weer niet.'

'Dat is zo. Maar het is een goed verhaal en je moet het niet door haar laten verpesten. Denk daaraan als je niet tevreden bent met de gang van zaken.'

De volgende ochtend verrast Ashley me echter door bij me te komen met een dikke onderzoeksmap, een gedetailleerde verhaallijn, en om het compleet te maken, twee cappuccino's.

'Ik dacht dat je wel wat koffie kon gebruiken terwijl we alles bespreken,' zegt ze, en ze overhandigt me de tweede kop voordat ze naast mijn bureau plaatsneemt. Ik was niet van plan om vanochtend het hele verhaal met haar door te nemen – ik moet de komende twee dagen nog vier artikelen redigeren – maar de cafeïne is meer dan welkom, dus laat ik haar begaan.

'Oké, laten we eerst onze onderzoeksresultaten vergelijken,' zeg ik, en ik open de documenten op mijn computer. Het volgende uur bekijken we de onderzoeken en statistieken. Ondanks de weinige instructies die ik haar heb gegeven, heeft

Ashley imposant werk verricht met het uitzoeken van het medisch jargon en relevante informatie. Dat vertel ik haar ook. 'Meen je dat?' vraagt ze met een grote grijns op haar gezicht.

'Dat meen ik,' zeg ik. 'Ik waardeer het. Ik denk dat je er aan toe bent om die zijkolom te schrijven waar we het over hebben gehad.'

Ze schreeuwt het bijna uit. 'Ja! Waarover moet het gaan? Want ik heb wel een paar ideeën.'

'Hmm... dat is een goede vraag. Misschien een interview met een ervaringsdeskundige?' Ik trek aan een verdwaalde lok en denk even na. 'Het zou eigenlijk meer klantgericht moeten zijn. Zoiets als: "Symptomen waarmee je naar het ziekenhuis moet wanneer je je hoofd hebt gestoten", of "Wat te doen als je denkt dat je traumatisch hersenletsel hebt gehad". Waarom stuur je me jouw ideeën niet, dan vergelijk ik ze met de mijne en dan kiezen we er een uit.'

'Doe ik,' zegt ze zelfverzekerd. 'Marissa, je weet niet half hoe blij ik hiermee ben. Het is het leukste wat ik heb gedaan sinds ik hier ben begonnen.'

'Voor mij ook, Ashley,' zeg ik. 'Voor mij ook.'

22

HET IS UITZONDERLIJK warm voor een februaridag, maar afgezien van het weer is alles verder normaal als ik mijn kantoor verlaat om te lunchen. Dezelfde overvolle lift naar de begane grond, dezelfde beveiligingsmedewerkers in de lobby die de toegangspasjes controleren; dezelfde horde toeristen waardoor ik me een weg moet banen om bij de delicatessenzaak op 43th Street te komen waar ik altijd een salade haal. Toch kan ik me, vanaf het moment dat ik mijn kantoor verlaat, niet aan de indruk onttrekken dat ik word gadegeslagen.

Ik ben zo gespannen dat ik me lam schrik als iemand me in de Friendly's Grocer op de schouder tikt, terwijl het gewoon een klant is die me erop wijst dat ik bij het betalen mijn metrokaart uit mijn portemonnee heb laten vallen. Hoewel ik weet dat ik alleen maar nog meer de aandacht op me vestig, kan ik het niet laten telkens over mijn schouder te kijken om te zien of ik word gevolgd. Ik lijk Grace Kelly in *Rear Window* wel, maar dan zonder de glamour, de vlasblonde lokken en het moordplot.

Intuïtie is iets merkwaardigs. De meeste mensen gaan ervan uit dat een onderbuikgevoel puur op toeval berust of dat God hen een duwtje in de juiste richting geeft. Onderzoek heeft echter aangetoond dat intuïtie ontstaat doordat de hersenen een ervaring uit het verleden bliksemsnel koppelen aan externe signalen – een spontane aanval van logisch nadenken, bij wijze van spreken. Op basis van intuïtie kun je de juiste aandelen kopen of ingaan op een uitnodiging van een vreemde met wie je uiteindelijk zult trouwen. Maar biologisch gezien is het belangrijkste doel van intuïtie ons voor gevaar te beschermen.

Hoewel het me niet helemaal verrast om Nathan te zien – diep vanbinnen wist ik al dat ik hem vandaag tegen het lijf zou lopen – gaan de alarmbellen in mijn hoofd toch rinkelen als ik hem op de terugweg van mijn lunch leunend tegen de granieten naamplaat bij de ingang van mijn kantoor zie staan.

Mijn eerste impuls is om weg te duiken en de andere kant op te lopen. Naast dat ik er vrij zeker van ben dat een gesprek tussen ons geen zin heeft, zit mijn haar alsof ik auditie ga doen voor de rol als bruid van het monster van Frankenstein, zit er een koffievlek op mijn blouse en ben ik uitgeput. Maar het is te laat; hij heeft me al gezien.

Mijn behoefte om te ontsnappen is hem niet ontgaan, want het eerste wat hij zegt is: 'Wacht! Niet weglopen, Marissa!' Hij steekt zijn handen in de lucht, met de handpalmen naar me toe, alsof hij zich overgeeft. Hij draagt een spijkerbroek, laarzen en een versleten bruinsuède jack. Als hij zijn ogen dichtknijpt tegen het zonlicht, zie ik gouden spikkeltjes in de donkere stoppels op zijn wangen.

'Wat doe jij hier?' vraag ik, scherper dan de bedoeling is. 'Ik bedoel,' vervolg ik op iets mildere toon, 'ik had je niet verwacht.'

Ik kijk om me heen om te zien of een van mijn collega's ons heeft gezien. Ik weet dat ik niets verkeerds doe, maar toch voel ik me ongemakkelijk, alsof ik rondloop met mijn rok in een ouderwetse maillot gepropt.

Dan weet ik ineens waarom ik me opgelaten voel. Niet omdat ik misschien eindelijk meer te weten zal komen over zijn bedoelingen met Julia, maar omdat ik stiekem dolblij ben om hem te zien, ook al is hij misschien gevaarlijk.

'Ik weet dat ik je overval,' zegt Nathan met een schaapachtige grijns. Ik herinner me weer dat hij altijd glimlachte als hij zich niet op zijn gemak voelde, en ik ben blij dat hij net zo nerveus is als ik.

'Ben je helemaal naar New York gevlogen om me op m'n werk op te wachten?' vraag ik. Ik leg de plastic zak met mijn lunch van mijn ene hand in de andere.

'Nee,' zegt hij haastig. 'Nou, niet helemaal. Ik moet in de stad zijn voor een wijn- en sterkedrankconventie. Je weet wel, voor het restaurant.'

'O.'

'Maar... eh... ik wilde jou natuurlijk ook graag zien, anders zou ik hier niet staan.' Hij kijkt me aan en glimlacht weer, waarop ik een elektrische schok door mijn lichaam voel gaan. 'Dus heb ik je gegoogeld om te zien of je nog steeds voor dat tijdschrift werkt. Het leek me beter om je hier te ontmoeten dan bij je thuis.'

'Misschien wel,' zeg ik. Meer krijg ik er niet uit. Het idee alleen al dat Nathan voor de deur van mijn appartement zou staan – het appartement waar ik met Dave woon – bezorgt me een lichte paniekaanval.

'Waarom heb je niet eerst gebeld?' vraag ik.

'Mag ik het wijten aan een plotselinge aanval van spontaniteit?' grapt hij. 'Want eerlijk gezegd verwachtte ik dat je nee zou zeggen als ik je van tevoren zou bellen.'

'Dat zou heel goed kunnen,' geef ik toe.

Een minuut of twee zeggen we niets en staan we elkaar als idioten aan te staren. Ik blijf me erover verbazen hoe goed hij eruitziet, nog beter dan de laatste keer dat ik hem zag. Even zie ik hem weer liggen op zijn slaapbank in zijn studentenkamer. Ik bloos en draai me om zodat hij mijn gezicht niet kan zien. Als ik weer aan Dave denk, stijgt het bloed helemaal naar mijn wangen. Wat doe ik hier? Al was hij Johnny Depp en wilde hij me meenemen naar zijn privé-eilandje in de Cariben, dan nog was ik verkeerd bezig. Ik heb een serieuze relatie en de gedachten die ik heb zijn niet koosjer, ook al is het misschien officieel nog geen overspel.

En toch. Hoe verontrustend het ook is om Nathan onverwacht te zien, een dergelijke spontane actie zou ik maar wat graag zo nu en dan van Dave willen meemaken. Stabiele, voorspelbare Dave van wie ik hou en die ik steeds maar met Nathan blijf vergelijken. Nathan! Een man die ik niet eens meer ken. Toch weet ik uit het contact dat we hebben gehad dat hij sinds onze studietijd weinig is veranderd. In tegenstelling tot Dave is hij niet het type dat zijn hele leven aan zijn bureau vastgekleefd blijft zitten of meteen een allergische reactie krijgt als hij een scheerbeurt overslaat, maar wel iemand die halsoverkop naar Tahiti zou vertrekken, zoals Dave en ik al heel lang van plan zijn (maar nooit doen). Wie zou daar niet voor vallen?

'Ik kan beter gaan,' zeg ik, en met een resoluut gebaar hang ik mijn tas weer over mijn schouder.

'Dat zeg je altijd,' zegt Nathan treurig. Hij raakt even mijn schouder aan. 'Ga met me eten vanavond,' zegt hij. Hij lacht. Een diepe, schorre lach. Ik denk aan Daves luchtige lach. 'Dat klinkt wel heel erg als een versiertruc,' zegt hij. 'Maar ik meen het wel. Ik zou graag met je willen bijpraten en een paar dingen willen uitleggen. Alsjeblieft?'

Dat je hartstikke verliefd bent op mijn beste vriendin? Mooi niet, denk ik.

Maar uit mijn mond klinkt: 'Waar?'

De rest van de dag is verloren. Bijna een uur lang zit ik in de salade te prikken alvorens hem weg te gooien. Ik lees vier keer een manuscript door om vervolgens te beseffen dat geen enkel woord tot me doorgedrongen is. Ik ben zo in de war dat ik mezelf niet eens tot een potje Scrabble op Facebook kan zetten.

Hoewel ik popel om Naomi in vertrouwen te nemen, durf ik het niet omdat ik toch al weet wat ze gaat zeggen.

Tot mijn opluchting mailt Dave me om door te geven dat hij met een klant uit eten gaat, zodat ik niet hoef uit te leggen wat ik zelf die avond ga doen. Ik overweeg naar huis te rennen om me om te kleden, maar bedenk dat ik daarmee de indruk wek dat ik te graag wil (wat ook zo is, maar dat wil ik niet uitstralen). In plaats daarvan haast ik me naar Pauline, onze redacteur Beauty, en smeek haar om hulp.

'Ik heb vanavond een afspraak met een oude vriend en ik zie er niet uit. Kun jij een wonder verrichten?'

Pauline kijkt op van een berg oogschaduw die ze op haar bureau aan het sorteren is. 'Ik hoopte al dat je me dat nog deze eeuw zou vragen. Kom maar hier.' Ze gebaart me te gaan zitten op de hoge kruk tegen de muur en begint allerlei spulletjes uit de make-upkast te halen.

Een aantal haarproducten en een flinke laag make-up later zie ik er beter uit. Ik zie er zelfs heel goed uit, in vergelijking met de treurige staat waarin ik nog geen kwartier geleden verkeerde. 'Wil je me alsjeblieft elke dag opmaken?' vraag ik terwijl ik mezelf nog een keer in de spiegel bekijk. 'Ik weet niet wat je hebt gedaan, maar dit' – ik wijs naar mijn gezicht – 'wil ik vaker.'

Pauline grijnst en stopt me een lipgloss, camouflagestift en een potje haargel toe. 'Monsters. Hou maar en oefen een paar keer thuis voordat je de deur uit gaat.'

'Bedankt.'

'Niks te danken,' zegt ze. 'Ik vond het leuk om te doen. Eerlijk gezegd komt het niet alleen door de make-up. Je ziet er veel leuker uit nu je gezicht niet onder al dat haar verborgen zit.'

Ik weet niet of dit een echt compliment is, maar ik besluit het wel als zodanig op te vatten. 'Dank je, Pauline.'

Als ik nog maar één straat verwijderd ben van de bistro waar ik met Nathan heb afgesproken, word ik overvallen door een licht paniekgevoel. Waar moeten we het over hebben? Zal ik weer zo gaan flippen als die keer bij Beber? Zie ik er niet te opgetut uit? Wat moet ik tegen Dave zeggen? Ik ben zo nerveus dat ik praktisch happend naar adem bij het restaurant aankom. Als ik de gastvrouw naar een tafeltje vraag, voel ik een hand op mijn onderrug.

'Hoi,' zegt Nathan. Hij buigt zich naar me toe en raakt met zijn wang even de mijne aan. Het is geen echte kus maar wel een intiem gebaar. Hij ruikt vaag naar vers gekapt hout en zijn haar is vochtig, waaruit ik afleid dat hij net heeft gedoucht. Hij draagt een schoon blauw overhemd met dezelfde spijkerbroek als eerder op de dag.

'Hoi,' zeg ik terwijl ik iets naar rechts beweeg zodat ik buiten zijn bereik ben. Ik wil niet het risico lopen dat er weer zo'n schok door mijn lijf gaat.

'Komt u maar mee,' zegt de gastvrouw. Ze leidt ons door het restaurant. Het is nog zo vroeg dat een paar welgestelde ouders hun kroost, dat eruitziet alsof ze uit een Benetton-reclame zijn gestapt, biefstuk met friet aan het voeren zijn, maar toch is de eetzaal gedempt verlicht. We worden in een nogal donker hoekje neergezet, waardoor het nog meer lijkt alsof we een romantisch afspraakje hebben.

De ober verschijnt aan onze tafel, noemt de specialiteiten van de dag op en vraagt of we wijn willen bestellen.

'Een fles?' vraagt Nathan aan mij.

'Nee, meer dan een glas kan ik niet aan. Ik moet morgen weer vroeg aan de bak,' zeg ik monter, hoewel de ware reden is dat verlaagde remmingen wel het laatste is waar ik nu behoefte aan heb.

We bestellen onze drankjes en praten over koetjes en kalfjes totdat de ober terugkomt om onze bestelling op te nemen; salade niçoise voor mij, eend voor Nathan.

'Dit restaurant is wel erg chic voor iemand uit Michigan,' grap ik in een poging de spanning te doorbreken.

'Ik ben een of twee keer per jaar in de stad en probeer dan altijd een Frans restaurant uit,' zegt hij terwijl hij zijn servet uitvouwt en op zijn schoot legt. 'Ik ben dol op die sfeer.'

'Nou, je hebt heel wat bereikt sinds de World Cup.'

'Misschien wel, ja,' zegt hij joviaal. 'Jij trouwens ook. Werken bij een belangrijk tijdschrift, wonen in New York...'

'Het gaat goed met me,' geef ik toe. 'Maar jij doet het ook niet slecht. Je runt het populairste nieuwe restaurant in Ann Arbor,' zeg ik, doelend op het bord dat ik voor het raam van Beber had zien hangen. 'Je zult het er wel druk mee hebben.'

'Dat is zwak uitgedrukt,' zegt hij met een vermoeide blik. 'Ken je het gevoel dat je al heel lang een droom hebt en dat die, eenmaal uitgekomen, niet zo fantastisch blijkt te zijn als je had gehoopt?'

'Ja,' beken ik. Ik denk aan mijn baan.

'Zo is het ook met dat restaurant. Ik vind het heerlijk om er te zijn, maar ik word soms helemaal gestoord van het personeel en de administratie.'

'Maar ben je gelukkig?'

'Ben jíj gelukkig?' vraagt hij, het woord 'gelukkig' op een verleidelijke, lijzige toon uitsprekend.

'Ik vroeg het 't eerst,' zeg ik terwijl ik mijn armen over elkaar sla.

'Aha, daar is de oude vertrouwde Marissa weer van wie ik hou,' kaatst hij terug. Hij kijkt me langer aan dan ik prettig vind.

Hield zul je bedoelen, denk ik. Verleden tijd. Maar ik zeg niets en begin boter op mijn brood te smeren alsof mijn leven ervan afhangt.

'Dit voelt echt heel vreemd voor mij. Voor jou ook?' zeg ik ten slotte.

'Niet echt. Ik wilde je zien, dus hier ben ik. Zo simpel is het.'

'Waaróm wilde je me zien?' flap ik eruit, starend naar mijn vork. 'Als je hier bent om me te vragen of ik het goed vind dat je iets met Julia hebt, dan is het antwoord ja. Ik bedoel, ik vind het geen prettig idee en gezien haar hersenletsel zou je moeten weten waar je aan begint...' Ik houd even op met ratelen en kijk op. Door de manier waarop Nathan me aankijkt besef ik dat mijn angst om hem en Julia net zo irrationeel is als tien jaar geleden. Maar toch, de e-mails over en weer, Julia die het voortdurend over hem heeft, de foto's die ze stuurde – dat alles bij elkaar opgeteld heeft iets uitgesproken onaangenaams. Misschien is het geen echte liefde, maar Julia is ontegenzeglijk mooi en bovendien zien ze elkaar tegenwoordig regelmatig. Hoe groot is de kans dat hij toch niet een klein beetje in de verleiding komt?

'Ach ja, sommige dingen veranderen nooit,' verzucht hij. 'Er is niets tussen mij en Julia en dat zal ook nooit gebeuren. Ze heeft me gemaild om te zeggen dat ze naar Ann Arbor ging verhuizen en ik heb haar teruggemaild; dat leek me een juiste beslissing. Ik wist niets van haar ongeluk totdat ze begin november Beber binnenstapte. Het was me vrij snel duidelijk dat er iets mis was met haar.'

'O ja?' zeg ik, niet in staat mijn ergernis te verhullen.

'Wat kan ik erover zeggen?' zegt Nathan bedachtzaam. 'Het ongeluk heeft een wrak van haar gemaakt en ze had een vriend nodig.'

Ik denk terug aan wat Julia me een paar weken geleden zei. *Marissa, ik ben eenzaam. Je bent er niet voor me.*

'Om de zoveel tijd,' vervolgt Nathan, 'kook ik voor haar en breng ik haar in contact met mensen met wie ze bevriend zou kunnen raken. Het is niet zo dat we elkaar elke week zien. Geloof me, over mij hoef je je geen zorgen te maken. Wist je dat ze een verhouding heeft met een getrouwde man?' Hij schuift zijn bord dat de ober net heeft gebracht weg alsof bij de gedachte alleen al zijn eetlust bedorven is.

'Dat meen je niet,' zeg ik, maar als ik de gepijnigde blik op zijn gezicht zie, weet ik dat hij de waarheid spreekt.

'Wist je dat echt niet?' vraagt hij verrast. 'Weet je ook niets over die winkeldiefstal?'

'Die zonnebril? Jawel.'

'Het was niet alleen maar een zonnebril, ze had de halve winkel in haar tas.'

'Dat geloof ik niet,' zeg ik. Julia had alles wat ze wilde hebben in die winkel kunnen kopen. Waarom zou ze stelen? En wat heeft ze nog meer voor me verborgen gehouden?

'Ze hebben haar alleen maar vrijgelaten vanwege haar hersenletsel. Het bleek niet de eerste keer te zijn dat de agent die haar zaak behandelde met iets dergelijks te maken had gehad, dus hij wist hoezeer ze in de war was.'

Alles wat hij me zojuist heeft verteld, zou me moeten geruststellen, met name wat hun relatie betreft. Maar ook al is hij niet in Julia geïnteresseerd, dan nog lijkt Julia veel te geobsedeerd door Nathan. 'Ik ben er nog steeds van overtuigd dat ze verliefd op je is,' zeg ik.

'Ze is niet in mij geïnteresseerd,' zegt hij simpelweg. 'Volgens mij vindt ze het fijn om bij me in de buurt te zijn omdat ik haar op de een of andere manier aan jou doe denken. Laatst vertelde ze me dat de belangrijkste reden om contact met me te zoeken was dat ze zich wilde verontschuldigen. Iets vaags over dat ze spijt had van haar aandeel in onze breuk.'

'Aandeel? Ze heeft onze breuk veroorzaakt,' val ik onbeheerst uit. 'Zij was degene die wilde dat we uit elkaar gingen.' *Last van verbale diarree, Marissa?*

'Dus dat hele verhaal over dat we in verschillende plaatsen zouden wonen en andere ambities hadden was onzin?'

'Niet helemaal,' mompel ik. 'Het was waar, maar de echte reden dat ik het uitmaakte was dat Julia het me had gevraagd.'

'Dat heeft ze me dus niet verteld,' zegt hij terwijl hij zich over de tafel naar me toe buigt.

'Nou ja, wat gebeurd is, is gebeurd,' zeg ik, niet alleen tegen hem maar ook tegen mezelf. 'Het is allemaal goed gekomen. Ik ben blij met mijn leven nu. Ik ben gelukkig in mijn relatie met Dave,' voeg ik eraan toe. 'Ik zie het nut er niet van in om weer over onze breuk te beginnen terwijl we dat hoofdstuk tien jaar geleden hebben afgesloten.'

'Is dat zo?' vraagt hij. Zijn lichtbruine ogen speuren mijn gezicht af. 'Je hebt me zojuist verteld dat het niet jouw keuze was. Vanuit mij bezien betekent dit dat je nog altijd om me geeft. Hetzelfde geldt voor mij.'

Natuurlijk geef ik nog om je. Anders zou ik hier niet zitten. Gelukkig zeg ik dat niet hardop, hoe verward ik me nu ook voel. 'Het is elf jaar geleden, Nathan,' zeg ik net iets te hard om te verbergen dat mijn hart in mijn keel bonkt. 'We kennen elkaar eigenlijk helemaal niet meer.'

'Wat wij hadden was fantastisch. Zoiets heb ik nooit meer met iemand anders gehad.'

Ik reageer niet. Wat Nathan en ik samen hadden was inderdaad fantastisch. Hij was mijn eerste liefde, de eerste man met wie ik naar bed ging; het was betoverend en niets anders zal ooit zo betoverend zijn. Maar wat ik met Dave heb is om andere redenen fantastisch. Kan ik dat opgeven, zonder zeker te weten of het op een totaal ander moment in ons leven weer zo zal klikken tussen Nathan en mij?

'Volgens mij idealiseer je onze relatie,' zeg ik uiteindelijk.

'Marissa, op dit punt moet je me geloven,' zegt Nathan, niet in het minst ontmoedigd. 'Ik heb net weer een pijnlijke relatie-breuk achter de rug. De vierde in vijf jaar. En weet je waar ik eindelijk achter ben gekomen? Dat ik al die jaren ontevreden was omdat ik op zoek was naar wat jij en ik samen hadden. Ik wil iemand die urenlang met me kan praten zonder verveeld te raken. Iemand die het niet stom vindt om plezier te hebben. Iemand die me raakt zoals jij me wist te raken.'

Ik staar hem aan en probeer te verwerken wat hij zojuist heeft gezegd. Het heeft geen zin; het enige wat ik weet uit te brengen is een halfslachtig antwoord: 'Maar ik ben veranderd, Nathan. En jij vast en zeker ook. Het kan nooit iets worden.'

'Marissa, ik kijk je aan en kan aan je gezicht zien dat je bluft,' zegt hij kalm.

O god, denk ik.

Stel dat hij gelijk heeft?

23

ALS IK THUISKOM zit Dave naar sport op tv te kijken.

'Is het laat geworden op kantoor?' vraagt hij terwijl hij het volume lager zet. 'Ik heb geprobeerd je te bereiken.'

'Ik had mijn telefoon uit staan,' zeg ik, zijn vraag ontwijkend, en ik houd me omslachtig bezig met het ophangen van mijn jas en tas, zodat ik hem niet hoef aan te kijken. 'Ik heb hem niet gecheckt omdat ik dacht dat je met je cliënten op pad zou zijn.'

'Ze hadden een vroege vlucht naar San Francisco, dus hebben we alleen wat gedronken.' Hij staat op van de bank en loopt naar me toe bij het kookeiland. Terwijl hij zijn arm om me heen slaat, zegt hij met lage stem: 'Wat zie je er aantrekkelijk uit vanavond. Blijkbaar doet overwerk je goed.'

'Blijkbaar,' antwoord ik vaag. 'Schatje, het spijt me maar ik heb vreselijke hoofdpijn.' Het is waar; mijn slapen kloppen pijnlijk. 'Vind je het erg als ik onder de douche ga en in bed duik?'

'Natuurlijk niet,' zegt hij, en hij kust me zachtjes. 'Zal ik wat water en een paracetamol voor je pakken?'

'Nee, dat hoeft niet,' zeg ik. Hoewel ik het verdien om te worden gestraft, moet deze hoofdpijn op dit moment volstaan als boetedoening.

Na een snelle douche trek ik een bruine zijden pyjama met crèmekleurig kant aan die ik van Dave heb gekregen voor kerst. Mijn ledematen voelen zwaar aan en ik ben uitgeput, maar ik kan niet slapen. Ik lig te woelen en de gladde stof van de pyjama draait zich om mijn armen en benen.

Ik denk onophoudelijk aan Nathan. Na het gesprek over ons verleden, moet hij gemerkt hebben dat ik me ongemakkelijk voelde, omdat hij snel van onderwerp veranderde. De rest van het diner spraken we over onschuldige onderwerpen, zoals mijn artikel over hersenletsel, zijn horecacongres, de voordelen van wonen in Michigan en in New York. Nadat we ons hoofdgerecht op hadden, verexcuseerde ik me en bij het afscheid nemen, maakte ik hem duidelijk dat Dave thuis op me zat te wachten.

'Ik begrijp het,' had Nathan geknikt met zijn handen in zijn zakken. 'Ik ben blij dat we elkaar konden spreken,' besloot hij, en hij liep naar de straat om een taxi aan te houden.

Terwijl ik mijn oogleden stijf op elkaar knijp in een poging om mezelf in slaap te dwingen, zie ik steeds Nathans gezicht voor me zoals hij buiten bij het restaurant stond. Hij zag er niet uit als een man die verder was gegaan met zijn leven. Hij leek meer op een man met hoop, die dacht dat hij een kans had als hij er maar voor zou vechten. De baksteen in mijn maag is een duidelijk teken dat ik diep vanbinnen vrees dat ik hem die indruk heb gegeven.

Terwijl Nathan zat te vertellen over zijn hond en oude vrienden met wie hij contact had gehouden, spon ik in mijn hoofd steeds meer verhalen over hoe ons leven eruit had kunnen zien. We zouden waarschijnlijk getrouwd zijn, en in een leuk huisje bij het centrum van Ann Arbor wonen. Misschien zou ik parttime schrijven voor tijdschriften wanneer ik niet voor onze roedel kwebbelende kinderen zorgde, die mijn haar en zijn kuiltjes hadden. We zouden de zomers in ons zomerhuis in het noorden doorbrengen en als er personeelstekort was zou ik bijspringen in het restaurant. Ik zou de klanten versteld doen staan met mijn fantastische cocktails. Het was misschien niet het droomleven dat ik met Julia had bekokstoofd, maar het zou goed zijn geweest, besloot ik.

Het klinkt belachelijk, maar ik kan het gevoel niet van me af-
schudden dat Nathan de hele tijd dat ik zat te dagdromen, precies wist wat er in mij omging.

Als kind wilde ik dolgraag een hond, maar hoe hard ik ook
smeekte, ik kon mijn moeder er niet van overtuigen dat een
hond geen vies schepsel is dat haar huis vernielde. Toch was
mijn wens zo sterk, dat toen de beagle van mijn vriendin Karen
Topler puppies had, ik onmiddellijk tegen haar zei dat ik er een
zou nemen. Ik kwam bij haar thuis met een lege rugzak en wist
Karens moeder ervan te overtuigen dat mijn moeder het goed
vond. Daarna droeg ik het nerveuze hondje, dat ik Henry had
genoemd, al piepend en krabbend in mijn rugzak naar huis.

Ik had het ingenieuze plan (toegegeven, zelfs voor een elfjarige niet erg slim) om Henry in het schuurtje achter onze garage
op te laten groeien en hem buiten het gezichtsveld van mijn
moeder te houden. Als ze hem dan zou ontdekken – wat uiteindelijk zou gebeuren – zou ze hem zo lief en welgemanierd
vinden dat ze onmiddellijk verliefd op hem zou worden en hem
in huis zou nemen.

Henry, die maar een paar maanden oud was, vond het geen
pretje om alleen achter de garage te zitten en jankte hartver-
scheurend. Toen bleek dat speeltjes en traktaties hem niet konden bedaren, moest ik hem wel mee naar mijn kamer nemen
voordat mijn moeder thuiskwam van haar werk. Ik bedacht dat
mijn kledingkast de veiligste plek voor hem zou zijn om de
nacht door te brengen, en dus haalde ik alle schoenen en afgedankte kleren eruit. In plaats daarvan legde ik onder in de kast
een opgerolde oude handdoek als mand en zette ik een bakje
water en een schaaltje worstresten ernaast. Ik herinnerde me dat
Karen iets had gezegd over het gebruik van kranten om een puppy zindelijk te maken. Omdat ik die niet kon vinden, scheurde

ik maar een paar bladzijden uit een oud kleurboek. Sarah en ik deelden de kamer en ze hoorde Henry onmiddellijk aan de kastdeur krabben.

Ik liet haar geheimhouding zweren en duimde dat het allemaal goed zou komen. Waar ik niet op had gerekend, was mijn eigen reactie. Ik voelde me zo ziek dat ik van de magnetronlasagne, die ik normaal gesproken naar binnen schrokte, geen hap door mijn keel kreeg. Mijn moeder had niets door, ondanks mijn verdachte gebrek aan eetlust en het feit dat ik meteen na het eten naar mijn kamer ging in plaats van me zoals gewoonlijk op de bank voor de tv te nestelen.

In mijn kamer lag Henry in diepe slaap. Ik besloot om zijn voorbeeld te volgen en ging in bed liggen hoewel het buiten nog licht was. Ik weet niet hoe lang ik daar lag – het leek wel jaren – maar ik voelde me steeds zieker worden, van klam tot koortsig tot zo misselijk dat ik ervan overtuigd was dat ik mijn groenmet-perzikkleurige sprei zou onderspugen.

Uiteindelijk kon ik er niet langer tegen en liep ik naar mijn moeder. Ze zat in haar slaapkamer aan de telefoon met een vriendin te kletsen. Ze leek geërgerd om me te zien.

'Wat is er, Marissa?' vroeg ze geïrriteerd, met de hoorn nog in haar hand.

'Ik voel me niet goed,' zei ik, en ik greep naar mijn maag.

'O, oké,' zei ze op iets zachtere toon. Ze hing op en voelde aan mijn voorhoofd. 'Je gloeit helemaal,' zei ze met een bezorgd gezicht. 'We gaan wat paracetamol en een koud washandje voor je pakken.' Haar onverwachte meegaandheid maakte me aan het huilen.

'Mijn hemel, wat is er aan de hand?' vroeg ze terwijl ze me aanstaarde. 'Gaat het wel goed met je? Was Sarah vervelend tegen je?'

'Nee,' bracht ik uit, tussen de snikken door. 'Ik heb... een... pu... pu... puppy in mijn kamer.'

'O, god,' zei mijn moeder, en ze keek me aan alsof ik elk moment 'één april' kon roepen. 'Echt waar, Marissa? Echt wáár? Waar heb je die hond in hemelsnaam vandaan? En hoe lang zit hij daar al?'

En zo biechtte ik haar het hele verhaal op. Ik voelde me zo opgelucht dat ik niet tegenstribbelde toen ze me opdroeg om Henry de volgende dag terug te brengen naar de familie Topler.

Een eetafspraak met een ex geheimhouden voor Dave verschilt niet veel van een puppy verbergen voor mijn moeder, omdat ik precies hetzelfde gevoel heb als twintig jaar geleden; dat ik een vreselijk mens ben dat zeker in de hel terechtkomt. En dus gooi ik de krakend witte lakens opzij en stap uit bed, na wat uren leken in een pluche tweepersoons gevangenis.

Dave zit aan het kookeiland te typen. 'Kun je niet slapen?'

'Ik doe geen oog dicht,' beken ik.

'Zal ik je rug masseren?' vraagt hij, en hij strijkt zijn golvende bruine haar uit zijn ogen. Hij kijkt me aan met een blik die alleen maar bedoeld is om mij eraan te herinneren dat deze lieve, gevoelige man een engel is en dat ik, een gewone sterveling, hem in de verste verte niet verdien.

'Ik wil dat je me op straat zet en het slot op de voordeur vervangt,' zeg ik terneergeslagen. 'Ik ben de slechtste vriendin ter wereld. Je kunt me er beter uit gooien.'

'Waar heb je het over?' vraagt hij. Hij loopt naar de koelkast, pakt er twee biertjes uit en geeft mij er een. 'Hier, dit helpt je te ontspannen.'

'Dank je,' zeg ik, en hoewel ik niet een grote bierliefhebber ben, neem ik een slok. De koele bruisende vloeistof glijdt makkelijk naar binnen en kalmeert mijn draaiende maag.

De opluchting duurt maar kort. 'Ik moet je iets vertellen,' zeg ik tegen Dave en ik pulk nerveus aan het etiket op de bierfles.

'Ik kan overal mee omgaan, zolang je maar niet vreemdgaat,' zegt hij lachend, en ik moet mezelf bedwingen om niet ineen te krimpen.

We lopen naar de woonkamer en gaan tegenover elkaar op de bank zitten. Ik haal diep adem. 'Herinner je je mijn ex nog, van de universiteit?'

'Die altijd stoned was?' vraagt hij, verwijzend naar Evan, een fantastische jongen die totaal niet geïnteresseerd was in fysiek contact, behalve tegen elkaar aan hangen als hij geblowd had (wat minstens drie keer per dag was).

'Nee, die andere. Nathan.'

'Die van dat café?' zegt Dave.

'Ik heb vanavond met hem gegeten,' fluister ik bijna.

'Eh, ja, en?' zegt Dave nu duidelijk geïrriteerd. 'Waarom heb je me dat niet eerder verteld?'

'Ik weet het niet.' Dat is de waarheid.

'Vind je dat niet raar?' Hij kijkt me aan en ik zie dat hem dan een licht opgaat. 'Wacht eens even, je hebt toch geen gevoelens meer voor die vent, hè?'

'Nee!' zeg ik snel. Hoewel het koel is in de woonkamer, breekt het zweet me uit. Ik veeg mijn wenkbrauw af met de rug van mijn hand.

'Waarom verzwijg je dan dingen voor me? Zo gaan we niet met elkaar om, Marissa,' zegt Dave.

Niet zeker waar ik moest beginnen, ben ik een minuut stil, wat een eeuwigheid lijkt te duren. 'Hij dook vandaag ineens op buiten mijn kantoor. Hij is in de stad voor een congres voor zijn werk en vroeg of ik met hem wilde eten.' Ik kan mezelf er niet toe brengen om zijn naam nog een keer uit te spreken, want elke keer dat ik dat doe voelt het of ik gifgas in ons huis vrijlaat.

'Zo. Dat betekent dat hij nog steeds op je valt.' Dave zet zijn bierflesje met een klap op de salontafel. 'Je had op zijn minst het fatsoen kunnen hebben om me te laten weten dat je met hem had afgesproken. Ik ben niet bezitterig, maar ik vind het niet prettig om buitengesloten te worden.'

'Ik weet het, liefje. Het spijt me,' zeg ik zo goed als in tranen. Dave kijkt me aan met zichtbare bezorgdheid – en zelfs met liefde – ondanks zijn boosheid. En plotseling besef ik hoeveel ik te verliezen heb door me te laten meeslepen door mijn idiote fantasieën.

'Ik heb sinds de universiteit geen contact meer met hem gehad. Maar na het ongeluk begon Julia weer regelmatig over hem en toen bleek dat zij contact met hem heeft sinds ze daar weer is gaan wonen. Zij is degene die me destijds heeft gestimuleerd om het uit te maken.'

'Je gestimuleerd?' vraagt Dave met opgetrokken wenkbrauwen.

'Ze beweerde dat ze ook verliefd op hem was en dat het niet goed was voor onze vriendschap als een van ons iets met hem zou hebben.'

'Aardig,' zegt hij sarcastisch, en ik besef een beetje spijtig dat deze bekentenis een plaats zal krijgen op Daves spreekwoordelijke lijstje van Julia's tekortkomingen. 'Geen wonder dat je schrok toen ze het in het ziekenhuis over hem had.' Dus dat was hem toch niet ontgaan.

'Ik dacht dat ik ermee om kon gaan, maar toen ik hem vandaag zag, merkte ik dat ik toch veel vragen had over wat er nu tussen hen speelt en dat ik daar meer over wilde weten.'

'Marissa, ik bewonder je, maar wat heb jij toch met labiele mensen?' vraagt Dave, en hij draait met zijn vinger rondjes naast zijn hoofd, waarmee hij wil zeggen dat Nathan en Julia allebei gestoord zijn.

'Hoe bedoel je?'

'Je beste vriendin trok zelfs vóór haar hersenletsel al zeer handig aan jouw touwtjes.'

'Denk je dat ik Julia's marionet ben?' vraag ik nu echt huilend.

'Je weet wat ik bedoel. En nu blijkt je ex een quasistalker te zijn die denkt dat het volkomen normaal is om buiten je kantoor te posten totdat hij je zogenaamd tegen het lijf loopt. Op de een of andere manier hebben deze twee sturm-und-drangfiguren het voor elkaar gekregen om met elkaar samen te spannen en zo nog meer schade in jouw hoofd aan te richten.'

Hij heeft natuurlijk gelijk. Voor het eerst is het me duidelijk hoeveel Nathan en Julia met elkaar gemeen hebben: ze zijn beiden opwindend, onvoorspelbaar en geneigd om alles ingewikkelder te maken dan nodig is.

'Ik mag dan saai en stabiel zijn, maar verdomme, ik denk dat je mij prioriteit moet geven boven hen. Ik bedoel, ik snap het niet. Is ons leven samen niet goed, Marissa? Hebben wij niet precies die relatie die je altijd had willen hebben?'

'Ja,' zeg ik, en ik veeg mijn ogen af met mijn mouw. 'Dat wéét je.'

'Dus als je echt over die Nathan heen bent, en ik geloof je op je woord, tenzij je me nog een reden geeft om aan je te twijfelen, hou dan op met het zoeken naar duidelijkheid over anderen en richt je voor de verandering eens op óns.'

Ik put me uit in verontschuldigingen en zweer Dave dat ik onze relatie nooit meer in gevaar zal brengen. Ik moet hem nageven dat hij niet alleen mijn excuus aanvaardt, maar dat hij me ook troost tot ik uitgehuild ben. Hij kust me op mijn kruin en zegt: 'Er is werk aan de winkel, maar ik denk dat we het wel redden.'

Zolang ik ophoud met Russische roulette te spelen met mijn leven, denk ik.

24

ONDERZOEKERS AAN de universiteit van Arizona hebben ont-
dekt dat de gemiddelde toiletpot zeven keer zo schoon is als het
gemiddelde keukenaanrecht. Hoewel ik om die reden heus geen
rode pepers in mijn badkamer ga snipperen, heb ik me er wel
door laten inspireren om op donderdagavond elke vierkante
millimeter van mijn zwart-grijze granieten aanrechtblad eens
flink met lysol aan te pakken. Ik spray en schuur alsof mijn leven
ervan afhangt (wat best eens het geval zou kunnen zijn, want
het zou niet voor het eerst zijn dat kerngezonde vrouwen door
de salmonellabacterie het leven hebben gelaten). Maar mijn
schoonmaakaanval is slechts een poging om mezelf af te leiden
zodat ik me niet zo druk maak over de komst van Julia vanavond.

Vorige week belde ze op om te zeggen dat ze van plan was
naar New York te komen. Haar artsen hadden haar toestemming gegeven om te reizen, mits ze bij vrienden of familie zou
logeren. 'Dus... heb ik een ticket voor volgend weekend geboekt,'
kirde ze. 'Eindelijk kom ik bij je op bezoek!' Dat ze op zo'n korte
termijn kwam, was niet ideaal, maar sinds haar bekentenis van
de winkeldiefstal had ze zo weinig interesse in mij getoond dat
ik het ongenode bezoek als een stap voorwaarts beschouwde.
Sinds ik wist dat Nathan en zij niets met elkaar hadden, voelde
ik me schuldig omdat ik aan haar had getwijfeld, en ik probeerde iets te bedenken waarmee ik het goed kon maken als ze hier
was.

Tegelijkertijd maakte ik me zorgen over wat er, ook al komt ze maar drie dagen, mis kon gaan. Stel je voor dat ze weer van het ene uiterste in het andere zou vallen... of erger?

Een half uur voordat ik haar verwacht stuurt Julia me een sms'je. 'Eerder geland! Ik ben er bijna!'

En inderdaad, als ik door het raam naar buiten kijk, zie ik haar voor mijn huis uit een zwarte taxi stappen. Snel was ik mijn met bacteriën bedekte handen en zwaai ik de voordeur open. Overdreven grijnzend strekt Julia haar armen naar me uit. Naast haar op de stoep staat een extreem grote koffer.

'Hé!' roept ze bij wijze van groet. 'Herenigd met mijn beste vriendinnetje! Het wordt net als vroeger.' Zonder haar bagage op te pakken wandelt ze mijn appartement binnen.

Ik zeul de loodzware koffer achter haar aan naar binnen. 'Net als vroeger.'

In de woonkamer ploft Julia op de bank, waarbij haar piekerige, chocoladebruine haar als manen om haar hoofd uitwaaieren. 'Is het te vroeg om uit ons dak te gaan?' zegt ze lachend. 'Laten we iets drinken.'

Terwijl ik haar aankijk, word ik direct teruggevoerd naar ons eerste jaar in New York na onze studie. Iedereen had ons afgeraden om samen te gaan wonen, want dat zou het einde van onze vriendschap kunnen betekenen. We sloegen de waarschuwingen vrolijk in de wind en tekenden een huurcontract voor een piepkleine tweekamerwoning in een vervallen deel van Alphabet City. Het appartement was donker en smoezelig, maar Julia slaagde erin het huis op te vrolijken door elke vierkante centimeter, van de kastjes tot het lijstwerk, over te schilderen. Ze zorgde voor meer licht door op strategische plekken spiegels op te hangen en zette in elke kamer vazen met verse bloemen neer.

Algauw bleek dat we weinig gelegenheid hadden om ons aan

elkaar te ergeren. We werden veel meer door onze baan in beslag genomen dan we hadden kunnen vermoeden en de spaarzame vrije tijd van Julia ging op aan haar recreatieve corps de ballet. Toch lukte het ons om elke avond voor het slapengaan even met elkaar te praten. Om 'de traditie in ere te houden' serveerde Julia dan een slaapmutsje, waarbij ze zelfs het goedkoopste bier in kristallen glazen schonk en we allebei uitgestrekt aan één kant van de afgedankte bank van de Ferrars lagen. 'Op onze droom,' zei ze dan, terwijl ze met haar glas tegen het mijne tikte. 'Op onze droom,' herhaalde ik.

Vaker wel dan niet bleven we zo een uur of soms langer zitten om de dag met elkaar door te spreken. Had ik die dag een uitbrander gekregen van mijn vreselijke baas bij het alternatieve weekblad waarvoor ik destijds werkte, dan wist Julia me precies te vertellen van welke repliek ik hem voortaan moest dienen. Als zij een bepaalde danspas niet onder de knie leek te krijgen, hielp ik haar de volgorde te visualiseren zodat het de volgende dag wél lukte. Het was wij tegen de rest van de wereld en we waren zo naïef om te denken dat er niets was waar we samen geen oplossing voor konden bedenken. Toen Julia twee jaar later verhuisde naar het appartement dat de Ferrars voor haar hadden gekocht en ik mijn Park Slope-studio betrok, was ik zo van slag dat ik wekenlang met de televisie aan heb geslapen.

Maar vanavond zal er voor het slapengaan geen kletsuurtje zijn, want het glas whisky waar Julia om vraagt ontlokt onmiddellijk een migraineaanval. Ze trekt zich terug in de logeerkamer om even te gaan liggen, om vervolgens pas de volgende ochtend wakker te worden. Alle hoop dat het weer net als vroeger zou worden vervloog hierdoor.

Ondanks het feit dat ik Grace heb verzekerd om tijdens haar bezoek een oogje op Julia te houden, moet ik haar toch alleen laten als ik de volgende dag naar mijn werk ga.

'Dit is lekker, zeg!' zegt Julia. Ze zit op de rand van het aanrecht en steekt de ene na de andere lepel cruesli in haar mond, die ze in een veel te grote saladekom heeft gedaan. Ik kan me niet herinneren haar ooit achter elkaar zo veel koolhydraten te hebben zien wegwerken, maar om een of andere reden word ik er blij van. Dat wil zeggen, totdat ze zegt: 'Sinds Nathan voor me is gaan koken, heb ik een enorme eetlust gekregen. Je moet hem echt eens voor je laten koken, Mar.'

'Dat lijkt me niet zo'n goed idee, Juul,' zeg ik, terwijl ik langzaam naar de juiste woorden zoek. 'Ik heb hem een paar weken geleden nog gezien...'

'Weet ik,' zegt ze met volle mond. 'Ik vond dat hij, nu hij toch in de stad was, moest proberen jou mee uit eten te krijgen.'

'Wat?' vraag ik vol ongeloof.

'Marissa, als er iets is wat ik de afgelopen maanden heb geleerd is dat je de koe bij de hoorns moet vatten en actie moet ondernemen.'

'Oké,' zeg ik, hoewel ik haar niet helemaal kan volgen.

'Nathan en jij zijn voor elkaar bestemd,' zegt ze, haar woorden kracht bijzettend door met haar lepel te zwaaien.

Dus daarom heb je me zijn foto gestuurd en laat je zijn naam constant vallen. Nou, dan ben je ongeveer tien jaar te laat, meisje.
'Daar geloof ik niks van,' zeg ik, en ik denk terug aan het gesprek dat ik met Dave had nadat ik Nathan had gezien. Sindsdien ging het geweldig tussen Dave en mij, beter dan ooit zelfs, hoewel ik dat niet hardop zeg, uit angst het lot te tarten.

Ik kijk Julia recht in haar ogen. 'Je weet dat ik een relatie met Dave heb. Ik hou van hem.'

'Ik weet dat je van Dave houdt,' reageert ze. 'Maar dat wil nog niet zeggen dat hij de ware is.'

'Dat is hij wél,' zeg ik verdedigend. Julia heeft zich al een keer eerder met een relatie van mij bemoeid en ook al is ze mijn beste vriendin, ik zal niet toestaan dat ze het deze keer weer voor me verknalt.

'Tuurlijk, Marissa,' zegt ze, maar ze glimlacht erbij als een kat die zojuist een zwerm kanaries heeft doorgeslikt.

Ik werp een blik op de klok. Shit. Ik moet me haasten. 'Juul, het spijt me dat we niet verder kunnen praten, maar ik moet nu echt naar mijn werk.'

'Kun je niet spijbelen?' vraagt Julia op een licht jengelend toontje.

'Helaas niet. Ik heb heel veel te doen vandaag.' Omdat ik niet wil overkomen als een strenge moeder die tegen haar tiener-dochter zegt dat ze niet moet zeuren en flink moet zijn, voeg ik eraan toe: 'Ik zal proberen wat eerder weg te gaan.'

Ik verwacht dat Julia zal blijven aandringen, maar ze haalt alleen maar haar schouders op. 'Oké.' Ze pakt de doos met cruesli die naast haar staat en in plaats van haar lege kom te vullen, steekt ze haar hand in de doos om de marshmallows eruit te vissen. 'Ik ga naar een paar talkshows kijken en misschien een stukje wandelen. Ik kan wel wat beweging gebruiken.'

'Dat klinkt goed,' zeg ik, hoewel het idee dat ze in mijn buurt, die voor haar totaal onbekend is, rondloopt, me enigszins zorgen baart. 'Tegen vijven ben ik wel thuis. Bel me als er iets is.'

Om twee uur ga ik een kop koffie halen waarop ik het de rest van de dag moet zien vol te houden. Als ik terugloop door de lobby, zie ik Ashley naast Gladys' bureau staan. Languit in de leren leunstoel tegenover haar zit Julia, haar beide schouders behangen met tasjes waar vloeipapier uit steekt. 'Deze jonge-dame vroeg naar jou,' legt Gladys uit als ze mijn vragende blik ziet, 'en omdat ik wist dat jij even weg was, heb ik Ashley ge-vraagd haar op te vangen.'

Julia springt op. 'Marissa! Ik verveelde me, dus ik ben gaan winkelen. Toen ik daar genoeg van had, besloot ik naar je kantoor te komen.'

'Wist je nog waar het was?' vraag ik. In de vijf jaar dat ik hier werk heeft ze nog nooit een stap gezet in het gebouw waar *Curve* kantoor houdt, dus ik heb geen idee hoe ze het heeft gevonden.

'Tuurlijk,' zegt ze. 'Waarom zou ik dat niet weten?' Omdat je het woord viltstift nog niet kunt onthouden, of wat een harde schijf is, denk ik, maar tegelijkertijd ben ik onder de indruk.

'Oké, ik ga maar weer,' komt Ashley tussenbeide. 'Ik heb nog een hoop werk te doen.'

'O, wat jammer. Ik vond het erg leuk om je eindelijk eens in het echt te ontmoeten,' zegt Julia. Ze geeft haar een dikke knuffel alsof ze oude vriendinnen zijn.

Ik kijk Julia vragend aan. Ik kan me niet herinneren dat ik het ooit met haar over Ashley heb gehad.

'Insgelijks,' zegt Ashley gehaast. 'Marissa heeft me zo veel geweldige dingen over je verteld.' Dat is een beleefdheid, maar ook een aperte leugen. Ik weet gewoon zeker dat ik met opzet zo min mogelijk over Julia aan Ashley heb verteld, zelfs niet in relatie tot het artikel over hersenletsel. Ik heb geen zin om allerlei privézaken met haar te bespreken omdat ze die ooit zeer waarschijnlijk tegen me zal gebruiken.

'Nou, als je me nodig hebt, weet je waar je me kunt bereiken,' zegt Julia, zwaaiend naar Ashley.

Terwijl ik Ashley de gang uit zie lopen in de richting van haar werkplek, krijg ik het vreemde gevoel dat er iets niet in de haak is.

25

OP ZATERDAG ben ik nog steeds gespannen.

Al met al verloopt de dag vlekkeloos: Julia en ik lunchen bij een Thais restaurant bij mij om de hoek en dwalen op de prachtige zonnige middag samen door Brooklyn. 's Avonds kijken we naar een Meg Ryan-marathon op tv, iets wat we voor het ongeluk ook vaak deden. Maar ik drink wel veel wijn om Julia's snerpende stemgeluid te dempen.

Zondagochtend eten Dave, Julia en ik de iets aangebrande aardappelomelet die Julia per se voor ons wilde maken. 'Een vriend heeft me dit recept gegeven,' zegt ze met een knipoog. Ik verander snel van onderwerp omdat ik maar al te goed weet dat die vriend Nathan moet zijn.

'Is Sophie soms afgevallen?' vraagt Julia spottend terwijl ze een verdwaald stukje tomaat over haar bord schuift. 'Ze zag er wel heel erg dun uit, vrijdagavond. Bijna skeletachtig.'

'Ik weet het niet, Juul. Ze is altijd al superslank geweest.'

'Ik hoop maar dat ze niet weer een eetstoornis heeft.' Ze prikt het stukje tomaat aan haar vork en stopt het vol medeleven in haar mond.

'Eetstoornis? Hoe bedoel je?' vraag ik sceptisch. Julia overdrijft tegenwoordig nogal graag. Sophie – vegetariër en kampioen bergbeklimmen – is altijd slank geweest. Ik ben geneigd te denken dat dit een verzinsel van Julia is, ingegeven door haar eigen geschiedenis van eindeloos lijnen. 'Ach, laat ook maar. Ik wil het eigenlijk niet eens weten.'

'Inderdaad,' zegt Dave met zijn mond halfvol met ei. 'Laten we geen diagnose stellen als die arme Sophie er niet bij is om zich te verdedigen. Kunnen we het ergens anders over hebben?'

Zijn reactie verrast me. Hoewel hij nooit zo gecharmeerd was van Julia als andere mannen, heeft hij haar altijd behandeld als een soort irritant jonger zusje. Maar er is iets in zijn houding veranderd, want hij doet al vanaf haar aankomst afstandelijk tegen Julia.

'Sorry,' zegt ze, en ze trekt een overdreven verdrietig gezicht tegen Dave, die haar negeert. 'Maar ik word van eten veel gelukkiger dan ik eerst was. Nathan heeft me geleerd dat lekkere maaltijden gezonde stofjes in de hersenen aanmaken!' zegt ze met glinsterende ogen. 'Dat zou Sophie waarschijnlijk goeddoen.'

Natúúrlijk moest ze zijn naam laten vallen. 'Goh,' mompel ik neutraal zonder Julia of Dave aan te kijken.

'Is dat zo?' zegt Dave die duidelijk niet blij is om Nathans naam te horen.

'Ja!' zegt ze enthousiast.

Als ze even later naar de wc is, fluister ik tegen Dave: 'Sorry voor daarnet. Word je gek van haar?'

'Nee,' fluistert hij terug. 'Ja. Ik weet het niet. Volgens mij is het beter voor haar als ze erop gewezen wordt dat ze onzin verkoopt. Ik bedoel, hoe kan ze ooit beter worden als iedereen doet of het oké is dat ze dingen zegt die ongepast zijn? Zoals een eetstoornis verzinnen, of en passant de naam van je ex laten vallen om te zien of ze mij daarmee op de kast krijgt?'

'Ik weet het, liefje. Je hebt gelijk. Laten we gewoon proberen om het dit weekend uit te zingen, oké?'

'Oké,' stemt hij in.

'Ik wilde je nog zeggen dat jullie hier fantastisch wonen,' vertelt Julia me die middag. Ze maakt een pirouette op de hardhouten vloer in de woonkamer en ik frons mijn voorhoofd bij de gedachte aan alle scherpe randen waar ze tegenaan kan vallen als ze uitglijdt; volgens haar neuroloog is haar hoofd stoten het ergste wat haar nu zou kunnen overkomen. 'Jij en Don hebben het dik voor elkaar,' vervolgt ze.

'Dave,' verbeter ik haar. Ze heeft zijn naam al een tijd niet meer verkeerd gehad en ik vraag me af of haar plotselinge terugval onbewust een reactie is op zijn eerdere opmerking over Sophie.

'Shit, dat is waar ook,' zegt ze met afkeer in haar gezicht. 'Ik weet niet waar dat nou vandaan kwam. Het is erg frustrerend.'

'Sorry, Juul. Dat is waardeloos. Wat zegt de dokter ervan?'

'Welke dokter?' vraagt ze, en ze gooit haar armen in de lucht. 'Ik zie er zo veel. En ze vertellen me allemaal iets anders. De neuroloog zegt dat het geweldig gaat. De neuropsycholoog zegt dat het niet duidelijk is of ik op dit moment vooruitga. De bezigheidstherapeut zegt dat hij denkt dat ik niet genoeg mijn best doe. Ik kan mezelf wel wat aandoen.'

'Je overweegt toch geen zelfmoord, hè? Ik denk niet dat ik daarmee zou kunnen leven.'

Julia omhelst me stevig. 'Natuurlijk niet. Ik weet hoeveel geluk ik heb gehad.' Ze bijt op haar lip en is even stil. 'Heb je enig idee hoeveel mensen me verhalen hebben verteld over de babysitter van hun broer/tante/hond die is gestorven of als een plant in het ziekenhuis ligt nadat ze hersenletsel zoals ik hadden opgelopen? Echt! Moet ik dat allemaal aanhoren?' zegt ze vol afgrijzen. 'Ik weet dat ik dood had kunnen gaan. Ik ben misschien een beetje gek, maar ik denk daar wel over na.'

Ik besluit om te profiteren van Julia's openhartigheid en vraag nonchalant: 'Is er een man in je leven?' Ik zeg maar niet dat ik via een goed uitziend contact uit Michigan heb gehoord dat ze iets met een getrouwde man heeft.

'O. Ja,' zegt ze, en ze blaast haar pony uit haar gezicht. 'Hij heet Rich. Ik mag hem heel erg graag. Misschien ben ik zelfs wel verliefd.'

Dit had ik niet verwacht. Het grootste deel van haar leven dumpte ze mannen alsof het vuile kleren waren en was ik degene die de nazorg kon verlenen. 'Het ligt niet aan jou, het ligt aan haar,' stelde ik haar snoepje van de maand gerust terwijl ik de oudbakken speech uitbraakte die Julia me smeekte te gebruiken. 'Ze is nog niet toe aan een vaste relatie,' voegde ik eraan toe, hen verdwaasd achterlatend. Maar deze aanpak verlaagde wel de kans dat ze door haar geobsedeerd bleven.

Toen ze haar interesse in Nathan liet blijken, was ik bang dat hij op haar zou vallen, maar diep vanbinnen wist ik dat het niet langer dan drie maanden zou duren voordat ze hem net als alle anderen aan de dijk zou zetten. Daarna zou er voor mij niets anders overblijven dan te smachten naar haar arme afdankertje.

Toen we ons na ons afstuderen in New York vestigden, stortte ze zich op haar werk en dansen, en bleef ze een aantal jaren single totdat ze een relatie met Craig begon, een choreograaf die ze via het ballet had ontmoet. Craig was te pretentieus naar mijn smaak; hij schermde altijd met namen van beroemdheden die hij kende en paradeerde met zijn kennis van het Frans. Maar hij hield van Julia en kon goed omgaan met haar bezitterigheid, iets wat ik van al haar vorige vriendjes niet kon zeggen.

Tegelijkertijd konden Dave en ik bij elkaar zijn door Julia's relatie met Craig. Gewoonlijk baalde Julia wanneer ik een vriendje had. 'Ik ben niet meer belangrijk voor je, Marissa,' klaagde ze tijdens ellenlange brunches waarin ze mopperde dat ik geen tijd voor haar had, zonder de ironie van de situatie in te zien. Maar een paar maanden voordat ik Dave ontmoette op Nina's feestje, begon ze met Craig uit te gaan en leek ze te gefixeerd op hem om te klagen over mijn nieuwe relatie. Pas toen Julia en Craig een jaar later uit elkaar gingen, begreep ik dat ze hem ook nooit als serieuze partner had gezien. 'Eh, hij was niet de ware,' zei ze tijdens een van de vele margarita's op de avond dat ze het had uitgemaakt. 'Ik besefte dat ik beter niet alleen kon zijn toen Dave en jij verliefd werden.' Haar edelmoedigheid deed me bijna – bíjna – vergeten wat ze op de universiteit had uitgehaald en ik vermoedde dat het deels door schuldgevoel werd ingegeven.

'Wat is er mis met Rich?' vraag ik in een poging informatie in te winnen zonder het er te dik bovenop te leggen. 'Gestoorde ex-vrouw? Kinderen? Slecht in bed?'

Ze trapt erin. 'Gestoorde bíjna ex-vrouw.'

'Ga weg, Juul, ik geloof niet dat jij zoiets zou doen.'

'Niet zo snel,' piept ze. 'Rich en zijn ex zijn gescheiden van tafel en bed. Ik heb de papieren zelf gezien. Hij woont in zijn eigen appartement in het centrum van Plymouth. Dus het is serieus. De scheiding komt er in juni door. Ze hebben geen kinderen en zijn vrouw verdient meer dan hij, dus het is niet zo'n zootje als het zou kunnen zijn.'

'O, gelukkig. Maar waarom heb je me eigenlijk niet eerder over Rich verteld?'

'Je hebt er nooit naar gevraagd,' zegt ze alsof het de normaalste zaak van de wereld is. Wat het ook een beetje is. 'Bovendien denk ik dat hij wel eens de ware zou kunnen zijn, dus we hebben alle tijd.'

'Leuk. Misschien kan ik hem ontmoeten de volgende keer dat ik in de stad ben?'

Julia klapt in haar handen. 'Ik heb een idee! Misschien kunnen we dan met Rich en Nathan samen uit eten gaan!'

'Met Dave, bedoel je?'

'Nee, Nathan,' zegt ze. Ze kijkt me aan alsof ik degene ben met hersenletsel.

'Juul, ik ben niet van plan om Nathan deze eeuw nog te zien. Zelfs niet als ik daardoor met jou en je nieuwe speeltje kan dineren.'

'Mar, waarom vertrouw je niet op me?'

'Julia,' zeg ik, en ik probeer uit alle macht om niet te gaan schreeuwen. 'Ik ben jouw marionet niet.' Ik heb deze zin van Dave gestolen, maar in deze omstandigheden klinkt hij gepast. 'Dit is mijn leven. Het is geen spelletje, en ik ga niet zomaar weg bij mijn vriend omdat jij dat toevallig een goed idee vindt.'

'Oké, Marissa,' zegt ze uitgeput. Voor het eerst dit weekend valt het me op hoe kwetsbaar ze eruitziet en dat de schaduwen onder haar ogen niet veroorzaakt worden door haar lange wimpers. Ik heb meteen spijt dat ik zo tegen haar ben uitgevallen.

'Het spijt me, Juul. Maar het gaat heel goed tussen Dave en mij en ik ga dat niet verpesten.'

'Ik snap het,' zegt ze, maar de toon in haar stem verraadt het tegendeel.

Zondagavond zet Julia haar koffers in de woonkamer en vraagt me om een taxi te bellen om haar naar het vliegveld te brengen.

'Geen probleem,' zeg ik, en ik probeer niet te laten blijken hoe opgelucht ik ben dat ze niet nog wat langer wil blijven. De spanning tussen Dave en Julia is onverminderd en ze heeft de hele ochtend ongeremd zitten praten. Ze heeft me een aantal keer gekwetst, vooral toen ze zei dat ik mijn zwarte broek moest vervangen omdat mijn dijen er in die broek uitzien als 'geblakerde boomstammen'.

Toch heb ik het gevoel dat de fragiele basis van onze vriendschap eindelijk aan de beterende hand is, vooral nu ik weet wat er tussen haar en Nathan speelt. Eigenlijk wil ik daarom niet dat ze weggaat. Julia moet dit merken want ze kijkt me aan en zegt: 'O, je bent verdrietig!' Ze spurt door de woonkamer naar me toe om me te omhelzen. 'Ik vind het fijn dat je me zult missen. Maar maak je geen zorgen. Ik weet zeker dat ik je ervan kan overtuigen om naar Ann Arbor te verhuizen. Het leven zal daar zo veel beter voor je zijn.'

'Ann Arbor?' zegt Dave verbaasd vanuit de keuken. Hij klapt zijn laptop abrupt dicht. 'Ik geloof niet dat mijn baas daar erg blij mee zou zijn.'

Julia gluurt naar hem. Dan zegt ze nauwelijks hoorbaar: 'Ik heb niet gezegd dat jij met haar meegaat.'

Dave, die Julia duidelijk heeft gehoord, besluit haar te negeren. In plaats daarvan zegt hij: 'Julia, vergeet alsjeblieft niet om de reservesleutels op de tafel in de gang te leggen. We hebben geen andere.' Zijn stem is afgemeten, maar ik zie een woede in zijn ogen die ik zelden heb gezien.

Ik houd mijn adem in en hoop dat Julia hem niet verder tegen zich in het harnas zal jagen. Maar ze is zich of niet bewust van zijn woede, of ze speelt verdomd goed toneel. '*Bien sur!*' tjilpt ze instemmend.

Even later toetert de taxi. 'Juul, ben je klaar?' vraag ik haar.

'Zo klaar als maar kan.' Ze pakt haar jas en tas van de kapstok en begint te zingen. '*Thanks for the memory,*' kweelt ze. '*Of things I can't forget! Of journeys on a jet!*' Ze zingt nog steeds als ze zonder te groeten de voordeur uit loopt.

26

EEN BAAN ALS redacteur Voeding heeft veel voordelen: gratis eten, zo veel extra sportuurtjes als je maar wilt (of niet natuurlijk), incidentele ontmoetingen met gespierde beroemdheden die dolgraag op je cover willen, wat weer heerlijke roddels op levert voor bij de koffieautomaat. Minder aantrekkelijk zijn de lange werktijden, de eindeloze zoektocht om iets – maakt niet uit wat! – nieuws te vinden om over te schrijven en natuurlijk de congressen. O, de congressen. Dit voorjaar heeft Lynne me tot een voedingscongres in New Jersey veroordeeld, wat hoe dan ook betekent dat ik een Take the Lead-les moet missen.

Na vier aaneengesloten dagen van smakeloze maar gezonde cateringmaaltijden in met tl-buizen verlichte congreszalen kom ik weer boven water, gewapend met uitgebreide kennis van het nut van sojabonen en een knagende honger die alleen met een cheeseburger kan worden gestild. Hoewel ik geen zin heb om weer naar mijn werk te moeten gaan, kan ik tot mijn eigen verbazing niet wachten om weer te gaan coachen; het is net alsof ik de meiden in geen maanden heb gezien.

'Hallo, allemaal,' zeg ik tegen Layla, Margarita en Josie, die door de gymzaal komen aanrennen om me te begroeten. 'Ik heb jullie gemist!'

'Wij hebben jou ook gemist, coach Marissa,' zegt Caitlin. 'Je stopt toch niet met coachen, hè?'

'Natuurlijk niet,' zeg ik. 'Ik blijf het hele jaar.'

'*Yes!*' zegt Margarita, en ze omhelst me.

'Dank je, Margarita.' Ik geef haar een knuffel terug. 'Dat is lief van je.'

Alle twaalf meisjes komen me beurtelings een knuffel geven. Renee en Charity knijpen me bijna fijn, terwijl Josie en Nancy hun magere armen ongemakkelijk om mijn middel slaan. Caitlin geeft me een klopje op de rug. Voordat ik het in de gaten heb voel ik de tranen in mijn ogen opwellen. Het is overweldigend om zo veel genegenheid te ontvangen. Ik knipper mijn tranen weg en neem me voor om, zodra ik thuis ben, aandelen in Kleenex te kopen.

Vandaag gaat de les, heel toepasselijk, over aardig zijn. Alanna, Naomi en ik doen een rollenspel waarna we aan de groep vragen om bij elk stukje voorbeelden van aardig zijn te geven. In het eerste stukje doet Alanna alsof ze heel erge honger heeft om vervolgens te ontdekken dat ze is vergeten haar lunch mee te nemen. Dat is een weggevertje voor de meiden, want natuurlijk bieden ze haar een deel van hun eigen denkbeeldige lunch aan. In het tweede stukje speelt Naomi dat ze de langzaamste hardloper in haar klas is en dat haar klasgenoten haar nooit kiezen voor het estafetteteam. Hier moeten de meiden wat langer over nadenken, maar Anna oppert ten slotte dat ze Naomi toch wel zou kiezen voor haar team terwijl Renee zegt dat ze Naomi niet zou uitlachen om haar traagheid. 'Goed gedaan, meisjes!' Naomi straalt. 'Heel knap van jullie. Nu ben ik benieuwd of jullie een oplossing weten voor de laatste situatie. Die is heel lastig.'

In het 'lastige' stukje speel ik dat ik de portemonnee van mijn moeder ben verloren, waar heel veel geld in zat. 'Wat ben ik toch een sukkel,' zeg ik wanhopig terwijl ik mezelf op het voorhoofd sla. 'Mijn moeder wordt vast heel boos op me. Nu kan ik die step die ze me heeft beloofd natuurlijk helemaal vergeten. Ik ben de grootste sukkel van de hele wereld.'

'Nou, meisjes, als we aardig willen zijn voor coach Marissa, zouden we haar helpen bij het zoeken naar de portemonnee. Maar wat ik graag wil weten is hoe ze aardig voor zichzélf kan zijn,' zegt Naomi. De meisjes kijken haar stomverbaasd aan; zelfs Estrella zit haar stilletjes vragend aan te kijken.

Ineens lichten Josies ogen op. Langzaam steekt ze haar vinger op.

'Ja, Josie?' zeg ik. 'Hoe kan ik aardig voor mezelf zijn?'

'Door jezelf niet uit te schelden voor sukkel?' oppert ze. 'Of door jezelf niet slecht te vinden omdat je een vergissing hebt gemaakt.'

'Juist!' zeg ik.

'Heel goed,' valt Alanna me bij, waarop Josie, die elke week iets meer van haar brutale streken kwijtraakt, begint te stralen.

Tijdens de warming-up herinnert Naomi de kinderen eraan dat we vandaag voor het eerst weer een lange afstand gaan rennen: drie kilometer. Hoewel ik op dat moment een gelukzalige glimlach op mijn gezicht heb geplakt, krimp ik vanbinnen net zozeer in elkaar als de meisjes, want het enige waaraan ik kan denken is de eerste keer dat ik op die leeftijd de drie kilometer moest rennen.

Er zijn weinig situaties voor een elfjarige zo vernederend als wanneer haar gymlerares het vlezige vet van haar bovenarm tussen een ijzeren schuifmaat klemt en in het bijzijn van de hele klas op luide, schampere toon haar lichaamsvetpercentage verkondigt (ik weet eigenlijk wel zeker dat degene die deze manier verzon om een gezonde levensstijl te promoten, ook van mening is dat kernwapens hét middel zijn om vrede te bewerkstelligen). Maar op dat moment in mijn leven was er maar één ding erger dan de vetmeting, en dat was de driekilometerloop die nu eenmaal vaste prik was voor leerlingen van groep zeven van de openbare basisschool in Ypsilanti.

Ik ging niet eens zo miserabel van start. Ik liep wel achteraan, samen met andere niet zo heel sportieve kinderen, maar ik was in elk geval niet alleen. Na ongeveer zevenhonderd meter kreeg ik een steek in mijn zij. Tweehonderd meter verder werd de steek een felle pijn, waardoor ik ineenkromp op het zandpad waar we over renden. 'Doorgaan, Rogers!' brulde mijn gymlerares. 'Niet opgeven!' Bij de gedachte dat ik verder moest rennen werd ik bevangen door paniek. Mijn keel werd dichtgesnoerd en ik wist zeker dat ik zou flauwvallen. 'Wandel dan maar,' spoorde mijn gymlerares me aan nadat ze had gezien dat ik paars aanliep. 'Blijf daar niet als een zoutzak staan.'

Dus wandelde ik in mijn eentje verder. Ik stelde me voor dat ik een van de Cherokees was over wie we het in de geschiedenisles over het Spoor van Tranen hadden gehad. Op de een of andere manier maakte dat de rondjes iets draaglijker. Omdat ik niet wilde opgeven, begon ik af en toe te rennen om me vervolgens weer hyperventilerend voorover te buigen. Na acht helse rondjes was het eindelijk – eindelijk! – voorbij. Ik kwam met een recordtijd van drieënvijftig minuten en twaalf seconden binnen, een dieptepunt voor de school. Met tranen over mijn wangen strompelde ik, uitgelachen door ongeduldige klasgenoten, over de streep.

Maar vandaag is het mijn taak om te doen alsof ik dol ben op hardlopen.

'De driekilometerloop is héél erg,' kreunt Anna, die het lesprogramma vorig jaar al heeft gehad en zichzelf als een Take the Lead-ervaringsdeskundige beschouwt. 'Er komt geen eind aan en na afloop ben je kletsnat van het zweet.'

'Dat zal wel meevallen,' zeg ik op opgewekte toon.

'En je wordt helemaal duizelig als je een miljoen keer de gymzaal rond moet rennen,' zegt Josie, een andere Take the Lead-veteraan.

'Ik wilde met dit mooie weer eigenlijk buiten gaan rennen,' zegt Alanna. 'Een kilometer is acht rondjes.'

'Moeten we dan vierentwintig rondjes?' vraagt Lisa vol ongeloof. 'Daarvoor heb ik me hier niet aangemeld!' roept ze, waarop de andere meisjes in een nerveuze lach schieten.

'We kúnnen het, meiden!' moedig ik hen aan. Eerlijk gezegd ben ík degene die aanmoediging nodig heeft. Ik weet misschien wel dat ik het kán, maar dat wil niet zeggen dat ik het ook wíl.

'Meiden, vergeet niet dat Take the Lead eigenlijk een hardloopcursus is,' voegt Naomi eraan toe. 'Deze loop kan je veel voldoening geven. Bedenk wat een geweldige prestatie het is om de drie kilometer helemaal uit te lopen. Je mag ook wandelen, als je wilt. Het doel is om de finish te halen, niet om als eerste te eindigen.'

Het doel is om te finish te halen, zeg ik tegen mezelf als ik over de versleten asfaltbaan die om het voetbalveld ligt begin te rennen. Het eerste rondje gaat gemakkelijk, het tweede is nog te doen, maar tijdens het derde rondje krijg ik last van mijn knieën en heb ik het gevoel dat ik al een eeuwigheid bezig ben.

Net wanneer ik de bocht om ben, zie ik dat Estrella ruim vierhonderd meter achterligt op de rest van de groep. Ze sukkelt in een slakkengang vooruit en wekt de indruk dat ze elk moment kan flauwvallen. Ze doet me denken aan mezelf toen ik in groep zeven zat, en ik heb medelijden met haar.

Ik minder vaart tot ik bijna wandel en laat Josie, Margarita en de rest passeren. Eindelijk komt Estrella met klapwiekende ellebogen naast me lopen. Haar loopstijl doet me eerder denken aan een aerobicbeweging dan aan een manier om van punt A naar punt B te gaan.

'Coach Marissa,' zegt ze hijgend en puffend, 'niet opgeven! Je kúnt het.'

Ik schiet in de lach. En ik maar denken dat ik háár moest aanmoedigen. Kennelijk heb ik niets geleerd van het lesgeven van de afgelopen paar maanden.

'Dank je, Estrella,' zeg ik. 'Hoe gaat het? Vind je het zwaar?'

'Nee,' antwoordt ze. 'Ik neem de tijd. En jij? Hardlopen is moeilijk, hè?' Ze trekt haar omhoog gekropen witte poloshirt over haar buik en kijkt me zijdelings aan.

'Ik ben er inmiddels aan gewend,' zeg ik. 'Meer dan ik ooit had gedacht. Ik ben nooit een snelle loper geweest, ook niet toen ik jong was.'

'Vergeet de les van vandaag niet, coach Marissa,' werpt ze tegen. 'Je hoeft niet de snelste te zijn. Het gaat erom hoe je je erbij voelt,' verkondigt ze trots. 'En hoe je je voelt als je rent. Net als ik!' Ze blijft staan en hijgt met haar handen in haar zij uit. Na een paar seconden vervolgt ze: 'Ik ben trots op mezelf. Vooral als ik de finish haal, hoewel het niet makkelijk is.'

'Je hebt helemaal gelijk, Estrella,' zeg ik. Ik ben verbijsterd door dit kleine, lichtende voorbeeld, dat ik alweer verkeerd beoordeeld heb. 'Had ik toen ik zo oud was als jij maar geweten wat jij nu weet.'

Ondanks al hun eerdere geklaag hobbelen de meisjes vastbesloten door. Sommigen wandelen even of lopen naar de zijlijn om iets te drinken te pakken, maar niemand rept over opgeven. Ondanks het feit dat Estrella nog nauwelijks adem lijkt te halen, slaagt ze erin om de rol van zogenaamde cheerleader op zich te nemen. 'Nog vijf rondjes!' roept ze. 'Nog vier rondjes!' Enzovoorts.

Ik, daarentegen, ben oprecht geshockeerd als ik ontdek dat ik na de eerste kilometer in een prettig soort ritme beland en niet langer de neiging voel me aan de hoogste boom op te knopen. Uiteraard is mijn dunne Old Navy-t-shirt doorweekt en doen mijn dijen pijn van het tegen elkaar aan schuren, maar kennelijk hebben de kortere afstanden die ik de afgelopen twee maanden met de meisjes heb gelopen hun vruchten afgeworpen. Als ik mijn laatste rondje loop, voel ik me bijna een popster. Wel een bezwete, hijgende, rood aangelopen popster, maar evengoed een popster. Wie had ooit kunnen denken dat ik dit leuk zou vinden?

Als Naomi en ik tijdens de coolingdown naast elkaar lopen, werpt ze me een veelbetekenende glimlach toe. 'Ziet er goed uit, Rogers,' zegt ze terwijl ze met de rug van haar hand over haar voorhoofd veegt. 'Je hebt een runner's high, hè?'

'Niet helemaal,' zeg ik spottend, maar in werkelijkheid voel ik praktisch een golf serotonine door mijn hersenen stromen die me zowel ontspanning geeft als het gevoel dat ik de hele wereld aankan.

'Onzin,' zegt Naomi. 'Het zou mij niet verbazen als ik je volgend jaar over de finish van de marathon in New York zie rennen.'

'Wie weet,' zeg ik. Drie kilometer is te doen, maar tweeënveertig is een heel ander verhaal.

Na de les vraagt Naomi of ik samen met haar en Alanna nog iets ga drinken. 'Het leven is erg kort,' zegt ze als ik antwoord dat ik nog even naar kantoor wil gaan. 'Ontspan je toch eens keer. Dat zeg ik als je baas. Voor één keertje.'

'Oké. Het werk kan wachten,' zeg ik. Tenslotte heb ik geen recht om te klagen over eenzaamheid als ik mijn computer verkies boven contact met mensen.

We nemen de metro naar de Upper East Side, waar Alanna woont. Ze neemt ons mee naar een onopvallend café dat, zoals te verwachten voor een dinsdagmiddag, helemaal verlaten is. Toch gaan we niet aan een tafel zitten, maar nemen we plaats op drie lege krukken in een hoek van de bar.

'Oké, nu we onder elkaar zijn, wil ik graag weten hoe het zit met Estrella,' zeg ik. 'Ik ben er nog steeds niet over uit of ik haar stomvervelend vind of de meest inspirerende tiener die ik ooit ben tegengekomen.'

Alanna lacht. 'Dat is dus Estrella in een notendop. Je kunt haar het best omschrijven als een natuurkracht.'

'Ik heb nog nooit zo'n stuntelaar gezien die zo...'

'Overtuigd is van zichzelf?' vult Naomi aan. 'Hadden we daar allemaal maar last van. Eén ding staat vast: op school maakt ze zich er niet populair mee, maar op een dag gaat die meid ons land leiden. Ze is niet alleen brutaal, maar ook slim. Heb je haar aan de anderen horen uitleggen wat zelfredzaamheid is?'

'Wie heeft dat niet gehoord?' zeg ik terwijl ik mijn ogen ten hemel sla, hoewel ik op het moment dat ik het hoorde onmiskenbaar onder de indruk was. Zelfs ik heb de exacte definitie moeten opzoeken toen ik de les voor vandaag aan het voorbereiden was.

'Hoe dan ook,' zegt Alanna tegen me. 'Als je haar moeder ontmoet, zal het kwartje vallen.'

Ik stel me een onhandige vrouw voor die sprekend op Estrella lijkt. 'Lijkt ze op haar dochter?'

Naomi lacht en schudt haar hoofd. 'Dat zul je wel zien.'

Terwijl we ruim twee uur zitten te praten, loopt het café vol met voormalige corpsballen in stropdas en meisjes in chique, formele mantelpakjes. Ik weet dat dit precies Alanna's types zijn, maar toch ben ik haar in loop van de afgelopen weken echt gaan mogen; ze blijkt veel geestiger en intelligenter te zijn dan haar didactische kwaliteiten aanvankelijk deden vermoeden. Terwijl ik Alanna hoor lachen om een verhaal van Naomi, bedenk ik dat ik een half jaar geleden niet de moeite zou hebben genomen om haar te leren kennen. Per slot van rekening had ik niemand nodig, ik had Julia immers. Nu ligt het anders. Behalve met Alanna ben ik ook meer bevriend geraakt met Naomi. Ook Sarah is een vertrouweling geworden en zelfs mijn relatie met Dave heeft zich verder ontwikkeld. Als Julia's ongeluk ook maar iets positiefs heeft opgeleverd, dan is het wel dat er in mijn leven meer ruimte is gekomen voor andere mensen.

27

EEN NIEUWE DAG, en een nieuwe kans op een bijna-ramp bij *Curve*. Als ik woensdagochtend aan mijn bureau ga zitten, merk ik dat de crisis van vandaag een artikel van mij betreft. Hoe snackverpakkingen je dik maken (klopt: ik moet altijd meer dan drie miniverpakkingen Oreo-koekjes per snackbeurt eten).

Slapen deze vrouwen ooit? vraag ik me af wanneer ik door een verhitte e-maildiscussie scrol tussen Lynne, Roxanne en Naomi van 06.40 uur, 07.02 uur en 07.15 uur. De adverteerders zijn boos over de gepubliceerde onderzoeksresultaten in mijn artikel. Verschillende onderzoeken bevestigen namelijk dat wanneer je eenmaal een pakje snacks van honderd calorieën openmaakt, je niet kunt stoppen: blijkbaar denken mensen dat ze door kunnen blijven eten omdat er zo weinig calorieën in zitten.

Gelukkig zie ik, als ik door de e-mails scrol, dat Roxanne om 08.41 uur heeft besloten dat we het probleem kunnen oplossen door een zin aan het stuk toe te voegen die omschrijft dat het alleen een probleem is voor vrouwen met weinig wilskracht (au). Ik verwijder de hele mailwisseling en begin de andere honderdachtentwintig e-mails te sorteren, die vooral bestaan uit productpromotiepraatjes en de vrijwel identieke foto's van Snowball die Julia me dagelijks stuurt.

Als er nog maar vierentwintig e-mails in mijn Outlook staan, verschijnt er een nieuw mailtje.

Ik pak de muis stevig beet voor houvast en laat mijn cursor even over het adres glijden voordat ik er eindelijk op klik.

Aan: mrogers@curvemag.com
Van: nbell79@gmail.com

Onderwerp: hallo...

M-

Het is alweer een paar maanden geleden dat ik iets van je
hoorde. Ik heb niets te verliezen, dus... onze ontmoeting in
New York heeft me aan het denken gezet. Ik denk dat ik
niet besefte hoe erg ik je miste, totdat ik je weer zag. Bel je
me een keer? En laat je me weten wanneer je de volgende
keer hier bent? Ik beloof je dat ik je onze versie van de
Franse keuken laat proeven.

-N

Ik kreun. Net nu ik zeker wist dat de afgelopen Nathan-vrije
maanden precies was wat ik nodig had om helemaal voor Dave
te kunnen gaan. Toch blijft Nathan hardnekkig aanwezig, want
ik lijk hem maar niet uit mijn hoofd of mijn leven te kunnen
zetten. Snel typ ik een als ontmoedigend bedoeld antwoord:

Aan: nbell79@gmail.com
Van: mrogers@curvemag.com
Onderwerp: Re: hallo...

Hoi Nathan. Het was leuk om bij te kletsen. Ik ben niet van
plan om binnenkort naar Michigan te gaan, maar ik laat
het je weten wanneer dit verandert.

Marissa

Zonder het een keer na te lezen, verzend ik het snel. Twee minuten later krijg ik antwoord:

Onderwerp: Re: Re: hallo...

En ik dacht nog wel dat je nooit meer iets van je zou laten horen. Ik ga graag terug naar New York. Je hoeft maar een kik te geven en ik ben er. Tot dan. Ik denk aan je.

-N

Verdomme. Verdomme, verdomme en nog eens verdomme. Op het moment dat ik Nathans e-mail lees, realiseer ik me dat ik hem niet terug had moeten mailen. Afgezien van dat ik me ongemakkelijk voel onder zijn directheid, geeft het me het meest verslavende gevoel dat er is: begeerd worden. Begeerd door een bijdehante, charmante man wiens aantrekkelijke lach en twinkelende ogen me het gevoel geven dat ik weer twintig ben en op een wolk van lust zweef. De opwinding die zich nu van mijn lichaam meester maakt, is van het soort dat een relatie doet ontsporen en stranden en daarna verdwijnt bij het verwerken van de desastreuze nasleep ervan.

Ik denk aan hoe goed het tussen Dave en mij gaat sinds de avond dat ik Nathan heb gezien en ik kom weer met beide benen op de grond terecht. Ik kan niet van twee walletjes eten, hoe ik het ook probeer: er is in mijn leven geen ruimte voor twee mannen. Ik kan niet blijven fantaseren over teruggaan naar Nathan als ik met Dave verder wil. Daarom mag ik niet genieten van zijn verleidelijke, uitnodigende boodschappen. Vastberaden verwijder ik beide mails.

'Marissa? Kom ik ongelegen?' Ashleys stem brengt me terug naar de realiteit. Ze staat met een bezorgd gezicht in de deuropening.

'Nee, nee, kom binnen,' zeg ik, en ik gebaar haar om verder te komen. Ik check snel mijn gezicht in een spiegelende cd en verwacht bijna spuug op mijn kin te zien. 'Zeg het eens.'

'Eh...' Ashley zit gespannen op de punt van mijn extra stoel. De ijskoningin lijkt zowaar te smelten. Ik wil graag zwelgen in dit moment, maar helaas staat ze op het punt om me haar slechte nieuws mee te delen. Net wat ik nodig heb na een maand vol frustratie, om nog maar te zwijgen van de mailwisseling van vanochtend.

Ze overhandigt me een vel papier. 'Dit is mijn zijkolom. Ik vind het vreselijk eng om het je te laten zien, maar ik hoop echt dat je het goed vindt.'

'Heb je het al geschreven?' vraag ik. 'Ik dacht dat we nog geen onderwerp hadden afgesproken?'

'Ik was geïnspireerd, dus...'

'Oké, ik lees het even snel door,' zeg ik tegen haar.

Op het moment dat ik de kopregel lees, draait mijn maag zich om.

HET HERSENLETSEL GAF ME DE KANS OM HET VERLEDEN RECHT TE ZETTEN: EEN INTERVIEW MET JULIA FERRAR

Vandaar dat Julia wist wie Ashley was. Ik vermoedde dus niet voor niets dat er iets niet klopte. Het verhaal is zelfs nog erger dan ik verwachtte. Het begint redelijk onschuldig, maar halverwege de pagina zie ik mijn naam staan. Vervolgens gaat het bergafwaarts.

Julia: Door mijn letsel heb ik weliswaar moeite met praten en met mijn geheugen, maar heb ik ook geweldig heldere inzichten gekregen. Ik heb het gevoel dat ik een tweede kans heb gekregen om dingen goed te maken.

Ashley: Kun je een voorbeeld geven?

Julia: Nou, lang geleden heb ik mijn beste vriendin Marissa [senior redacteur bij *Curve*] gevraagd om het uit te maken met haar vriendje. Ik besef dat dit erg fout van me was en nu probeer ik ze weer bij elkaar te brengen. Marissa is weliswaar met iemand anders nu, maar ik denk wel dat zij en haar ex samen zullen eindigen!

Haal drie keer diep adem voordat je iets zegt, beveel ik mezelf. In... uit...

Ik kom tot twee voordat ik mijn geduld verlies. 'Je denkt toch zeker niet dat ik dit ga plaatsen?'

'Waarom niet? Omdat jij er in vermeld wordt? Maakt dat het artikel juist niet beter, interessanter? Het is als het verhaal achter het verhaal,' zegt Ashley met een zweem van trots. Ze vervolgt: 'Julia dacht dat het een fantastisch idee was en dat je opgetogen zou zijn als ik je zou verrassen.'

Ik kijk haar streng aan. 'Besef je wel dat je het hebt over iemand met ernstig hersenletsel? Julia vindt het ook een goed idee om mensen te vertellen dat ze lelijk zijn en ook dat ze seks moeten hebben met getrouwde mannen. Alleen omdat zij het een goed idee vindt, wil nog niet zeggen dat jij dat ook moet vinden.' Ik weet dat ik net mijn eigen regel heb overtreden door het over Julia's privéleven te hebben, maar nu ze hetzelfde met mij heeft gedaan, weet ik niet van ophouden. De wond is te vers. Het heeft het gewenste effect. Ashleys gezicht vertrekt, waardoor ze er ineens een stuk minder charmant uitziet, en het lijkt erop dat ze een zenuwtoeval begint te krijgen.

Ik vervolg, en kan de verleiding bijna niet weerstaan om met mijn vinger naar haar te wijzen: 'Waar het om gaat, is dat dit vanuit journalistiek oogpunt ongepast is. Door mijn privéleven in een artikel te verwerken, is het niet meer objectief.'

'Beweer je soms dat je geen persoonlijke motivatie hebt voor dit artikel?' zegt ze bijna onhoorbaar.

'Zelfs al zou dat zo zijn, dan wil ik niet de nadruk leggen op míjn verhaal. Het doel van het artikel is om onze lezers te waarschuwen voor de gevaren van hersenletsel.'

'Goed beschouwd is het niet echt jouw verhaal, maar het verhaal van Julia,' antwoordt Ashley. 'Bovendien zei je dat een persoonlijk verhaal meerwaarde zou hebben.'

'Dat is zo, maar ik heb dat idee afgewezen en je gevraagd om een servicegerichte zijkolom te schrijven. Weet je nog?'

Ze negeert mijn vraag en ploegt voort. 'Lynne zegt altijd dat ze meer levensecht drama wil. Ik dacht dat dit perfect zou zijn. Ik weet bijna zeker dat zij het geweldig zal vinden als ik het haar laat zien.'

'O, denk maar niet dat je die kans krijgt,' kaats ik terug, en ik scheur het papier doormidden om mijn woorden kracht bij te zetten. Het is kinderachtig en zinloos, omdat er ergens op de server een elektronische versie rondzwerft, maar ik ben zo kwaad dat ik niet helder kan denken, laat staan me als een volwassene kan gedragen.

'Ook goed.' Ze staat op. 'Ik wilde dat ik al die moeite niet had gedaan.'

'Ik haal je van dit artikel af,' zeg ik. 'Ik haal je voorlopig van al mijn artikelen af.'

Ashley staart me met zulke lege ogen aan dat ik zeker weet dat ik de zee kan horen als ik mijn oor tegen het hare zou houden. Maar eigenlijk ben ik hier het leeghoofd, realiseer ik me ellendig. Ik heb me laten inpakken door haar 'ik ben een harde werker'-act, terwijl ik vanaf het begin al haar stappen had moeten controleren.

Maar waar ik eerlijk gezegd het meest door van streek ben, is Julia's verraad. We zijn nooit de perfecte vriendinnen geweest – welke vriendschap verloopt zonder moeilijkheden? – maar vóór haar ongeluk zou ze nooit zo achteloos mijn privéleven aan anderen hebben onthuld. Onze relatie is niet alleen verslechterd, hij is een bedreiging voor mijn carrière geworden, en niet te vergeten voor mijn relatie met Dave.

Ashley vertrekt boos. Ik ijsbeer door mijn kamer, maar gezien de kleine oppervlakte die ik kan bestrijden, kalmeert het me niet. Nadat ik mijn agenda heb gecheckt of ik geen afspraken heb, pak ik mijn jas en tas en loop naar de lift.

Als ik door de glazen draaideur op Sixth Avenue uitkom, word ik meteen door de menigte opgeslokt, wat me op de een of andere manier rustig maakt. Behendig manoeuvreer ik door de hordes mensen die wandelen, etalages kijken en op de stoep staan te roken. Ik loop zo snel dat ik praktisch ren en voor ik er erg in heb sta ik aan de zuidelijke ingang van Central Park. Een vluchtige blik op mijn mobiele telefoon bevestigt dat ik nog niet lang genoeg van kantoor weg ben dat het verdacht zou kunnen zijn en ik besluit een rondje om de kleine vijver te lopen.

Tegen de tijd dat ik vanaf de boogbrug over het water uitkijk, is mijn woede bijna gezakt.

'Wat een mooie dag, hè?'

Ik draai me om en zie een oudere vrouw die met haar ellebogen op de stenen brugleuning leunt. Achterdochtige New Yorker als ik ben, vermijd ik gewoonlijk oogcontact en wissel ik hooguit twee woorden met een onbekende. Maar deze vrouw ziet er onschuldig uit. Intrigerend zelfs.

'Heerlijk,' beaam ik. 'Vooral na wat de langste winter van mijn leven lijkt.'

'Nou, kind, wees dan maar blij dat je hem hebt overleefd,' zegt ze, en even heb ik het gevoel dat ik spoken zie. Ik kijk haar nog een keer aan en besef opgelucht dat er niets spookachtigs is aan haar blozende wangen en de rimpels in haar gezicht.

'O, het spijt me,' lacht de oude vrouw. 'Ik wilde je niet van streek maken, maar het is mijn trouwdag vandaag en ik mis mijn George verschrikkelijk.'

'Nee, het spijt míj,' zeg ik en ik steek mijn handen diep in de pluizige zakken van mijn regenjas. 'Het spijt me van uw man, bedoel ik.'

'Mij ook,' zegt ze met een melancholieke glimlach. 'Weet je wat zo gek is? Die hele veertig jaar dat we getrouwd waren, werd ik gek van hem. George had een belangrijke functie, weet je, dus mijn hele bestaan draaide om ontmoetingen met een hoogwaardigheidsbekleder hier en een senator daar. Ik had altijd het gevoel dat ik meer voor hem leefde dan voor mijzelf.'

'O?' zeg ik, verrast over haar openheid, terwijl ik toch een vreemde voor haar ben. Maar misschien is ze juist daarom wel zo eerlijk, besef ik. 'Maar nu mist u hem?' zeg ik meer als bevestiging dan als vraag, want haar gezicht spreekt boekdelen.

'Heel erg,' zegt ze. Ze kijkt over de vijver, waar een paar grote witte zwanen drijven. 'Zij vormen paren voor het leven,' vertelt de vrouw me, en het duurt even voordat ik doorheb dat ze het over de zwanen heeft. 'Daarom doen ze er heel lang over om een partner te vinden. Ik zal nooit een vervanger voor George vinden, maar zij zoeken een nieuwe liefde als de eerste doodgaat of onaardig tegen hen is.'

'Onaardig?' vraag ik.

'Jazeker, zwanen zijn erg intelligent en hun geheugen is zo goed als dat van een olifant. Ze vergeten nooit wie hen kwaad heeft gedaan.' Haar ogen twinkelen. 'Daarom zijn ze vaak zo vals.'

'Dat meent u niet.'

'Toch wel. Zwanen proberen elkaar zelfs te verdrinken als ze kwaad genoeg zijn. Mensen bewonderen hun schoonheid en toewijding, maar het zou voor ons niet verstandig zijn om het sociale patroon van deze diersoort na te streven. Ze zijn niet in staat om zoals de mens te leren vergeten.'

Ik ben sprakeloos door deze opmerking. Julia mag dan vast-besloten zijn om mijn leven overhoop te halen, zij heeft tenmin-ste een legitiem excuus om de herinnering te koesteren waarvan ik hartstochtelijk hoop dat ze die zal vergeten. Intussen stapelt mijn woede tegen haar zich in mij op, en dat niet alleen sinds het ongeluk, maar al tien jaar lang, besef ik.

'Fascinerend,' zeg ik uiteindelijk tegen de vrouw.

'Ja, vind je ook niet? Je hebt misschien wel door dat ik een beetje een vogelaar ben,' antwoordt ze. 'Ik heb je te lang opge-houden. Maar het was leuk om even met je te praten. Ik hoop dat je een fijne dag hebt, kind.'

'U ook,' zeg ik. Wanneer ik bijna de brug af ben, draai ik me naar haar om. Ze staat nog op precies dezelfde plek in het water te staren, leunend tegen de brug. 'Fijne trouwdag,' roep ik.

'Dat is het al in veel opzichten,' antwoordt ze, en ze staart ver-der over het water.

28

DE REST VAN DE WEEK vliegt voorbij, zodat ik amper tijd heb om aan Ashleys artikel te denken, laat staan aan Julia's loslippigheid. Voordat ik er erg in heb, is het vrijdagavond en reizen Dave en ik met de Metro North naar zijn ouders. Terwijl de trein voortraast, staart Dave uit het raam, alsof hij geboeid wordt door het landschap, maar in de weerspiegeling van de ruit zie ik dat hij glimlacht. Ik voel dat hij iets van plan is, maar ik heb nog geen idee wat.

'Wat is er?' vraagt hij met een onschuldige blik, als ik hem voor de zoveelste keer argwanend aankijk.

'Zeg het nou maar. Ik kan zelfs aan je kleren zien dat je iets in je schild voert,' zeg ik schamper. In plaats van de gebruikelijke spijkerbroek en T-shirt-combinatie waar hij in woont als hij niet werkt, draagt hij een overhemd en een grijze wollen broek. Ik, daarentegen, heb me met veel moeite in mijn favoriete zwarte stretchjurkje geperst, dat er in het onverbiddelijke licht van de trein pluizig uitziet, alsof hij uit de kringloopwinkel komt. Wat Dave ook van plan is, ik hoop dat het niets extravagants is, want dit jurkje is het chicste wat ik voor het weekend bij me heb.

'Je kunt al even slecht liegen als ik,' zeg ik, maar hij blijft zich van de domme houden. 'Oké,' vervolg ik, 'weet wel dat ik er vroeg of laat toch achter kom.'

'Nou, speurneus, dan zul je ontdekken dat er niets te ontdekken valt,' zegt hij cryptisch, en hij houdt me de zak cheddar Chex Mix voor waaruit hij zit te eten.

Ik schud mijn hoofd. 'Ik ben weer op dieet.'

'Totdat je de kokoscake van mijn moeder ruikt,' informeert Dave me. 'Wedden dat je je dieet dan meteen opschort?'

'Fijn dat je me zo steunt. Echt heel aardig van je,' zeg ik tegen hem. Hij kust me lichtjes op mijn mond en pakt met veel vertoon nog een paar Chex uit de zak. Er vallen een paar neonoranje kruimels op zijn net gestreken overhemd. 'Dat krijg je ervan,' zeg ik met een voldaan lachje, maar hij blijft grijnzen.

Als we uit het station komen en naar de parkeerplaats lopen, staat Len, Daves vader, ons leunend tegen de deur van zijn marineblauwe Volvo stationcar op te wachten. Len is een kleine, gedrongen man, maar omdat hij tweemaal per week squasht en tien kilometer per dag rent, ziet hij er gespierd uit. Dave is langer dan zijn vader, en afgaande op de foto's die ik van hem heb gezien, ook knapper dan hij ooit is geweest. Maar het lijdt geen twijfel dat Len een oudere versie is van Daves toekomstige zelf. Een geruststellende gedachte, want er zijn ergere manieren van ouder worden.

Len maakt een ontspannen indruk, en ik vraag me af of mijn verbeelding misschien met me op de loop is gegaan of dat hij gewoon geen weet heeft van Daves plannen. Hij begroet me hartelijk, alsof ik familie ben en niet alleen maar de vriendin van zijn zoon. 'Marissa! Joyel en ik vinden het erg leuk dat jullie een weekend komen logeren.' Dan omhelst hij Dave. 'Hé, jongen, fijn je te zien,' zegt hij.

'Hoi, pa,' zegt Dave terwijl hij zijn armen om zijn vader slaat. Ik weet dat het niet aardig van me is, maar even voel ik een steek van jaloezie omdat ze zo'n hechte band met elkaar hebben. Met mijn eigen ouders heb ik nooit zo'n band gehad en die zal ik ook nooit krijgen. Sommige dingen tover je nu eenmaal niet uit een hoge hoed, en zeker niet dit soort genegenheid.

Nadat we onze tassen in de stationcar hebben geladen, praten

Dave en Len tijdens de vijf minuten durende rit over juridische haken en ogen van een rechtszaak die Len, die ook advocaat is, onder zich heeft. Ik heb zo weinig verstand van juridische zaken dat het net zo goed over kwantummechanica zou kunnen gaan, dus dwalen mijn gedachten af terwijl zij gemoedelijk met elkaar discussiëren.

Hoewel ik Nathans e-mails heb verwijderd, heb ik me de hele week afgevraagd of ik er goed aan heb gedaan er niet meer op te reageren. Maar uiteindelijk blijf ik bij mijn besluit, hoewel dat voelt als een nederlaag, omdat de nieuwe, assertieve Marissa nog een soort 'laat me alsjeblieft met rust'-berichtje zou hebben gestuurd, hoe kort en slecht geformuleerd ook. Maar een stem in mijn binnenste zei dat stilzwijgen het beste antwoord was.

Voordat ik door emoties kan worden overmand, draait de Volvo de grindoprit van de familie Bergman op. 'We zijn er!' zegt Len opgewekt. 'Home, sweet home.' En dat is niets te veel gezegd. In de donkere nacht nodigen de lantaarns op de veranda van de grote, leigrijze ranch ons binnen en de hemel is bezaaid met heldere sterren. Het is nauwelijks te geloven dat we op slechts een uur rijden van de stad zijn.

'Fijn hier te zijn, pa,' zegt Dave terwijl hij de voordeur opent. Als ik naar binnen ga, komt me een heerlijk pikante, zoete lucht tegemoet. Het water loopt me meteen in de mond. 'Ik kan mijn dieet inderdaad wel vergeten vandaag,' zeg ik tegen hem.

'Je zult van mij geen "Wat heb ik je gezegd?" horen,' zegt hij met een grijns, 'maar ik heb het je wel voorspeld.' Ik geef hem een speelse por.

'Wie heeft het hier over een dieet?' zegt Joyel, die ons bij de voordeur komt begroeten. Dave mag dan vooral op zijn vader lijken, Joyel en hij hebben dezelfde glimlach: timide en uitnodigend. Ze omhelst me, en zegt dan: 'Marissa, ik moet je waarschuwen. Dat woord is in dit huis taboe. Als je joodse surrogaatmoeder is het mijn plicht je vet te mesten als een kerstvarken.'

'Is dat wel koosjer?' zegt Len plagend, en Dave kreunt. 'Daar gaan we weer. Ben je klaar voor de Jan Klaassen en Katrijnshow?' zegt hij. Hun stemming werkt aanstekelijk en ik ben meteen veel minder nerveus.

Maar ik heb me nog maar net ontspannen of Joyel zegt: 'Marissa, kom eens mee naar de woonkamer. We hebben een kleine verrassing voor je.'

'Oké,' zeg ik, in de hoop dat het enthousiaster klinkt dan ik me voel. *Marissa Rogers, raad eens wat er achter deurtje nummer twee zit?* Zonder me af te durven vragen wat ze voor me in petto hebben, loop ik werktuiglijk achter haar aan naar de aangrenzende kamer,

In de andere kamer blijkt geen 'wat' maar een 'wie' op mij te wachten.

'Mam? Phil? Wat doen jullie hier?' Ik voel even een lichte paniek opkomen, maar algauw begrijp ik dat mijn moeder en stiefvader, die met een glas rode wijn op de leren bank van de familie Bergman zitten, hier niet zijn vanwege een noodgeval. Ze wekken de indruk diep in gesprek te zijn en wachten net iets te lang voordat ze naar me opkijken.

'Kijk eens wie we daar hebben!' roept Phil joviaal uit, en hij hijst zich uit de lage, diepe bank. Hij steekt mijn moeder een hand toe, die elegant overeind komt en naar Dave en mij toe loopt. Ik zie meteen dat ze in de 'Susan-stand' staat, zoals Julia dat altijd noemde, een houding waarin ze zich charmant, grappig en luchtig voordoet. Met andere woorden, niet zichzelf is.

Mijn moeder pakt me bij mijn bovenarmen vast en buigt zich voorover zodat onze wangen elkaar raken maar onze bovenlichamen niet. 'Marissa, schat,' zegt ze vriendelijk. 'Wat een verrassing, hè?' Maar wanneer ze me vervolgens een luchtkus geeft, fluistert ze: 'Wat heb je in godsnaam aan?'

'Dat is zeker een verrassing,' zeg ik tandenknarsend.

Dave omhelst mijn moeder en wendt zich vervolgens stralend tot mij. 'Omdat ik het tijd vond worden dat onze ouders elkaar ontmoetten, heb ik je moeder en Phil uitgenodigd om het weekend hier door te brengen.'

'Logeren jullie hier? Bij de familie Bergman? Echt waar?!' Ik kijk Dave aan met een blik van: ik ga je vermoorden.

'Natuurlijk!' zegt Joyel. 'Dacht je dat ik hen naar een hotel zou sturen? Niet dat er hier in de buurt een goed hotel is. Susan en ik hebben het al de hele middag heel gezellig gehad!' Ze slaat een arm om mijn moeder heen, die giechelt. Ik ben ervan overtuigd dat haar lach een voorbode is van de aanstaande apocalyps, maar ik glimlach alsof ze me geen beter nieuws hadden kunnen vertellen.

'We zijn blij dat u ons hebt uitgenodigd,' zegt Phil een beetje ongemakkelijk. Dat doet me deugd. Als Len en hij ook al dikke vrienden zouden zijn, zou ik mezelf gedwongen zien mijn tas te pakken en me door een sympathieke yup een lift terug naar de stad te laten geven.

'Dave! Dit is een ramp!' fluister ik zodra iedereen zich naar de eetkamer begeeft.

'Het lijkt me belangrijk dat onze ouders elkaar leren kennen,' zegt hij met een gekwetste blik. 'Ik wilde niet dat je nee zou zeggen zonder er goed over na te denken. Ik had gehoopt dat als je je moeder hier zou zien, je zou begrijpen dat het helemaal niet zo'n slecht idee...'

'Na drie jaar zou je me toch beter moeten kennen! Ik heb een hekel aan verrassingen. Voorál als die verrassing mijn moeder betreft.' Er zijn zo ongeveer zeven miljard opmerkingen die ze kan maken om dit weekend tot een ramp te maken. En ik mag mijn schoonouders en zij mij. Het laatste wat ik wil, is dat mijn moeder dat voor mij gaat verpesten.

'Marissa,' zegt Dave vriendelijk. 'Familie is belangrijk voor mij. En hoe moeilijk je het ook vindt om het toe te geven, ik weet dat het ook belangrijk voor jou is. Je moeder mag dan niet perfect zijn, ze is wel je moeder, en ik wil dat mijn ouders de kans krijgen haar te leren kennen.'

'Hm,' mok ik, omdat ik nog steeds van mening ben dat hij deze kleine reünie beter had kunnen aanpakken. 'Als het fout loopt, is het jouw schuld.'

'Afgesproken,' zegt hij, en hij leidt me met zijn hand op mijn rug door de boogdeur naar de eetkamer. 'Ik hou van jóú,' zegt hij met een raar stemmetje, en dan kan ik niet anders dan glimlachen. 'Laten we er het beste van proberen te maken.'

Voor het avondeten heeft Joyel een lichte maaltijd van kaas, vleeswaren, hummus, fruit en zelfgebakken brood samengesteld. Als we allemaal zitten, schenkt Len ons een glas wijn in en heft het zijne voor een toost. 'Op familie,' zegt hij, en hij kijkt ons over de zware mahoniehouten tafel een voor een aan. 'En op de toekomst.'

'Proost,' zeg ik, maar in plaats van te toosten, buigt Dave zich naar me toe en fluistert in mijn oor: 'Op ónze toekomst.' Hij zegt het zo dat alleen ik het kan horen. 'Op ons gezin.' Dan kust hij me zacht en tikt de rand van zijn wijnglas tegen het mijne.

'Op onze toekomst,' fluister ik terug, en mijn woorden blijven in de lucht hangen, als een belofte aan Dave.

29

WANNEER IK de volgende morgen wakker word, voel ik me als herboren. Het is een prachtige dag, ik heb goed geslapen en het belangrijkste is dat mijn moeder zich gisteravond goed heeft gedragen. Ze was zelfs meegaand tijdens het eten en stond erop om de afwas te doen. Ze gebruikte nu eens niet haar gemanicuurde handen als excuus om eronderuit te komen.

'Goedemorgen, schoonheid,' zegt Dave terwijl hij de gastenbadkamer binnenkomt waar ik mijn tanden sta te poetsen.

'Hé, jij daar,' zeg ik met een mondvol tandpasta. Als ik heb gespoeld en gespuugd, staat hij onder de douche. Hij steekt zijn hoofd om de hoek van het douchegordijn en zegt: 'Kom er ook onder.'

'Sst,' zeg ik, in een poging hem zachter te laten praten. 'Je ouders zitten verderop.'

'Ten eerste,' hij pakt me bij mijn pyjamabroek, 'is mijn moeder in de keuken koffie aan het zetten, en mijn vader is al minstens twee uur op.'

'Een aardje naar zijn vaartje,' lach ik, en ik sla zijn natte hand van mijn zijden pyjamabroek. 'Het verbaasde me dat je niet in alle vroegte opstond om met hem te gaan joggen.'

'Ik zou niet durven. Jij was zo warm en knuffelig vanochtend,' zegt Dave, en hij pakt mijn pyjamabroek weer vast. Deze keer trekt hij hem naar beneden. 'Kom op, kom erbij.'

'Er is hier iemand aan het smeken,' plaag ik hem. Ik kleed me uit en stap in het bad.

'Wat gaan we de rest van het weekend doen?' vraag ik Dave als hij mijn rug inzeept.

'Ik dacht erover om je ouders na het ontbijt een rondleiding door Chappaqua te geven en te winkelen. En misschien pizza eten?'

'Klinkt perfect.'

Ik spoel me af en stap uit de douche. Dave komt achter me aan en voordat ik het zelf kan doen slaat hij een dikke witte handdoek om mijn bovenlichaam.

'Je bent te goed voor me,' vertel ik hem als ik het zachte katoen tegen mijn huid wrijf. 'Hoewel, je was me natuurlijk nog wel iets verschuldigd voor deze verrassingsreünie.' Eerlijk gezegd ergert het me niet meer dat mijn moeder hier is. Ik voel me zelfs zo ontspannen dat ik ter plekke in slaap zou kunnen vallen. Er is iets met het huis van de Bergmans. Het lijkt op dat van de Ferrars, maar het heeft meer charme. Ik heb me bij Julia altijd thuis gevoeld, maar had ook het gevoel dat als ik een foute beweging maakte, ik iets onvervangbaars zou omstoten. Bij Daves ouders weet ik dat ze zelfs zouden lachen wanneer ik rode wijn op hun bank zou morsen. Ze zouden gewoon het kussen omdraaien. Ik vind het jammer dat Dave zich nooit zo thuis zal voelen in het huis van Phil en mijn moeder, vooral omdat ik me daar zelf al een indringer voel.

'Ik vind het fijn hier,' zeg ik tegen Dave als ik mijn haar kam, wat een stuk makkelijker gaat nu het kort is.

'Ik ook. Ik heb nooit het gevoel gehad dat ik moest ontsnappen, zoals de meeste kinderen die in de buitenwijken opgroeien.' Hij komt achter me staan en terwijl hij mijn haren uit mijn gezicht strijkt, kijken we elkaar aan in de spiegel. 'Ooit zal dit een goede plek zijn om te wonen, je weet wel, wanneer we kinderen hebben,' zegt hij tegen mijn spiegelbeeld.

'Kinderen? Ik denk dat ik dat wel aankan. Nu nog niet, natuurlijk. Mijn moeder keurt buitenechtelijke kinderen af. Kijk maar hoe ze tekeerging toen Marcus Sarah zwanger had gemaakt.'

'O, maar ik ben Marcus niet, liefje,' zegt Dave slinks. 'Ik zal Susan vertellen dat ik met haar mening mijn reet afveeg.'

'Ik kan niet wachten.' Ik trek de zware badstof ochtendjas aan die Joyel voor mij aan de deur heeft gehangen. 'Laten we ons aankleden, voordat ze zich afvragen waarom we zo verdacht lang wegblijven.'

En inderdaad zit iedereen al rond de keukentafel koffie te drinken als we eindelijk beneden komen.

'O, sorry, hebben jullie lang moeten wachten?' verontschuldig ik me. Mijn moeder trekt een wenkbrauw op alsof ze wil zeggen, dat is toch dúídelijk, maar Joyel stelt me gerust. 'Natuurlijk niet. Len heeft nog maar net het ontbijt geserveerd.' Ze wijst op de enorme bruine papieren zak gevuld met de meest verrukkelijk ruikende bagels.

'Wat is dit nu, mam? Maak je geen wafels meer voor me nu je aan het legenestsyndroom lijdt?'

'Ik geloof dat ik me een speciaal verzoek herinner voor Angy's bagels,' kaatst Joyel terug. 'Maar ik eet ze net zo lief allemaal alleen op, hoor, als je dat liever hebt.'

Terwijl ze over en weer bakkeleien, zie ik mijn moeder vanachter haar *New York Post* opkijken, als Margaret Mead die voor het eerst bewoners van Samoa in hun natuurlijke omgeving observeert. Ik ben in de verleiding om te zeggen: 'Ja mam, zo gaan gelukkige gezinnen met elkaar om.' Maar ik pak de bagels uit de zak en leg ze op de antieke schaal die Joyel voor me heeft klaargezet. Onder in de zak ontdek ik maar liefst drie verschillende soorten roomkaas. 'Een half bakje per persoon?' vraag ik Len met opgetrokken wenkbrauwen. Hij lacht. 'Zoiets.'

'O, ik weet zeker dat Marissa in haar eentje wel een heel bakje voor haar rekening neemt,' brengt mijn moeder in en Len kijkt haar aan om te zien of ze dit serieus meent. Ze beantwoordt zijn blik met een glimlach die zo echt is als de designerhandtassen uit Chinatown. 'Grapje, natuurlijk,' kirt ze.

Laat haar in godsnaam haar kritiek voor zich houden, smeek ik in stilte, en ik zet de schaal op tafel alsof er niets aan de hand is. Schijnbaar staat God bij me in het krijt, want mijn moeder maakt gedurende de rest van het ontbijt geen hatelijke opmerkingen meer. Zelf werkt ze een hele bagel naar binnen, wat haar meer Weight Watchers-punten kost dan ze normaal gesproken wil afstaan voor één maaltijd.

Volgens Daves voorgestelde schema toeren we met twee auto's door Chappaqua: Dave en ik met Len; Joyel met Phil en mijn moeder. We gaan naar een markt om een aantal Hudson Valley-wijnen te proeven, bezoeken Joyels favoriete boetiek en bekijken wat landhuizen in de omgeving. Daarna gaan we naar huis om een paar uur te ontspannen.

We eten bij Chappy's, Daves favoriete pizzatent. 'Je zou niet zeggen dat het door Frans-Canadezen wordt gerund, hè?' grapt hij tegen Phil. De roodgeblokte tafelkleden, de houtoven en de muur met wijnflessen ademen een ouderwetse Italiaanse sfeer.

'Al zou een kudde geiten de tent runnen, als de pizza maar goed is,' antwoordt Phil goedmoedig. Dave slaat hem op zijn rug. 'Dan ben je aan het juiste adres. Ik heb nergens betere pizza gehad, zelfs niet in Brooklyn.'

'Niet zo hard,' fluistert Len voor de grap. 'Voor zo'n opmerking kun je vermoord worden als de verkeerde persoon het hoort.' Hij wendt zich tot mij. 'Als ik jou was, zou ik niet bij hem in de buurt zitten vanavond. Kon wel eens gevaarlijk worden als hij zo blijft praten.'

Ik moet lachen, hun grappenmakerij werkt aanstekelijk. 'Ik denk dat ik het wel aankan, Len.'

Dave stelt voor om twee grote pizza's te bestellen en vraagt iedereen welke ingrediënten erop moeten. Als mijn moeder aan de beurt is, zegt ze: 'Ik neem geen pizza, schat. Die bagel van vanmorgen was genoeg voor mij.'

'Echt waar? Niet een heel klein puntje?' vraagt Dave licht verwonderd. 'Het is echt belachelijk lekker. Niemand zou op bezoek mogen komen zonder pizza te nemen.'

'Echt waar,' dringt mijn moeder aan. 'Ik bestel een caesarsalade met kip, die Marissa en ik wel kunnen delen.'

'Dat hoeft niet, mam. We nemen een grote groene salade bij de pizza, dat is genoeg voor mij.'

'Marissa, lijkt het je niet beter om een beetje rustig aan te doen met de koolhydraten? Vooral na de bagel en de wijn die we hebben gehad,' zegt mijn moeder indringend. Zo gauw ze haar mond dichtdoet, bloost ze van schaamte, alsof ze ineens beseft dat ik niet de enige aan tafel ben.

Niemand zegt iets; zelfs Phil niet, die gewend is om mijn moeders kreukels glad te strijken. Ik zit op mijn handen, bevroren, de tailleband van mijn spijkerbroek knijpt mijn vetrollen af, waardoor ik er wreed aan word herinnerd dat mijn moeder gelijk heeft, ook al had ze het niet mogen zeggen.

Juist wanneer de stilte ondraaglijk dreigt te worden, komt er een ober naar ons toe. Net als de rest van het bedienend personeel is hij luidruchtig en flamboyant, met een zwaar New Yorks accent, en dramt hij net zolang door over onze bestelling totdat we beginnen te lachen. Het is een welkome onderbreking, maar ik ben nog te kwetsbaar door de vernedering en heb het gevoel dat ik elk moment in tranen kan uitbarsten. Als de ober weggaat, verontschuldig ik me en ga naar het toilet.

Ik plens wat water in mijn gezicht, voorzichtig mijn ogen vermijdend zodat mijn mascara niet uitloopt. Daarna breng ik mijn make-up opnieuw aan en zorg ik ervoor dat ik de donkere wallen onder mijn ogen goed maskeer en ook de kleine bloed-vaatjes onder mijn neusgaten, die altijd vuurrood kleuren als ik overstuur ben. Ik wrijf wat rouge op mijn wangen, haal diep adem en duw krachtig de klapdeur open. Hij raakt mijn moeder met een onverwachte maar bevredigende klap.

'Ik ga alleen maar even snel naar de wc,' zegt ze geërgerd.

'Eh, oké, excuses aanvaard,' zeg ik meer hopeloos dan con-fronterend.

Mijn moeder kijkt me vernietigend aan. 'Alsjeblieft, Marissa, geen scène vandaag.'

Ik kijk boos terug. 'Alsjeblieft, mám. Ik hoop dat het een grap-je was. Mag ik geen scène maken? Ik ben niet degene die haar dochters maaltijdkeuze bekritiseert in een volle zaak. Alsof ik twaalf ben en er nooit bij stilgestaan heb hoeveel calorieën er in een pizzapunt zitten. Ik ben verdomme redacteur Voeding!'

'Let op je woorden, Marissa,' zegt ze manend.

'Kut kut kut kut!' zeg ik bijna schreeuwend. Ik gebruik dit woord nooit, maar het bewerkstelligt de gewenste reactie bij mijn moeder, die er tegelijkertijd beledigd en doodsbang uitziet. Ze kijkt om zich heen om te zien of iemand me heeft gehoord, wat natuurlijk het geval is. Het halve restaurant heeft mee kun-nen genieten en dat geeft me een nog triomfantelijker gevoel. Dit is leuk. Nou ja, bijna.

Een serveerster die op weg is naar de keuken blijft staan om te vragen of alles in orde is.

'Ja, hoor, prima,' zeg ik, en ik draai me om naar mijn moeder. 'Nou, mam, als je me wilt excuseren, ik ga terug naar onze tafel. En wanneer jij daar...'

'Marissa, genoeg. Hou op,' zegt mijn moeder.

'Nee, mam,' snauw ik, en ik doe nog een stap naar haar toe. Ze ziet eruit alsof ze bang voor me is, maar verroert geen vin, en dus ga ik door. 'Ik hou niet op. En jij legt me niet het zwijgen op omdat je liever ruzie zoekt dan ruzie maakt. Wanneer je naar de tafel terugkeert, zorg dan dat de familie Bergman niet denkt dat we compleet gestoord zijn. Doe alsof we elkaar mogen en laat niet merken dat je teleurgesteld bent in alles wat ik doe. Morgen ga je maar lekker terug naar Michigan en dan hoef je me de rest van deze eeuw niet meer te bellen.'

Mijn moeder staart me met open mond aan. Ik besluit het beste uit de aandacht van mijn publiek te halen. 'Tussen haakjes, mam, ik heb liever dat je je commentaar op mijn dieetgewoontes voor je houdt tot je in het vliegtuig naar huis zit. Ik weet zeker dat Phil gefascineerd zal luisteren naar hoe ik mezelf te gronde richt met ongezonde koolhydraten. Maar zelf zit ik er niet mee.'

De uitdrukking op mijn moeders gezicht verandert van geschokt naar quasiverdrietig. 'Ik snap gewoon niet waarom je zo'n hekel aan me hebt,' kweelt ze, en ze dept haar ooghoek met haar mouw.

'Hou toch op, Susan. De enige die een hekel aan jou heeft, ben je zelf,' zeg ik, verrast door mijn eigen inzicht. Voordat ze kan antwoorden, draai ik me triomfantelijk om en loop ik terug naar onze tafel.

Dave en zijn ouders doen hun best om het etentje te redden, maar de stemming is verpest en ik krijg nauwelijks een hap door mijn keel. Thuisgekomen gaat mijn moeder meteen naar haar kamer. Phil mompelt iets over dat ze hoofdpijn heeft en gaat haar achterna. Dave, die al uitgebreid zijn excuses aan mij heeft aangeboden ('Ik wist niet dat ze zo erg was,' fluisterde hij op de parkeerplaats) gaat naar de badkamer, en Len ook. Als ik Joyel welterusten wil wensen, legt ze een hand op mijn schouder om me tegen te houden. Ze kijkt me met een schuin hoofd aan en zegt vriendelijk: 'Ik denk dat we wel een borrel kunnen gebruiken. Wat jij?'

'Ik zeg geen nee,' antwoord ik, maar ik denk: als zij ooit mijn schoonmoeder wordt, is dat absoluut de manier van het universum om alle slechte dingen recht te zetten die mijn moeder me ooit heeft aangedaan.

'Dat was een interessante avond, nietwaar?' zegt Joyel terwijl ze onze glazen vult met evenveel wodka als tonic. Ze snijdt voorzichtig een limoen in partjes en laat in elk van de bruisende drankjes een schijfje vallen. Dan neemt ze een slokje. 'Perfect,' verklaart ze met een zucht. Als ze me aankijkt zie ik dat ze vol sympathie naar me kijkt, maar zonder medelijden. 'Hoe gaat het met je?'

'Ik heb betere dagen gekend. Het spijt me dat u getuige moest zijn van deze scène. Terwijl u waarschijnlijk dacht dat u een rustig kennismakingsweekendje met mijn ouders zou hebben.'

'Lieverd, daar kun jij toch niets aan doen?'

'Mijn moeder heeft wel een beetje gelijk,' zeg ik, neerkijkend op mijn volumineuze bovenlichaam.

'Dat meen je toch niet, hè?' vraagt Joyel ietwat ongelovig.

'Jawel,' zeg ik doodernstig.

'O, god. Dit blijft tussen ons, hoor! Ik mag je moeder graag en wil geen kwaad over haar spreken, maar soms kun je dat soort opmerkingen beter negeren. Geloof me, mijn moeder stuurde me tijdens de middelbare school elk jaar naar een dieetkamp omdat ik vierenhalve kilo te zwaar was. Vierenhalve kilo! Kun je je dat voorstellen?'

Ik schud mijn hoofd, omdat ik me dat inderdaad niet kan voorstellen. Zelfs nu ze in de zestig is, is Joyel slank en fit. 'Was u niet bezorgd dat u Sascha zou opvoeden met een complex?' zeg ik, doelend op Daves zus. 'Dat stoort me nog het meest. Als ik een dochter krijg, wil ik haar niet met een idiote eetfobie opzadelen.' In feite, maar dat zeg ik niet hardop, heeft mijn moeders paranoia er ongetwijfeld toe bijgedragen dat ik redacteur Voeding ben geworden.

'Liefje, ik denk dat je je meer zorgen moet maken om jezelf dan om je toekomstige kinderen,' zegt Joyel met een weemoedige glimlach. 'Want geloof mij maar, het gewicht dat je het moeilijkst kwijtraakt, is dat van andermans verwachtingen.'

30

OP MAANDAG bel ik Sarah tijdens mijn lunchpauze voor een evaluatie van Chappaqua.

De telefoon gaat een paar keer over en net als ik wil ophangen, neemt ze op.

'Sorry,' zegt ze buiten adem. 'Moest rennen naar de telefoon. Ik stond op de crosstrainer.'

'Lijkt me heerlijk,' zeg ik, want midden op de dag trainen in je eigen fitnessruimte klinkt net zo luxueus als je aan de rand van een zwembad bonbons laten voeren door een bloedmooie badmeester.

Ze snuift. 'Nou! Ik doe niets liever dan me vijfenveertig kostbare kinderloze minuten kapot zweten terwijl ik naar Oprah Winfrey kijk die zegt dat vrouwen een vol uur per dag moeten sporten.'

'En we zouden ook tien procent van ons salaris aan de kinderen moeten besteden,' reageer ik lachend. 'Zal ik straks terugbellen?'

'Nee, joh. Tenminste, als je het niet erg vindt dat ik sta te hijgen en te puffen. Ik zet je op de luidspreker, dan kunnen we praten terwijl ik verderga op het apparaat. En? Hoe is het gegaan?' vraagt ze, doelend op het weekend.

'Nou, het was niet bepaald een harmonieuze reünie.'

'Daar was ik al bang voor. Ik heb mama en Phil gisteren van het vliegveld opgehaald. Ze probeerden normaal te doen en zeiden dat de Bergmans – ik citeer – "heel aardige mensen" waren.

Ik kreeg duidelijk de indruk dat het niet zo goed verlopen is.'

'Het begon eigenlijk wel aardig, maar mama koestert op dit moment niet bepaald warme gevoelens voor me.' Ik vertel over onze aanvaring in het restaurant.

'Ach, mama ook altijd,' verzucht Sarah. 'Ik moet zeggen dat Daves ouders me halve heiligen lijken vergeleken bij haar. Nu begrijp ik ook waar hij zijn temperament vandaan heeft. Stel je eens voor dat de situatie omgekeerd was?'

'Hou op. Het gekke is dat Len en Joyel zich niet van de wijs leken te brengen door mams vreselijke gedrag, hoewel Joyel naderhand wel overdreven aardig tegen me was.'

'Omdat ze dol op je is, gekkie,' zegt Sarah. 'Je bent dé ideale schoondochter. Daar ging het toch om bij deze kennismaking van de wederzijdse ouders?'

'Néééé,' antwoord ik, blij dat niemand op kantoor me kan zien blozen.

'Jáááá,' kaatst ze terug. 'Je zit vast en zeker te blozen nu.'

'Kreng.'

'Je mag me voor alles en nog wat uitschelden, maar mij maak je niks wijs: Marissa is verlíé-hiefd, Marissa is verlíé-hiefd,' plaagt ze. 'En het mooie is dat Nathan nu van de baan is. Of niet soms?'

'Eh...' Snel praat ik haar bij over de laatste ontwikkelingen in de Nathan-soap, inclusief ons etentje en de e-mails.

'Marissa!' zegt Sarah berispend. Op de achtergrond hoor ik het gonzen van de pedalen van de crosstrainer langzaam afnemen en uiteindelijk stoppen. 'Waarom heb je me niet verteld dat je met hem uit eten bent geweest? Je zou er toch een punt achter zetten?'

Achteraf weet ik niet wat ik van dit gesprek had verwacht, maar Sarahs opmerking irriteert me. 'Laat maar. Sorry dat ik erover begon.'

'Doe niet zo flauw. Ik mag je dat toch wel vragen zonder dat jij daar boos over wordt?'

Ik geef geen antwoord.

'Marissa,' zegt Sarah zacht. 'Je weet dat ik van je hou. Veel zelfs. We zijn bloedverwanten.' Het is een vreemde, bijna ouderwetse uitdrukking, maar het ontroert me en herinnert me eraan hoe veel beter het de afgelopen maanden tussen Sarah en mij gaat. 'Ik wil alleen maar dat je gelukkig bent,' zegt ze, 'en ik ben er vrij zeker van dat je niet gelukkig wordt als je je relatie met Dave op het spel zet.'

'Het spijt me. Je hebt gelijk,' geef ik toe. 'Het is op dit moment gewoon een heel gevoelig onderwerp voor me, omdat ik heus wel weet dat ik Nathan uit mijn leven moet bannen. Maar ondanks mijn goede bedoelingen lukt het me niet. Hij blijft alsmaar in mijn hoofd rondspoken. Er kan niets goeds uit voortkomen en ik baal ervan dat ik überhaupt aan deze idiote quasivriendschap met hem ben begonnen.'

'Wil je horen wat ik ervan vind?' vraagt Sarah.

'Heeft het zin om nee te zeggen? Je geeft je mening toch wel.'

'Goed geraden,' zegt ze lachend. 'Volgens mij heb je veel te veel met je laten sollen. Nathan hoeft maar even op te duiken in New York en natúúrlijk ga je met hem uit eten. Hij wil graag contact met je houden en natúúrlijk vind jij dat goed. Je kijkt gelaten toe hoe Julia je relatie met Dave ondermijnt en geeft haar vrij spel omdat ze geestelijk niet helemaal honderd procent is. Je laat het allemaal gebeuren. Begrijp je wat ik bedoel? Ik vraag me af waarom je zelf niet eens een keer de touwtjes in handen wilt nemen,' zegt ze, waarmee ze herhaalt wat we in november besproken hebben. 'Vooral omdat het om jouw toekomst met Dave gaat. Je bent een geluksvogel. Geef dat niet op voor iets of iemand die niet belangrijk is.'

Je bent een geluksvogel. Sarahs woorden doen me denken aan wat Julia ooit heeft gezegd. Ineens ben ik weer achttien en lig ik in een rode bikini, die in mijn heupen snijdt, op een luchtbed. Julia drijft naast me.

'Jee, dit is het dus,' zegt ze met haar gezicht naar de zon. 'Al die poeha en ik voel precies hetzelfde als voordat ik mijn diploma had. Het is net als ontmaagd worden. Dan denk je ook: was dat alles?'

Ik knikte instemmend hoewel ik nog ontmaagd moest worden en dat wist Julia. Allebei hadden we de vorige dag ons diploma ontvangen en nu lagen we in haar zwembad na te genieten van het eindexamen. In plaats van een zomers tintje had mijn huid inmiddels dezelfde kleur als mijn bikini gekregen, maar ik kon het niet opbrengen om het water uit te gaan. Alsof ik door er langer in te blijven liggen de tijd kon stilzetten.

Ik draaide me om en keek naar Julia die er op de een of andere manier in was geslaagd niet te verbranden maar juist een benijdenswaardig karamelachtig kleurtje te krijgen. 'Ik weet het niet,' zei ik. 'Misschien voel ik me toch wel een beetje anders. Beetje verdrietig. Het zal nooit meer hetzelfde zijn. Snap je?'

'Het wordt misschien alleen maar beter,' zei ze terwijl ze haar handen in het zwembad stak en zichzelf vervolgens nat spetterde.

'Dus je meende het echt wat je eerder zei?' vroeg ik, doelend op de speech die ze tijdens de diploma-uitreiking had gegeven. Julia had met zo veel passie gesproken dat enkele klasgenoten tot tranen waren geroerd. Ze had benadrukt dat we de verandering die we tegemoet gingen met beide handen moesten aangrijpen, zelfs als we er nog niet klaar voor waren. 'Het leven overkomt je hoe dan ook,' had ze gezegd. 'Het gaat erom hoe je ermee omgaat. Je kunt meedeinen op de golven of je door de stroming laten meesleuren.'

'Tuurlijk. Daar sta ik helemaal achter,' zei ze terwijl ze zich op haar buik draaide. Met haar linkerhand trok ze mijn luchtbed dichter naar zich toe en tilde haar zonnebril van haar neus. Vervolgens trok ze mijn zonnebril zachtjes van míjn neus, zodat we elkaar konden aankijken. 'Ik weet dat je zenuwachtig bent,' zei ze, 'maar het leven heeft heel veel mooie dingen voor je in petto. Wacht maar af.'

'Was ik daar maar half zo zeker van als jij,' zei ik met een treurige glimlach.

'Mar, toen ik jou ontmoette, dacht ik bij mezelf: dat meisje is betoverd.'

'Poe. Nu probeer je mij te betoveren. Ik ben niet een van je domme vriendjes, hoor,' zei ik.

'Heb ik ooit tegen je gelogen?'

'Nee... niet dat ik weet.'

'Nou ja, zeg!' zei ze terwijl ze me nat spetterde. 'Dat heb ik dus nooit gedaan. Maar even serieus. Weet je waarom we zo'n goed team zijn?'

'Nou?' vroeg ik. 'Omdat we allebei wijnkoelers in de vorm van een aardbei mooi vinden? Omdat we dezelfde maat schoenen hebben?'

'Nee,' zei ze. 'We zijn geluksvogels. Een geluksvogel en een pechvogel kunnen niet bevriend zijn. Dat werkt niet.'

'Correctie. Jíj bent een geluksvogel,' zei ik. 'Ik heb geen eindeloos lange benen, geen studiebeurs en geen zwembad in de achtertuin.'

'O, Marissa,' zei Julia. Haar stem klonk bijna vermoeid. 'Je bent zo'n bofkont. Op een dag zul je dat beseffen. Geluk op zichzelf is niet zo belangrijk. Veel belangrijker is wat je ermee gaat doen.'

Terwijl ik ronddraai in mijn kantoorstoel, denk ik: Julia had gelijk, ik bén een geluksvogel. Ik ben gezond. Ik heb fantastische vrienden. Een mooi huis. Familie, hoewel niet perfect, van wie ik hou. Een vriend die meer van me houdt dan ik waarschijnlijk verdien. Dus blijft de vraag over die Julia me jaren geleden stelde: 'Wat ga je met je geluk doen?'

Plotseling word ik overvallen door iets wat ik alleen maar kan omschrijven als een openbaring. Telkens als Nathan contact met me zoekt, maakt hij – maken wij – onze geschiedenis een beetje langer, ingewikkelder, en een beetje gedenkwaardiger. Mijn behoefte om vragen uit het verleden op te lossen is zo sterk dat ik er niet definitief een punt achter kan zetten. Maar nu begin ik te begrijpen dat het ergste wat ik kan doen is de losse eindjes aan elkaar proberen te knopen tot een keurige strik.

'Weet je, Sarah?' zeg ik tegen mijn zus. 'Ik zweer dat ik geen contact meer met Nathan zal zoeken. Ik zal niet meer met hem mailen en niet meer met en zelfs niet óver hem praten. Het is de enige manier om die idiote toestand achter me te laten. Help je me woord houden?'

'Dat lijkt me een goed plan,' zegt Sarah. 'En natuurlijk zal ik je aan je woord houden. Ik ben zelfs vereerd. Als er iets is waar ik goed in ben, is het iemand controleren op slecht gedrag. Vraag maar aan Ella.'

'Mooi. Dat is dan afgesproken,' zeg ik. Ik heb het gevoel dat er een loodzware last van mijn schouders is gegleden.

Hoewel het telefoontje met Sarah me heeft opgelucht, knaagt er nog iets aan me. Ik moet Dave de waarheid vertellen, niets meer en niets minder.

Omdat hij zoals altijd pas laat van zijn werk komt, besluit ik voor het eten te zorgen. Ik bestel Chinees, maar in plaats van twee bordjes op de salontafel te zetten, waar we meestal voor de televisie zitten te eten, dek ik de tafel in de eetkamer, trek een fles wijn open en zet de muziek zachtjes aan.

'Wat heeft dit te betekenen?' vraagt Dave als hij thuiskomt. 'Valt er iets te vieren?'

'Het leek me een goed idee om eens aan tafel te eten en met elkaar te praten, in plaats van als zoutzakken voor de televisie te hangen. Bovendien,' voeg ik eraan toe terwijl ik een beetje wijn voor hem inschenk en hem het glas overhandig, 'wil ik iets belangrijks met je bespreken.'

'Je gaat me toch niet vertellen dat je bij me weggaat?' vraagt Dave, die met zijn vrije hand zijn stropdas losknoopt. 'Want na zo'n dag als vandaag, kan ik dat er niet bij hebben.'

'Nee, liefje,' zeg ik. Ik sla mijn armen om zijn middel. 'Het gaat de laatste tijd juist erg geweldig tussen ons. Hopelijk blijft dat altijd zo.'

'Ja, het gaat echt fantastisch,' zegt hij. De gelukkige uitdrukking op zijn gezicht geeft me een idee hoe hij er als kleine jongen moet hebben uitgezien. Mijn hart zwelt van liefde. Hoe heb ik eraan kunnen twijfelen of hij de ware was?

'Ik heb alleen het gevoel dat ik je iets uit te leggen heb over Nathan.'

'O, help, niet weer over die vent,' kreunt hij.

Ik slik moeizaam en pak zijn hand vast. 'Het is niet wat je denkt. Ik ben nooit van plan geweest je met hem te bedriegen. Maar toen hij een paar maanden geleden weer opdook, heb ik wel vaak moeten denken aan "stel dát...". Ik dacht na over alles wat we samen hebben meegemaakt en vroeg me af hoe het zou zijn gelopen als ik destijds niet naar Julia had geluisterd. Ik vind het vreselijk dat ik dit hardop moet zeggen, maar tegelijk wil ik dat je het weet.'

Dave kijkt me lang en indringend aan. 'Marissa, ik mag die vent niet en ik wil niet dat je met hem omgaat. Dat weet je. Maar het is begrijpelijk dat je over je verleden nadenkt. Ik denk ook nog wel eens aan Tanya, hoewel ik er bijna zeker van ben dat ze een of andere ex-vriend ergens maniakaal aan het stalken is,' zegt hij, doelend op zijn eigen ex. 'Wat Julia heeft gedaan, was niet fraai, en omdat ze jou de keuze heeft ontnomen, blijf jij er natuurlijk over piekeren. Wat ik wel graag wil weten' – hij zwijgt even om naar de juiste woorden te zoeken – 'is wat je conclusie is naar aanleiding van al die "stel dát"-gedachten. Is alles zo gelopen als je graag wilde? Of wil je nog een tweede kans? Of ik nu een slechte dag heb gehad of niet, ik wil dat liever nu weten dan over een jaar of, erger nog, over tien jaar.'

'Die tweede kans wil ik niet,' zeg ik stellig. Sinds de breuk met Nathan ben ik er stiekem nog jarenlang van overtuigd geweest dat we op een dag weer samen zouden zijn. Dat is deels de reden dat ik het deze keer zo moeilijk vond om me van hem los te maken. Maar nu ik Dave tegenover me zie zitten, is het me volstrekt duidelijk dat ik geen enkele behoefte heb om het verleden opnieuw te beleven, vooral niet omdat ik daarmee mijn toekomst kapotmaak.

'Ik heb vaak moeten denken aan wat je me een paar weken geleden zei,' zeg ik. 'Over dat ik me aangetrokken voel tot labiele mensen.' Ik gebaar hem om bij me aan tafel te komen zitten. 'Als iéts me het afgelopen half jaar duidelijk is geworden, is dat ik dít wil. Wij tweeën,' zeg ik. 'Ik wil stabiliteit. Ik wil een solide, volwassen relatie, en ja, zelfs een beetje sleur.' Terwijl ik het zeg, denk ik aan het knusse huis dat we ooit in Chappaqua zullen hebben; aan de bruinogige peutertjes die onze stabiliteit en voorspelbaarheid zullen belonen met een ongelooflijke dosis liefde; aan de manier waarop we samen oud en grijs zullen worden... en op dat moment weet ik zeker dat er geen andere weg voor mij is dan die ik nu bewandel.

'Sleur? Héérlijk,' zegt Dave, maar hij knijpt in mijn hand om me te laten weten dat hij me serieus neemt.

'Telkens als ik met Nathan te maken had, vooral met betrekking tot de situatie met Julia, voelde ik me verschrikkelijk. Bijna ziek, bedoel ik,' zeg ik. 'Als dat geen teken is dat heftige relaties niet meer bij me passen, dan weet ik het niet meer. Maar bij jou, Dave Bergman, voel ik me heerlijk. Dat zal ik nooit en te nimmer opgeven.'

Dave kust me en fluistert vervolgens in mijn oor: 'Meer, Marissa Rogers, hoef ik niet te weten.'

31

IK WORD ONTSLAGEN, is het eerste wat er door me heen gaat als Lynne me bij haar roept. De tijdschriftenbranche is op het ogenblik een slagveld; bij de persconferentie die ik eerder deze week bijwoonde ontbraken twee redacteuren Voeding van een concurrerend blad. Van een collega hoorde ik dat ze slachtoffer van de bezuinigingen zijn geworden. Gelukkig centreert *Curve* zich rond mijn thema, diëten, en ik weet dat Lynne me graag mag, al was het alleen maar omdat Naomi het goed met me kan vinden. Toch acht ik haar in staat om me te vervangen door een jongere en goedkopere werknemer, geslepen als ze is als leidinggevende. Iemand als... Ashley.

Het tweede wat bij me opkomt is: misschien word ik niet ontslagen. Misschien heeft Ashley haar zijkolom aan Lynne laten lezen en wil ze hem plaatsen. Dat vooruitzicht staat me zo tegen dat ik nog liever de zak krijg.

Wat mijn lot ook zal zijn, er rest me niets anders dan het professioneel onder ogen te zien. Ik fatsoeneer mijn haar en haal diep adem voordat ik zachtjes op het matglas van de deur naar Lynnes kantoor klop. 'Hallo?'

'Binnen!' buldert Lynne. Als ik de deur open, zie ik dat ze met haar armen over elkaar achterovergeleund in haar stoel op me zit te wachten.

Slik. Ik neem voorzichtig plaats op het puntje van de metalen stoel tegenover mijn baas.

Ze kijkt me voor mijn gevoel een eeuwigheid aan. Uiteindelijk zegt ze met een zucht: 'Ik wilde het je zelf vertellen, omdat ik vind dat je geweldig werk levert en ik niet wil dat je een foute indruk krijgt. Maar in deze economische crisis moet ik nu eenmaal soms beslissingen nemen die moeilijk te accepteren zijn.'

Gelukkig, denk ik. Het gaat niet om Ashleys interview met Julia. Dan dringt het tot me door dat wat Lynne net zei de lange versie is van: vaarwel, Marissa.

'Wat bedoel je daar precies mee?' vraag ik, omdat ik niet in staat ben om 'Ben ik ontslagen?' uit te brengen.

'Ik schrap het artikel over hersenletsel uit het septembernummer,' zegt ze botweg.

'O.' Ik laat haar woorden tot me doordringen. Oké, dus ik heb nog werk. Dat is mooi. Maar... 'Ik dacht dat je dat artikel juist zo goed vond.' Ik aarzel even en doe iets te veel mijn best om niet gefrustreerd te klinken. 'Op de laatste versie schreef je nog dat je het mijn beste werk tot nu toe vond en dat je niet kon wachten om te zien hoeveel prijzen het zou winnen.'

'Het komt niet goed uit de test,' zegt Lynne scherp, en ik zie de aderen in haar hals opzwellen. 'We hebben het vorige week laten lezen door een twintigkoppig panel in Minnesota. Zij willen meer artikelen over afvallen. Ze willen tips, recepten, broodmagere beroemdheden. Ze zijn domweg niet geïnteresseerd in gezondheid als het niet gerelateerd is aan afvallen. Gelukkig is dat negentig procent van wat jij doet, wat betekent dat je baan niet in gevaar komt.'

Twintig mensen? wil ik schreeuwen. Je schrapt een artikel dat je briljant vond en waar de rest van het personeel een voorbeeld aan moest nemen, omdat twintig toevallig gekozen vrouwen uit één regio in de Verenigde Staten het niets vonden en liever over de geheimen van succesvolle anorexiapatiënten lezen?

Toch zeg ik alleen maar dat ik het begrijp.

'Ik wist dat je het zou begrijpen, Marissa. Ik ben me ervan

bewust dat dit artikel belangrijk voor je is, gezien wat je vriendin heeft meegemaakt. Maar als je vooruit wilt komen in de tijdschriftenbranche, en ik weet dat je dat wilt, dan komt het maar op één ding neer, en dat is een slank figuur. Ik kan er toch op vertrouwen dat je het gat in de line-up opvult met een artikel over een ster die veel is afgevallen, hè?' Ze slaat met haar benige hand op haar bureau om haar woorden kracht bij te zetten. Haar met diamanten bezette platina trouwring klinkt hard tegen het glas.

'Natuurlijk,' zeg ik. Nadat ik van de Brooklyn Bridge ben gesprongen.

Maar zelfmoord is niet echt aantrekkelijk als je een vriendin bijna hebt zien verongelukken. Ontslag nemen, daarentegen, wel.

Als ik terug ben in mijn kamer, moet ik denken aan het thema van de Take the Lead-les van de afgelopen week, dat ging over het omgaan met tegenslagen.

'Waarom kun je beter met iemand over je gevoelens praten of een eindje gaan hardlopen dan gaan schreeuwen tegen degene op wie je kwaad bent?' vroeg ik de meisjes terwijl ik in mijn klapper spiekte om er zeker van te zijn dat ik de informatie correct doorgaf.

Natuurlijk stak Estrella meteen haar hand op. Net als Josie, Anna en Margarita. Ik wees Margarita aan. 'Wat denk jij?'

'Omdat je je er niet beter door gaat voelen?' zei ze verlegen.

'Heel goed! Je kunt je achteraf zelfs slechter voelen. Je oorspronkelijke slechte gevoelens verdwijnen niet, en als je ermee omgaat door ruzie te maken, sigaretten te roken of junkfood te eten, zullen deze ongezonde gewoonten voor nog meer problemen zorgen.'

Het was misschien erg simpel verwoord, maar ik kan niet ontkennen dat de conclusie van de les hout snijdt. Wat zou ik

Lynne graag vertellen hoe ik over haar en haar twintigkoppige panel denk. Maar ik ben niet alleen te timide om dat te doen, ik weet ook dat het niets zal oplossen. Dus kies ik ervoor om een eind te gaan wandelen.

Ik sjok een blokje om, maar als ik weer voor de ingang van het *Curve*-kantoor sta, loop ik door in plaats van naar binnen te gaan. Tien blokken later willen mijn voeten niet stoppen. Ik kijk op mijn mobiel en zie dat onze wekelijkse redactievergadering binnen tien minuten begint. Als ik het nu niet als een Keniaanse marathonloper op een rennen zet, kom ik te laat. Maar ik besluit voor één keer dat mijn geestelijke gezondheid voorrang verdient boven mijn carrière.

Zonder vaart te minderen druk ik op de eerste sneltoets van mijn mobiel. Julia neemt gelijk op. 'Hoi, Marissa, wat is er aan de hand?'

Ik adem diep in. Julia en ik zeiden altijd dat we net tweelingen waren. Als de een van streek was, voelde de ander dat onmiddellijk, zelfs al waren we mijlenver uit elkaar. Sinds het ongeluk is het alsof we op verschillende planeten hebben gezeten en dat de afstand te groot was om signalen op te pikken.

'Hoe weet je dat er iets aan de hand is?' vraag ik haar.

'Jezus, mijn schedel is niet helemaal verbrijzeld,' zegt ze spottend. 'Ik had gewoon het gevoel dat er iets mis was. Bovendien bel je me nooit meer overdag.'

'Dat is waar,' beaam ik. 'Ik heb net slecht nieuws gehad en moet even mijn ei kwijt.'

'Wat is er gebeurd?'

'Lynne heeft mijn artikel over hersenletsel geschrapt,' zeg ik met toegeknepen keel, niet in staat mijn frustratie te verbergen. 'De lezers willen afvalverhalen, geen gezondheidsissues. En het verhaal trekt geen adverteerders aan, omdat neurologen niet in *Curve* hoeven te adverteren.'

'Dat is waardeloos, Mar, maar er zijn toch wel eerder artikelen van je geschrapt?'

'Niet op deze manier. Dit artikel was belangrijk voor me. Ik kon hiermee bewijzen dat ik meer kan dan alleen over afvallen schrijven. Ik heb het gevoel dat ik vastzit...'

'Mar, mag ik je iets vragen?' Ik verwacht eigenlijk dat ze zal vragen wat er met haar interview gebeurt, maar ze zegt: 'Waarom ga je niet iets anders doen? Dat je er al eeuwen werkt betekent nog niet dat je er moet blijven. Zoek een nieuwe baan. Je hebt genoeg kwaliteiten om op een heleboel andere plekken een goede kans te maken.'

Dit brengt me van mijn stuk. Julia wilde weliswaar het liefst danseres worden, maar haar professionele intuïtie was altijd zo raak dat ze een fantastische loopbaancoach had kunnen worden. Toen ik niet wist hoe ik een baan bij een tijdschrift kon krijgen, raadde zij me aan om een beginnersbaantje bij een krant te nemen en me 's avonds uit de naad te netwerken op bijeenkomsten waar veel mensen uit de tijdschriftenbranche kwamen. Zo kreeg ik uiteindelijk mijn baan bij *Curve*. Ondanks haar dubieuze sociale vaardigheden is Julia's wijsheid over loopbaanontwikkeling intact gebleven. Dat geeft me een sprankje hoop.

'Het is niet bepaald een goede tijd om een baan te zoeken, gezien de economische malaise en zo,' zeg ik.

'Ben je het afgelopen half jaar dan naar iets op zoek geweest?'

'Nee,' geef ik toe. 'Het is zo lang geleden dat ik een baan zocht, dat ik niet zou weten waar ik moest beginnen.'

'Als ik ernaast zit, moet je het zeggen, maar had je het er niet altijd over dat je hoofdredacteur wilde worden? Misschien is het een kwestie van geheugenverlies, maar ik heb je in geen leeuwen horen zeggen dat je hoofdredacteur wilt worden,' zegt Julia. Ik krijg het niet over mijn hart om haar te vertellen dat ze 'eeuwen' bedoelde. Bovendien heeft ze volkomen gelijk. Ik fantaseerde er altijd over om op een dag mijn eigen tijdschrift uit te geven, misschien zelfs wel *Curve*. Bij de gedachte daaraan kan ik mezelf wel iets aandoen. Niet dat ik mijn baan helemaal waardeloos vind. Tussen de 'val vijftien centimeter af in vier weken!'- en de 'word fit zonder inspanning'-claims, bevat het tijdschrift nuttige informatie die vrouwen helpt om gezonder en beter te leven. Toch zou ik aan het eind van de werkdag liever naar huis gaan met het gevoel dat ik geïnspireerd ben en zeker weet dat ik meer goed dan kwaad heb gedaan.

'O, Juul,' verzucht ik. 'Zoals gewoonlijk een uitstekend advies. Ik ga kijken wat de mogelijkheden zijn.'

'Dat is alles wat ik van je vraag,' zegt ze, en ik zou zweren dat ik haar kan voelen glimlachen aan de andere kant van de lijn.

32

IK HEB BESLOTEN de zaterdag te besteden aan de strijd tegen het vuil. Met onze Dyson-stofzuiger jaag ik op stofvlokken in alle hoekjes en kiertjes van ons appartement en terwijl ik kamer na kamer verover, zuig ik alles op wat niet aan de vloer zit vastgelijmd. Tegen de tijd dat ik de woonkamer bereik, weet ik dat ik nooit een hond zal nemen vanwege de viezigheid die zo'n beest met zich meebrengt. Helaas, want ik dacht er al een tijdje over een te nemen om mijn eenzaamheid te verlichten.

'Ho, ho, tijger,' zegt Dave als hij door de voordeur binnenkomt. 'Blijf alsjeblieft met dat ding uit mijn buurt.' Zijn bezwete T-shirt plakt aan zijn platte buik. Ik zou een hekel aan hem willen hebben omdat hij zich er elke dag toe kan zetten te gaan hardlopen, maar ik ben zelf degene die de vruchten van zijn inspanning plukt. Vruchten waar ik, nu ik er toch over nadenk, graag mijn tanden in zou zetten. Hoewel ik bang was dat mijn bekentenis over Nathan een wig tussen ons zou drijven, blijkt mijn openheid juist het tegenovergestelde effect te hebben gehad: Dave en ik kunnen al weken ons geluk niet op.

'Grr,' grom ik. 'Kom eens hier met dat bezwete lijf van je.'

'Beest dat je bent,' zegt hij met een knipoog. Hij gooit een stapeltje post op de salontafel en slentert naar me toe.

Net voordat hij op zijn prooi wil duiken, valt mijn oog op een brief tussen de enveloppen en tijdschriften die Dave op tafel heeft gegooid. Ik hoef niet naar de afzender te kijken omdat ik het hoekige, slordige handschrift meteen herken.

'Heb je al gezien dat er een brief van mijn moeder bij zit?'
vraag ik. Mijn lust is meteen verdwenen.

'Nee... maar dat kan wel wachten, of niet?' zegt hij speels, en
hij trekt me aan mijn sweater naar zich toe.

'Je weet dat ik me pas kan concentreren als ik weet wat erin
staat,' zeg ik verontschuldigend. 'Maar ik maak het straks goed,
dat beloof ik je.' Ongeduldig gris ik de envelop van de tafel en
als ik hem openscheur, neem ik per ongeluk een hoekje van het
roze briefpapier mee. Ik neem niet eens de tijd om te gaan zitten
en laat mijn ogen over de woorden op de vol gekrabbelde blad-
zijde vliegen.

Liefste Marissa,

Ik hou heel veel van je.

Het spijt me dat ik je heb gekwetst toen we bij de familie
Bergman waren. Op dat moment dacht ik dat ik je er een
plezier mee deed, maar nadat ik met Phil over het
incident heb gesproken, begrijp ik dat ik me niet had
moeten bemoeien met wat jij wilt eten. Zeker niet in
aanwezigheid van Daves familie, maar ook niet als we
alleen zouden zijn geweest. Ik hoop dat de familie
Bergman me geen verschrikkelijk mens vindt, maar
belangrijker nog, dat jij nu geen hekel aan me hebt.

Voor mij is het zo normaal me druk te maken over eten
dat ik er amper bij stilsta dat jij niet op mijn mening zit
te wachten, of dat je het als kritiek kunt opvatten. Ik zie
nu in dat mijn 'tips' niet altijd welkom of behulpzaam
zijn. Ik weet dat het voor Sarah en jou moeilijk te
begrijpen is, maar soms vergeet ik dat jullie volwassen
vrouwen zijn die hun eigen beslissingen kunnen
nemen – beslissingen die je zelf moet nemen, of ik het er

nu mee eens ben of niet. Hoewel ik niet kan beloven dat ik het altijd goed zal doen, heb ik gezworen dat ik voortaan zal proberen mijn mening voor me te houden, vooral als het om gewicht en eetgewoonten gaat.

Ik ben heel trots op je en sta versteld dat je bent opgegroeid tot zo'n slimme, mooie, succesvolle vrouw. Je hebt nog zo'n mooi leven voor je en ik hoop dat ik daar altijd deel van mag blijven uitmaken.

Veel liefs,
mama

Zonder een woord te zeggen, reik ik Dave de brief aan. Als hij klaar is met lezen, kijkt hij naar me. 'Hmm.'

'Wat vind jij ervan?' vraag ik vermoeid. Mijn moeders excuses geven me lang niet zo'n triomfantelijk gevoel als ik had gedacht. In plaats daarvan voel ik me ineens doodmoe.

'Ik sta ervan te kijken dat ze haar excuses aanbiedt,' zegt Dave.

'Ik ook. Ik kan me niet herinneren dat ze dat ooit heeft gedaan,' zeg ik, en ik plof neer op de bank. 'Ik denk dat ze er erg mee zit. En terecht. Nu moet ik haar natuurlijk bellen...' Ik leun achterover in de kussens en bedek mijn gezicht met een sierkussen. Mijn hoofd voelt aan als een zware kei, balancerend op mijn twijgdunne nek, en ik besef dat ik niet gewoon moe ben maar uitgeput. Voordat ik ook nog maar één gedachte aan mijn moeder kan wijden, val ik in een diepe slaap.

Wanneer ik wakker word, heb ik geen idee hoe laat het is. Ik wrijf in mijn ogen en kijk de schaars verlichte woonkamer rond. Langzaam herinner ik me wat er die dag is voorgevallen. Ik kijk naar de oplichtende rode cijfers op de magnetron: 17.07. Ik heb ruim drie uur geslapen.

'Hé, luilak,' roept Dave vanaf de eettafel waaraan hij druk op zijn laptop zit te tikken.

'Ben je niet naar je werk?' vraag ik, omdat hij had gezegd dat hij minstens een paar uur nodig had.

'Nee,' zegt hij. 'Ik wilde je niet in je eentje achterlaten. Bovendien had ik nog werk bij me dat ik hier kon doen. Sascha en Jon belden om te vragen of we zin hadden om uit eten te gaan. Als jij het aankunt, kunnen we hier in de buurt wel ergens afspreken.'

Slaapdronken loop ik naar het aanrecht. Ik draai de koude kraan open, houd mijn handen onder de straal en druk ze tegen mijn wangen. 'Ik heb wel zin om uit eten te gaan,' zeg ik tegen Dave. 'Maar dan moet jij me beloven dat je het niet over de ruzie met mijn moeder zult hebben.'

'Dat beloof ik,' zegt Dave. Hij sluit zijn laptop en komt naar me toe lopen. Dan omhelst hij me innig en kust me op mijn voorhoofd. 'Beloof jij mij dan dat je haar voor het einde van het weekend belt om haar excuses te aanvaarden?'

'Hmf,' zeg ik met een pruillip.

'Niet zo tegenstribbelen,' zegt Dave. 'Je weet dat je je veel beter voelt als je het wel doet.'

'Mij best,' antwoord ik, en ik wenk hem mee naar de slaapkamer. 'Laten we het over iets leukers hebben. Welk beest was ik ook alweer? Grrr.'

Die avond bel ik mijn moeder niet, en de ochtend erop ook niet. Ik houd mezelf voor dat een gesprek met haar een domper zou zetten op het verder volmaakte weekend. Maar in werkelijkheid werpt het uitstel een schaduw over alles wat ik doe, waardoor ik niet in staat ben te genieten. Zelfs een shopuitje naar Bloomingdale's met Sophie op zondagmiddag kan me niet uit mijn gedeprimeerde stemming halen. Terwijl ik zo veel schoenen pas dat zelfs Imelda Marcos jaloers zou worden – ik koop een paar sexy maar praktische rode, slangenleren ballerina's – wenste ik dat ik net als Dave een knop kon omdraaien, zodat ik niet al mijn problemen op het gebied van werk, familie en vrienden in een loodzware rugzak met me mee hoefde te zeulen.

Zondagavond, wanneer ik nog altijd krampachtig het onvermijdelijke uit de weg probeer te gaan, besluit ik een lange wandeling te gaan maken. Ik trek mijn sportkleren en gymschoenen aan en ga de deur uit op het moment dat de zon net ondergaat. Ik wandel door twee wijken in de hoop dat mijn bloed flink gaat stromen, maar na een paar maanden rennen met Take the Lead, lijkt het alsof ik geen snelheid meer kan maken zolang ik telkens één voet aan de grond houd. Zonder erbij na te denken, begin ik te rennen en meteen loop ik een stuk prettiger.

Ik hol mijn straat in. Godzijdank is het donker, want ik grijns als een idioot. Ik, Marissa, loop hard – alleen! Vrijwillig, en niet omdat ik word nagezeten door een overvaller of verkrachter. Ik kan het amper geloven. En het verbazingwekkendste is dat ik nergens pijn voel. Integendeel, ik voel me – *hijg, hijg* – lékker. Elke keer dat mijn voet het asfalt raakt, veer ik iets hoger op.

Na een tijdje keren mijn gedachten terug naar mijn moeder en haar onvermogen om met conflicten om te gaan. Als een fout in een DNA-streng, heb ik haar vermogen om confrontaties uit de weg te gaan geërfd. Daardoor heb ik het telefoontje aan haar het hele weekend uitgesteld. Maar onder het rennen dringt het langzaam tot me door dat ik me belachelijk gedraag. Wat is het ergste wat er kan gebeuren als ik bel? Dat we een ongemakkelijk gesprek hebben? Dat we gaan ruziën zoals we in het restaurant in Chappaqua deden? Bovendien, als mijn moeder haar kritiek naast zich kan neerleggen en haar excuses kan aanbieden, ben ik het dan niet aan haar, en aan mezelf, verschuldigd om het ook over een andere boeg te gooien?

Als ik thuiskom in het appartement, schop ik mijn gym-schoenen uit, maar in plaats van te gaan douchen, loop ik door naar de slaapkamer, waar ik de draadloze telefoon uit de houder pak die op het bureau staat. Voordat ik me kan bedenken draai ik haar nummer.

'Hallo?'

Ik haal diep adem. Dan zeg ik wat ik eigenlijk niet wil zeggen. De woorden zijn de moeilijkste die ik in lange tijd heb hoeven uitspreken.

'Mam? Met Marissa. Het is oké. Ik vergeef het je.'

33

OP WOENSDAGOCHTEND krijg ik een raadselachtige e-mail van Naomi.

Ben je rond drie uur vrij? Kom dan naar de Starbucks op 50th Street, niet die om de hoek. Ik wil ergens met je over praten.

Ja, schrijf ik terug. *Wat is er aan de hand?*

Als ik je dat via de mail zou willen vertellen, zou ik je niet vragen om af te spreken. ☺

Ik vind het wreed om iemand te vertellen dat je ergens over wilt praten en haar dan te laten wachten. In plaats van me te concentreren op de duizend-en-een dingen die voor het eind van de werkweek af moeten, bedenk ik allerlei mogelijke scenario's die Naomi wil bespreken: ze is zwanger van een zesling; ze neemt ontslag om voor Michelle Obama te gaan werken; ze is er toevallig achter gekomen dat Lynne een seriemoordenaar is die haar slachtoffers vermoordt met een ThighMaster. De eindeloze opties houden me de hele middag van mijn werk. Niet dat ik het Naomi erg kwalijk kan nemen. Sinds mijn artikel over hersenletsel in de papierversnipperaar verdween, ben ik verbazingwekkend traag geworden. Ik ben niet dol op deze kant van mezelf, maar ik weet niet goed hoe ik, anders dan door lijntjes coke te snuiven in de wc, weer in beweging kan komen.

'Oké, voor de draad ermee, want ik word gek,' zeg ik tegen Naomi als ik haar in de rij bij de Starbucks tref.

'Een ogenblikje. Twee grote cappuccino's light, alsjeblieft,' zegt ze tegen de Starbucks-medewerkster en ze geeft haar tien dollar. Ze neemt het wisselgeld aan en gebaart me om aan een rond tafeltje bij het openslaande raam te gaan zitten. 'Hou dat tafeltje bezet, dan haal ik de koffie.'

'En?' dring ik aan als ze bij het tafeltje aankomt.

'Tijd voor een New Yorkse inspectie,' beveelt ze, en we kijken allebei iets te opvallend rond om te zien of er bekenden in het café zitten. Niet dus.

Ze buigt samenzweerderig naar me toe. 'Oké, daar komt-ie. Ik ben er vanochtend toevallig achter gekomen dat Take the Lead een nieuwe communicatiemanager nodig heeft. De functie is hier in de stad en gaat gepaard met een beter salaris en meer vakantie-uren dan bij *Curve*.'

'En daar ga jij op solliciteren? Fantastisch!' zeg ik enthousiast.

Naomi kijkt me aan alsof ze wil zeggen: raad nog maar een keer, ik heb alle tijd. 'Kind, ik ben volmaakt gelukkig met mijn huidige baan. Ik heb het over jóú! Geloof me, het begint op te vallen dat je je baan niet meer zo leuk vindt.'

'O, shit, is het zo duidelijk?' mompel ik gekwetst. Ik heb niet bewust te koop willen lopen met mijn onvrede.

'Niet voor iedereen. Maar, kom op, Marissa, we werken al bijna zes jaar samen. Als iemand doorheeft dat je geen zin meer hebt, ben ik het wel.'

'Wat betekent dat Lynne het waarschijnlijk ook weet,' zeg ik mistroostig.

'Gelukkig, weet ik bijna zeker dat Lynne denkt dat je in een dip zit omdat ze je artikel over hersenletsel heeft geschrapt. Maar besef wel dat het niet handig is om onaangekondigd weg te blijven van een vergadering. Daarmee wek je de indruk dat je genoeg hebt van je werk,' zegt ze met een glimlach, en ze draait haar papieren beker rond zodat ze het laatste restje schuim eruit kan drinken. 'Dus, wat denk je? De baan zou perfect voor je zijn. Dat heb ik ook tegen Rhonda gezegd,' zegt ze, doelend op de directrice die ik kort heb ontmoet tijdens de training. 'Je kunt een e-mail van haar verwachten.'

'Je bent onverbeterlijk!' zeg ik berispend, maar ik ben stiekem blij. De baan klinkt geweldig en ik heb geen andere veelbelovende vooruitzichten. Dan schiet me ineens iets te binnen. 'Waarom denk je dat ik er geschikt voor zal zijn? Ik heb nog nooit van mijn leven een persbericht geschreven of een verklaring afgelegd. Bovendien is het een hardlooporganisatie en ik heb nog maar net leren joggen.'

'Ga je me nu ook nog vertellen dat je lelijk en stom bent?' zegt Naomi met gespeelde ergernis. 'Want dan vertel ik jou dat ik je per ongeluk heb aangezien voor mijn briljante en bekwame collega Marissa.'

Ik pluk aan het dikke plastic deksel van mijn koffiebeker en vermijd Naomi's blik. 'Ik weet het, ik weet het, ik oordeel te hard over mezelf.'

'Dat is zacht uitgedrukt. Even serieus, hoe lang ben je nu redacteur?'

'Acht jaar.'

'Hoeveel artikelen heb je in die acht jaar geschreven en geredigeerd?'

'Ongeveer vier miljoen.'

'Juist. Ik vermoed dat je tweemaal zo veel persberichten hebt ontvangen, waarvan de meerderheid zo slecht was geschreven dat jij het zelfs snorkelend in je badkuip beter zou doen. Bovendien kun je goed met mensen omgaan.'

'Is dat zo?' vraag ik verrast. 'En ik dacht nog wel dat ik de schurk was in *The Devil Wears Old Navy*.'

Naomi snuift. 'Natuurlijk ben je dat! Je kunt vooral goed omgaan met gestoorde, veeleisende idioten. Misschien zelfs te goed, nu ik erover nadenk.' Ze trekt haar wenkbrauwen op en ik vraag me af of ze Julia bedoelt. 'Je hoeft me alleen maar te beloven dat je op gesprek gaat, oké?'

'Natuurlijk,' verzeker ik haar. 'Als jij belooft me te helpen met de voorbereiding, want het is al lang geleden dat ik een sollicitatiegesprek heb moeten voeren.'

'Afgesproken,' zegt Naomi. Ze geeft me een arm als we Starbucks uit lopen. 'Op voorwaarde dat je me op een etentje trakteert als je de baan krijgt.'

'Waar je maar wilt, baas.'

Volgens de *Wall Street Journal* geeft vijfendertig procent van de IT-professionals toe dat ze e-mails van medewerkers lezen, en dat zijn slechts degenen die het opbiechten. Hopelijk hebben de IT'ers bij *Curve* iets beters te doen, want diezelfde middag krijg ik op het e-mailadres van mijn werk een mailtje van Rhonda Beshel. Fijn, Naomi, denk ik, bedankt dat je haar mijn Gmailadres hebt gegeven...

Rhonda komt meteen ter zake en vraagt of ik morgenmiddag op gesprek kan komen.

Geen probleem, schrijf ik terug zonder mijn agenda te raadplegen, *ik zie je om één uur. Ik verheug me erop!*

Naomi geeft me na het werk een spoedcursus sollicitatie-etiquette en Dave oefent het gesprek met me in een rollenspel. Donderdagochtend google ik alles wat ik kan vinden over Take the Lead en als ik op weg ga voor mijn afspraak met Rhonda, weet ik zeker dat ik elke vraag kan beantwoorden.

Mijn zelfvertrouwen zakt ineen wanneer ik bij het Take the Lead-kantoor aankom. Rhonda's lenige, perfect verzorgde assistente kijkt me sceptisch aan als ik mezelf voorstel. Mijn blauwe trui-jurk is een foute keus, ik had een pak moeten dragen. Mijn vetribbels en cellulitis, slecht verborgen onder mijn jurk, zijn het overduidelijke bewijs dat ik geen hardloper ben.

'Wacht hier,' commandeert de assistente. Ze wijst naar dezelfde Ikea-bank als ik had voordat ik bij Dave introk, tegenover haar bureau. Ik zit met mijn tas op schoot en probeer er zelfverzekerd uit te zien. Terwijl ik nog een laatste poging doe om me voor te bereiden, probeer ik me de briljante antwoorden te herinneren die ik Dave gisteren gaf toen hij me ondervroeg, maar ik ben alles vergeten. Shit, ik blijf tot 2045 bij *Curve* werken.

Bijna twintig minuten later zit ik nog altijd te wachten. Ik word steeds nerveuzer. Net als ik overweeg om op te stappen, steekt Rhonda haar hoofd om de deur van haar kantoor. 'Het spijt me heel erg. Er is een ongeluk gebeurd op een van de scholen waar de meisjes trainen,' zegt ze, en ik ontspan onmiddellijk door haar oprechte toon. 'Ik heb een hekel aan wachten, dus ik vind het heel vervelend dat ik je hier de hele tijd heb laten zitten. Kom je binnen?'

Rhonda verwelkomt me met een ferme handdruk en een glimlach met kuiltjes in haar wangen. Ze lijkt nog toegankelijker dan toen ik haar tijdens de training ontmoette. Van dichtbij valt me op dat ze niet meer dan twee jaar ouder dan ik kan zijn, wat tegelijkertijd indrukwekkend en intimiderend is.

'Naomi is erg positief over je en omdat ze een van onze beste coaches is neem ik haar heel serieus,' vertelt ze me terwijl ze door een stenoblok met aantekeningen bladert, misschien wel over andere sollicitanten. 'Ik zag in je cv en op je LinkedIn-profiel dat je al bijna tien jaar schrijfervaring hebt. Dat komt goed van pas omdat je het grootste deel van de tijd materiaal voor trainingen en de pers zult moeten schrijven en herschrijven.'

'Ik heb geen ervaring met communicatiewerk,' zeg ik, maar ik herpak mezelf snel. Niet jezelf naar beneden halen, denk ik als de instructies van Naomi me te binnen schieten. Ik vervolg haastig: 'Maar ik kan goed schrijven en ken het Take the Lead-materiaal als mijn broekzak.'

'Dat is uitstekend,' zegt Rhonda en ze vinkt iets af in haar blocnote. Dan leunt ze achterover en legt haar handen in haar nek. 'Vertel eens, hoe is je huidige groep meisjes?'

Ik vertel haar over Josie, die haar bazige manieren lijkt te hebben afgeleerd, en over Estrella's enthousiasme en onverwachte zelfvertrouwen. Dan doe ik iets wat het protocol doorbreekt: ik onthul dat ik er zo goed als zeker van ben dat de training mijn leven meer heeft verbeterd dan dat van de meisjes.

'Dat is de helft van de reden om vrijwilliger te worden,' zegt Rhonda een beetje lachend. 'Het is niet toevallig dat mensen die vrijwilligerswerk doen langer leven en gezonder en gelukkiger zijn dan mensen die het niet doen. Dat je geen hardloper bent, is in sommige opzichten eigenlijk voordelig voor je. Ik herken in jou kwaliteiten om mensen te inspireren, Marissa, en ik twijfel er niet aan dat de meisjes dat ook hebben ervaren.'

'Dank je,' zeg ik blozend. 'Ik heb het gevoel dat ik veel heb geleerd sinds februari.'

'Dat geloof ik graag!' zegt Rhonda serieus. 'Ik wil niet te soft overkomen, maar het verandert je. Ik weet dat ik een beter mens ben sinds ik ben begonnen met coachen.'

'Coach jij ook?' vraag ik verbaasd. Ik ging ervan uit dat ze het zo druk zou hebben met het runnen van de organisatie dat ze geen tijd over zou hebben om vrijwilligerswerk te doen.

Rhonda knikt. 'Ik was nooit een hardloper. Mijn zus overtuigde me ervan om voor TTL te gaan coachen en ik vond het zo leuk dat ik een half jaar later voor TTL ben gaan werken. De rest weet je,' zegt ze met een lach. Dan buigt ze zich over het bureau. 'Wacht maar tot je je eerste race uitloopt met de meisjes aan je zijde. Dat is een ongelooflijke ervaring.'

'Ik kan niet wachten,' zeg ik oprecht gemeend.

We praten nog tien minuten voordat ze op haar horloge kijkt. 'O, ik heb zo direct een vergadering.'

'Geen probleem. Het was geweldig om met je gesproken te hebben. Ik waardeer het dat je tijd voor me hebt vrijgemaakt.'

'Luister, Marissa,' zegt ze bedachtzaam. *Nu komt de aankondiging dat ik niet geschikt ben voor de baan.* 'Ik heb een aantal andere mensen op gesprek gehad en hoewel sommigen veel ervaring hebben, heeft geen van hen eerder gecoacht. Eerlijk gezegd geef ik de voorkeur aan jou.'

'Echt waar?' zeg ik onthutst.

'Ja. Ik beschouw mezelf als een mensenkenner. Dus als je referenties positief zijn, waar ik van uitga, dan mail ik je binnen twee dagen een voorstel met je salaris en de arbeidsvoorwaarden.'

Er moet een addertje onder het gras zitten, denk ik. In het leven gaat het nooit zo gemakkelijk.

Maar dan herinner ik me mijn oude vriend karma en het vreselijke jaar dat ik heb gehad. Waarom zou het niet gemakkelijk gaan? Voor deze ene keer?

'Rhonda, dat klinkt geweldig,' zeg ik stralend. 'Ik beloof je dat ik de beste communicatiemanager zal zijn die TTL ooit heeft gehad.'

'Dat is precies wat Naomi zei,' lacht Rhonda. 'Goede vrienden zijn onbetaalbaar, nietwaar?'

Zoals beloofd, mailt Rhonda me de volgende dag een compleet voorstel met informatie over mijn salaris, dat vijfduizend dollar hoger is dan wat ik nu verdien. Ik stuur de mail meteen door naar Naomi, Dave en Julia, met '!!!!!' als onderwerpregel. Daarna schrijf ik Rhonda dat ik het voorstel graag accepteer en dat ik blij ben dat ik over twee weken kan beginnen, wat me genoeg tijd geeft om af te ronden bij *Curve*.

En dan slaat de realiteit in als een bom. Dit betekent dat ik ontslag moet nemen.

Op mijn aandringen krijgt Naomi haar etentje op de dag dat Rhonda me mailt.

'Ik ben vreselijk blij voor je, Marissa,' zegt ze terwijl ze op de rode leren bank gaat zitten bij de hamburgertent die zij heeft uitgekozen. Ze glimlacht als ze dit zegt, waardoor haar ooghoeken aan de zijkanten omhoog krullen en ik bedenk hoe erg ik het zal missen om met haar te werken. Rhonda lijkt me geweldig, maar ze is geen Naomi.

'Ik ben heel erg blij. Ik sta er maar niet te veel bij stil dat ik er net voor heb gekozen om de tijdschriftenwereld achter me te laten. Je weet wel, die carrière waar ik nu al bijna tien jaar aan werk.' Ondanks mijn opwinding over mijn nieuwe start, heb ik een knagend verdrietig gevoel, waar ik maar niet vanaf lijk te komen. Doordat ik afscheid neem van mijn gedroomde carrière, gaat er weer een plan verloren dat Julia en ik in onze jeugd bekokstoofden.

'Je kunt altijd terugkomen bij *Curve*. Je zit niet vast aan je nieuwe baan,' zegt Naomi. Dat doet me aan Julia's opmerking denken: waarom ga je niet iets anders doen? 'Dit is toch niet vanwege het artikel over hersenletsel?' vervolgt Naomi. 'Ik voel me daar erg slecht over. Ik had meer voor je moeten vechten dan ik heb gedaan. Lynne leek zo vastbesloten om het te vervangen door een stuk over afvallen.'

'Helemaal niet,' zeg ik, en het is waar. 'Het stuk heeft me inzicht gegeven in wat zich in Julia's hoofd afspeelde, waardoor ik beter kon omgaan met sommige verwijten die ze mij maakte.'

'Dat is mooi. Hoewel ik altijd heb gedacht dat jij ooit een uitmuntend hoofdredacteur zou worden,' zegt Naomi met een trotse uitdrukking op haar gezicht.

'Zeg nooit nooit. Ik zou graag af en toe een freelance-artikel schrijven als ik eenmaal ingewerkt ben bij Take the Lead. In breder perspectief is er iets voor me veranderd. Ik kan mijn vinger er niet zo goed op leggen, maar opklimmen op de redactionele ladder windt me niet meer op. Misschien dat het vuurtje na een jaar of twee weer oplaait en ik terug wil. Maar op dit moment ben ik toe aan iets anders.'

'Het wordt geweldig voor je. Maar je moet me beloven dat je nog wel tijd voor me maakt nu ik je baas niet meer ben.'

'Natuurlijk! Ten eerste, ik blijf coachen, dus je ziet me nog elke dinsdag. Je zult me zo veel zien dat je gek van me wordt,' zeg ik met een grijns. 'Maar ik wil je nog om één gunst vragen, want me een nieuwe baan bezorgen is natuurlijk niet genoeg.'

'Ik sta tot je dienst,' zegt ze op dezelfde sarcastische toon.

'Kun jij me vertellen hoe ik mijn ontslag moet indienen bij Lynne? Want op de een of andere manier lijkt vechten met een spekgladde krokodil me daarbij vergeleken een makkie.'

De volgende ochtend klop ik op Lynnes deur. 'Doe geen moeite om een afspraak te maken, want ze zegt toch dat ze geen tijd heeft,' heeft Naomi me geïnstrueerd. 'En val met de deur in huis.'

'Ik heb een nieuwe baan aangenomen,' flap ik eruit op het moment dat mijn achterwerk de zitting van Lynnes gastenstoel raakt. Het is ironisch dat ik nog maar een week geleden bang was om ontslagen te worden en nu zelf ontslag neem. Toch zweet ik zo erg dat ik inlegkruisjes onder mijn oksels had moeten stoppen toen ik me vanochtend aankleedde.

'Verdorie, Rogers,' zegt Lynne. Ze kijkt naar me alsof ze verwacht dat ik mijn woorden terugneem. Wanneer duidelijk wordt dat ik dit niet van plan ben, slaakt ze een diepe zucht waarbij haar benige borstkas duidelijk zichtbaar omhoogkomt. 'Wie moet ik in godsnaam aannemen om jou te vervangen? Zeg alsjeblieft dat je niet naar *Fitness* gaat, want dan krijg ik een hartaanval. Die magere trutten zijn vastbesloten om me te gronde te richten.'

'Ik ga niet naar *Fitness*. Ik word de communicatiemanager van Take the Lead. Dat is een organisatie die jonge meisjes levenswijsheid en weerbaarheid bijbrengt door hen te trainen voor een vijfkilometerloop.'

'Dat is erg barmhartig van je. Ik hoop dat je er geen gelofte van armoede voor hoeft af te leggen,' zegt ze met een geamuseerd gezicht.

'Ze betalen goed.'

'O, als het om geld gaat...'

'Nee, daar gaat het niet om. En zoals ik al tegen Naomi zei, het gaat ook niet om het artikel over hersenletsel. Ik ben hier erg gelukkig geweest en ik waardeer de vele mogelijkheden die ik heb gekregen heel erg.' Ik ben even stil, zoekend naar de juiste woorden. 'Ik ben eraan toe om iets nieuws te proberen... zelfs als ik door de sprong te wagen zou kunnen vallen.'

Ze lacht schor. 'Marissa, let op mijn woorden, jij valt niet. Ook al valt je nieuwe baan tegen, jij komt altijd op je pootjes terecht.'

'Dat is het aardigste wat je ooit tegen me hebt gezegd,' zeg ik hardop zonder na te denken.

'Dan ken je nu mijn geheim over leiderschap,' zegt Lynne, en het lukt haar te knipogen ondanks haar stijve botoxwenkbrauw. 'Laat je medewerkers nooit arrogant worden, anders gaan ze denken dat ze te goed zijn om voor jou te werken.' Ze glimlacht. 'Het is duidelijk dat ik die strategie moet herzien.'

Die middag begint Lynne onze wekelijkse redactievergadering met de aankondiging van mijn vertrek. 'Ik spreek voor iedereen als ik zeg dat we je heel erg zullen missen, Marissa,' zegt ze tegen me aan de gigantische vergadertafel.

'Dank je. Ik zal het werken hier ook vreselijk missen. Hoewel ik zeker weet dat ik het blad nog iedere maand zal lezen om erachter te komen hoe ik die laatste pondjes kwijtraak.'

'Alsjeblíéft,' zegt Naomi lachend. 'Over een jaar zien we jouw portret op de cover van *Runner's World*.'

'Dat dacht ik niet,' zeg ik. Ik ben van weinig zeker op dit moment, maar wedstrijden lopen zie ik mezelf echt niet doen.

De vergadering duurt lang, zodat de koppen koffie die ik eerder dronk ruim de tijd hebben om hun weg naar mijn blaas te vinden. Als we eindelijk opschorten, ren ik nog net op tijd naar het toilet. Wanneer ik eruit kom, staat Ashley voor de spiegel haar lippen te stiften.

'Ik vind het jammer dat je vertrekt, Marissa,' zegt ze, terwijl ze me in de spiegel aankijkt. Door het felle licht ziet ze er bleek en verrassend gewoontjes uit, zelfs met haar robijnrode lippen. 'Ik verheug me natuurlijk wel op de uitdaging om jouw positie te helpen invullen,' vervolgt ze, en ze doet de zilveren dop weer op haar lippenstift. Dan draait ze zich om en kijkt me aan. 'Ik besef dat we meningsverschillen hadden, maar ik heb keihard voor je gewerkt. Ik hoop dat je me gelooft als ik zeg dat het me echt spijt van het interview met je vriendin. Ik dacht dat je er heel blij mee zou zijn, maar ik begrijp nu dat het een grote vergissing was. Geloof maar dat ik zoiets nooit weer zal doen.'

'Daar ben ik blij om. En excuses aanvaard.'

'Dank je,' zegt ze zichtbaar opgelucht. Ze haalt diep adem. 'Ik weet dat het veel gevraagd is, maar ik zou het heel fijn vinden als je een goed woordje voor me wilt doen bij Naomi, zodat ze aan me denkt wanneer er een vacature voor een redacteur beschikbaar komt.' Er klinkt een vleugje wanhoop in haar stem door en het dringt tot me door dat Ashley ondanks haar geoliede robotverschijning gevoelig is voor hoe mensen over haar denken. Maar gezien haar voortdurende gebrek aan respect voor mij, komt dit onverwachte menselijke trekje, hoe oprecht ook, te laat.

'O, Ashley,' zeg ik, en ik beantwoord haar geforceerde glimlach met mijn eigen oprechte lach. 'Ik geloof niet dat dat een goed idee is. Maar ik wens je veel succes.'

34

NA VIJFTIEN WEKEN trainen is de dag van de loop eindelijk aangebroken.

Die zaterdagochtend zijn de meisjes al vroeg op school, waar ze door Naomi, Alanna en mij worden verwelkomd. Snel tellen we de hoofden om te ontdekken dat iedereen is komen opdagen, behalve Anna, die griep heeft. 'De grootste opkomst tot nu toe! Jongens, jullie zijn kanjers!' juicht Naomi. Intussen proberen Alanna en ik onze ogen open te houden met behulp van een kop koffie. 'Een paar jaar geleden,' fluistert Alanna tegen me, 'waren er maar vier meisjes. Dat was een ramp. Dus dit is echt een geweldige opkomst. Rhonda zal dolblij zijn.'

We delen mueslirepen en drinkpakjes uit en nadat we er zeker van zijn dat iedereen iets heeft gegeten, duwen we de meisjes met zachte drang naar de bus, die ons naar Queens zal brengen waar de loop plaatsvindt.

Tijdens de rit zijn de kinderen opvallend rustig. 'Zijn jullie moe, jongens?' vraag ik.

'Eh...' zegt Margarita, ineengezakt op de skaileren busbank.

'We zijn nervéús,' zegt Charity met een stelligheid waaruit totaal geen nervositeit blijkt.

'Dat snap ik,' zeg ik. 'Voor mij is het ook de eerste vijfkilometerloop.'

'Echt waar?' zegt Charity met uitpuilende ogen. 'Ik dacht dat coaches ook hardlopers waren. Je weet wel, échte hardlopers.'

'Technisch gesproken zijn we allemaal hardlopers. Jij en ik en iedereen hier,' antwoord ik. 'Maar behalve tijdens de gymnastieklessen die ik vroeger op school had ben ik eigenlijk pas met jullie gaan hardlopen. Ik loop geen wedstrijden, zoals Alanna.'

'Dus jij bent ook zenuwachtig,' zegt Margarita terwijl ze aan het rietje in haar drinkpakje zuigt.

'Een beetje wel,' zeg ik. 'Maar ook opgewonden. We hebben de afgelopen week de vijf kilometer getraind en dat is dezelfde afstand die we vandaag moeten lopen. Dus ik weet zeker dat we goed zullen presteren.'

'Dat hopen we dan maar,' antwoordt Josie sceptisch, maar ik zie dat ze een brede grijns onderdrukt.

We rijden een parkeerplaats op, waar rijen bussen en auto's staan. Door het raampje zie ik dat het sportveld druk bevolkt is met meisjes, hun ouders en coaches. Om de paar meter staan schoolvlaggen, Take The Lead-spandoeken en bontgekleurde tenten, die het felle licht van de aprilzon tegenhouden. Het terrein ziet er bijna uit als een kermis. Aan het begin van de parkeerplaats zie ik een tiental kraampjes van bedrijfssponsors waar je gratis eten en drinken en goodiebags kunt krijgen.

'Wat is het groots opgezet,' zeg ik tegen Naomi.

'Er worden vandaag ongeveer negenhonderd lopers verwacht, inclusief coaches en vrijwilligers die met de meisjes meelopen. Maar maak je geen zorgen,' zegt ze, 'alles is heel goed georganiseerd, zodat de meisjes niet onder de voet gelopen zullen worden.'

'Je bedoelt dat ík niet onder voet gelopen zal worden.'

'Jij redt je wel. Hoewel ik je aanraad om morgen een massage te nemen. Die zul je nodig hebben.'

We lopen naar het gedeelte op het gras dat is gereserveerd voor Welden, de school van onze meisjes. Daar aangekomen leggen we dekens op de grond en zetten we het spandoek op met het Take The Lead-logo dat we tijdens de laatste training hebben gemaakt. Enkele ouders en broertjes en zusjes zijn al ge-arriveerd en Alanna, Naomi en ik stellen ons aan hen voor, waarbij we iedere ouder iets persoonlijks over zijn of haar dochter vertellen.

Wanneer ik denk iedereen gesproken te hebben, komt er een kleine, gezette vrouw in een felgroene zomerjurk en hoge slee-hakken naar me toe geslenterd. Hoewel ze niet bijzonder mooi is, valt ze wel op: ze straalt één en al zelfverzekerdheid uit.

'Ik ben Lorieli Reyes,' zegt ze terwijl ze me haar hand toesteekt. Glimlachend druk ik haar stevige hand. Tevergeefs probeer ik haar te plaatsen. Als ze mijn onzekerheid opmerkt, voegt ze er met een lach aan toe: 'O, sorry! Ik ben de moeder van Estrella.' *Dus dát bedoelden Naomi en Alanna. Geen wonder dat Estrella zo... zo Estrella is.* Ook al ken ik haar niet langer dan dertig se-conden, ik zie meteen dat Lorieli typisch zo'n charismatisch, su-perzelfverzekerd persoon is die het geen barst kan schelen wat mensen van haar vinden. Ze doet me aan Julia denken.

Precies op dat moment krijgt Estrella haar in het oog. 'Mama!' roept ze terwijl ze naar ons toe komt rennen. Ze slaat haar ar-men om haar moeders middel en drukt haar hoofd tegen haar borst.

'Hallo, schoonheid,' zegt Lorieli. Ze kust Estrella op haar kruin. Dan wendt ze zich tot mij. 'Estrella heeft me alleen maar positieve dingen over u verteld. Ik wil u bedanken voor het feit dat u zo'n geweldig rolmodel voor mijn dochter bent.' Ze buigt zich naar me toe en zegt precies hard genoeg zodat ik het kan horen: 'U bent haar favoriete coach. Volgens mij identificeert ze zich met u.'

Vijftien weken geleden had ik een dergelijk compliment niet zo fijn gevonden, maar inmiddels heb ik mijn oordeel over Estrella nogal bijgesteld. 'Bedankt,' zeg ik tegen Lorieli. 'Dat is heel fijn om te horen.' Ik geef Estrella een klopje op haar arm.

'Ik hoef u waarschijnlijk niet te vertellen dat u een fantastische jongedame hebt grootgebracht.'

'O, dank je wel, coach Marissa!' zegt Estrella. Ze maakt haar armen los van haar moeders middel zodat ze mij kan omhelzen. 'Ik mag jou ook graag. Gaan we samen rennen vandaag?'

'Zeker, meisje,' zeg ik. 'Ik zou het voor geen geld van de wereld willen missen.'

De andere coaches en ik zorgen ervoor dat ieder kind een rugnummer op het shirt heeft gespeld en naar de wc is geweest. Het volgende moment kondigt Rhonda door de luidspreker aan dat de wedstrijd over tien minuten begint.

'Oké, meiden,' zegt Alanna, die in haar handen klapt. 'Laten we in een cirkel gaan staan om even te rekken en te strekken voordat we naar de start gaan.'

Als de meisjes in een kring staan, vraagt Naomi aan ieder van hen om een strekoefening voor te doen. Als we klaar zijn, sta ik te popelen om van start te gaan, maar ook ben ik een beetje nerveus. Ik doe een schietgebedje in de hoop dat alles goed zal gaan.

Hand in hand zodat we elkaar niet kwijtraken slingeren we ons door de menigte totdat we bij het met touwen afgezette gebied achter de startlijn zijn. Alanna heft een aanmoedigingskreet aan en houdt de meisjes voor dat ze hun best moeten doen. Dat is het enige wat telt. Vervolgens herinnert ze hen eraan dat ze bij de finish uit moeten kijken naar de ouders en de leraren van Welden. 'Zij zullen jullie naar de voor ons bestemde plek brengen. Als jullie iets nodig hebben, verband, water of iets te eten, vraag het dan aan de vrijwilligers die langs het parcours staan. Zij dragen Take The Lead-shirts, dus jullie kunnen ze niet missen.' Zonder een spoor van hun eerdere nervositeit knikken de meisjes en roepen 'oké' en 'ja' terwijl ze opgewonden op en neer springen.

Het startsein klinkt en weg zijn we.

Zoals beloofd blijft Estrella, evenals Charity en Margarita, aan mijn zijde. Aanvankelijk is dat nog best lastig omdat een horde meisjes, coaches en vrijwillige meelopers langs ons heen drommen, waardoor we ons tempo moeten vertragen. Dat is uiteindelijk een geluk bij een ongeluk, want inmiddels heb ik geleerd dat een te snelle start vaak tot een vroege inzinking leidt. 'Zeg het als jullie willen wandelen,' zeg ik tegen het kleine groepje. Ik zwaai naar Alanna, die met Layla en Josie, twee van de snelste hardlopers van de school, voorbijrent.

Na een paar minuten is de menigte opgelost en kunnen we met zijn vieren naast elkaar lopen. Het parcours voert via een zandpad langs het sportveld naar de weg, waar het is afgescheiden van het verkeer. We rennen langs flatgebouwen, kerken en scholen. Langs de kant staan toeschouwers. Sommigen juichen, anderen kijken nieuwsgierig naar de honderden vastberaden meisjes die voorbijrennen.

Het lijkt of we al eeuwen bezig zijn, maar eindelijk komen we bij een rij vrijwilligers die ons papieren bekers met water en sportdrankjes aanreiken. 'Hup, meiden,' roepen ze, klappend en zwaaiend. 'Jullie kunnen het. Jullie hebben al twee kilometer achter de rug!'

Twee kilometer? Hebben we er pas twéé gedaan? denk ik hoewel ik dat niet hardop durf te zeggen. Misschien komt het door de brandende zon of mijn zenuwen, maar die eerste twee kilometer lijkt veel langer te duren dan tijdens de training.

'Nog maar drie kilometer te gaan! We zijn kanjers!' schreeuwt Estrella terwijl ze haar lege bekertje op de grond gooit zoals de vrijwilligers ons hebben geadviseerd. Haar animo doet mijn teleurstelling direct verdwijnen. Ze heeft gelijk, natuurlijk, drie kilometer stelt niks voor. Zoals ik de meisjes vanochtend zelf nog heb gezegd, hebben we al bijna een maand op die afstand geoefend.

'We kúnnen het!' juich ik, en een andere groep meiden die met hun coaches vlak bij ons rennen roept: 'Jullie kúnnen het! Jullie kúnnen het!' Terwijl ze ons passeren, steken ze hun handen omhoog zodat we elkaar een high five kunnen geven.

Als we een bocht maken, merk ik dat ik in een prettig ritme ben geraakt, hoewel we langzamer lopen dan ik in mijn eentje zou hebben gedaan. Margarita versnelt af en toe haar tempo en loopt voor ons uit, waarna ze een paar minuten wandelt totdat wij haar hebben ingehaald. 'Je mag best doorlopen, Margarita,' zeg ik, maar ze schudt haar hoofd. 'Ik wil samen met jullie over de eindstreep,' zegt ze resoluut.

Voor ik het in de gaten heb, komt de vierkilometerstreep in zicht.

'We zijn er bijna!' zegt Charity. Altijd in voor een grapje voegt ze eraan toe: 'Ik kan de finish aan de andere kant van het veld al zien. Misschien moeten we de route afsnijden, dan zijn we de allereersten.'

'Zou kunnen,' zeg ik hijgend, 'maar dan zouden we niet zo'n goed gevoel hebben als wanneer we de hele afstand afleggen. Of wel soms?'

'Waarschijnlijk niet,' geeft ze toe.

Na nog een rondje om het veld zit ik officieel stuk. Met een punt van mijn t-shirt veeg ik het zweet van mijn voorhoofd en als we weer langs een vrijwilligerskraampje komen, neem ik dankbaar een beker water aan.

'We mogen nu niet opgeven,' zegt Estrella terwijl ze wat water uit haar beker in haar gezicht spettert.

'Nee,' stem ik glimlachend in. 'We zijn er bijna.'

'Laten we bij de vierkilometerstreep zo hard gaan rennen als we kunnen,' stelt Margarita voor.

Maar als de eindstreep met de menigte toeschouwers erachter in zicht komt, klapt Estrella voorover van de pijn.

'Mijn zij,' zegt ze, en ze grijpt naar haar middel. 'Het doet pijn. Héél erg.'

'Stop maar even,' zeg ik. 'Margarita, Charity, gaan jullie maar door als je wilt. We zien jullie bij de vlag van Welden.'

'Echt niet, coach Marissa,' zegt Charity. 'We hebben dit hele stuk samen gelopen. Nu wachten we op Estrella.'

'Ja,' zegt Margarita. 'Ze is onze vriendin. Vriendinnen laten elkaar niet in de steek.'

En óf ze elkaar niet in de steek laten. 'Jullie zijn fantastisch,' zeg ik terwijl ik Estrella zachtjes op haar rug klop. Haar gezicht is knalrood, ze puft en hijgt, en even ben ik bang dat ze gaat hyperventileren. Maar langzaam gaan haar handen langs haar dijen omhoog en komt ze overeind. Ze slaakt een diepe zucht en zegt: 'Oké, het gaat weer. We gaan verder.'

Ik lach even. 'Oké, we gaan,' zeg ik. 'Wie zin heeft, mag zo hard lopen als ze kan, maar we gaan hoe dan ook allemaal de finish halen.'

'Oké!' zegt Charity terwijl ze een sprongetje maakt. 'Kom op!'

We beginnen te rennen, eerst zo langzaam dat het bijna op wandelen lijkt, maar na enkele minuten hebben we ons oude tempo weer te pakken. Een paar honderd meter voor de eindstreep kijkt Margarita Estrella aan. 'Hoe voel je je?' vraagt ze. 'Klaar om te sprinten?'

'Oké,' zegt Estrella, en hoewel ik er bijna zeker van ben dat ik haar gezicht van pijn zie vertrekken, steekt ze haar armen omhoog alsof ze op het punt staat uit de startblokken te schieten. 'Op uw plaatsen, klaar, af!' schreeuwt ze, en de meisjes rennen zo hard ze kunnen naar het reusachtige Take the Lead-spandoek vlak achter de finish.

Hoewel ik van plan ben net iets achter hen te blijven, roept Estrella me over haar schouder toe: 'Kom op, coach Marissa! Allemaal tegelijk over de finish!' Ik ren wat harder, waarna

Estrella en Margarita me allebei bij de hand pakken. Met opgeheven armen rennen we de felgele streep over, opgewacht en toegejuicht door ouders, leraren en andere kinderen.

Het is een moment van triomf, maar tegelijk ben ik diep ontroerd. Terwijl we elkaar aan de kant van de baan omhelzen, springen de tranen me in de ogen. Ik voel me fantastisch, precies zoals Rhonda had voorspeld. Vier maanden geleden kon ik nog geen kilometer achter elkaar rennen. Nu heb ik er vijf gelopen in de niet eens bar slechte tijd van vijfendertig minuten en acht seconden. En het allerbelangrijkste is dat ik eindelijk de ware betekenis heb ervaren van wat ik de meisjes al die maanden heb geprobeerd bij te brengen: eigenwaarde.

35

MET EEN SENTIMENTEEL FEESTJE is mijn afscheid bij *Curve* een anticlimax. Nadat ik van iedereen afscheid heb genomen en de persoonlijke spullen die ik meeneem naar Take the Lead in twee armetierige doosjes heb gestopt, doe ik iets wat ik nooit eerder heb gedaan: ik loop de lift voorbij en neem de trap – alle vierentwintig verdiepingen – naar de lobby. Daarna loop ik naar de metrohalte, met licht pijnlijke kuiten, en stap op de trein. Ik verwacht dat ik me anders zal voelen; tenslotte is dit voorlopig de laatste keer dat ik deze route neem. Daar komt bij dat ik net een prima baan heb verlaten om iets te gaan doen waarvan ik nog niet helemaal overtuigd ben dat ik er de kwaliteiten voor heb. Maar als de metro over de rails dendert, kan ik alleen maar denken aan hoezeer ik ben veranderd. Dit troost me op de een of andere manier; ik heb me de laatste tijd genoeg ontwikkeld voor de rest van de eeuw.

Als ik thuiskom wacht Dave me op met een fles champagne. 'We hebben iets te vieren, dus ik heb maar vroeg vrij genomen,' zegt hij terwijl hij de fles ontkurkt. De goudkleurige bubbels druipen langs de zijkant van de fles, maar Dave lacht erom. 'Dat brengt geluk,' zegt hij, en hij schenkt onze glazen in. Hij reikt me er een aan en ik proost met hem.

'Op ons geluk,' zeg ik.

'En een nieuw begin,' zegt hij terwijl hij me aankijkt.

Nadat we een slokje hebben genomen, trekt Dave me naar zich toe. Hij drukt zijn voorhoofd tegen het mijne en zegt: 'Marissa, ik hou van je.' Wie heeft er nu nog behoefte aan afsluiting? denk ik. Er gaat niets boven dit, hier en nu.

'En ik hou van jóú. Meer dan van wat dan ook.'

'Meen je dat?' vraagt hij.

'Ja, dat meen ik. Jij bent de zin van mijn leven.'

Hij neemt wat afstand, zodat hij naar me kan kijken, en strijkt zachtjes wat haar uit mijn gezicht. 'Trouw met me,' fluistert hij terwijl hij me onderzoekend aankijkt.

Deze keer zegt mijn intuïtie niet dat ik moet vluchten. Omdat ik niet langer jong, dom en bang voor de liefde ben, zoals zo veel jaar geleden toen Nathan me ten huwelijk vroeg. Ik ben eraan toe om me te binden met alle consequenties van dien.

Ik hef mijn gezicht op en onze lippen ontmoeten elkaar. 'Ja,' zeg ik voordat ik hem kus. 'Ja, ja, ja, en nog eens ja!'

'Dat was niet gepland,' bekent hij even later. We drinken de laatste champagne op de schommelbank op onze patio. Het is een van de eerste warme lenteavonden en boven ons schitteren de sterren tussen wat wolken door. 'Het spijt me dat ik geen ring erbij had. Ik heb er een paar bekeken, maar geen enkele leek de juiste... en ik dacht dat ik nog wel wat meer tijd zou hebben om te zoeken.'

'De ring kan mij niet schelen. Het was perfect. Ik vind het fijn dat je het vroeg omdat het het juiste moment was, niet omdat je iets groots had voorbereid.'

'Nu we toch aan het opbiechten zijn, ik had niets voorbereid. Ik had geen idee hoe ik je moest vragen. Maar wat ben ik verdomde blij dat ik het toch heb gedaan,' zegt hij glimlachend.

'Meneer Bergman, begin je wat vrijer te worden?' zeg ik plagend.

'Mevrouw Bergman in spe, je kunt het me beter niet te moeilijk maken. Je hebt zelf gezegd dat de timing perfect was.' Hij kust me, en ik bijt speels op zijn onderlip. Dan kijk ik naar hem: zijn golvende bruine haar, de nauwelijks zichtbare sproeten op zijn hoge jukbeenderen, zijn diepliggende ogen waardoor hij er zelfs wanneer hij totaal ontspannen voor de buis hangt, nog bedachtzaam uitziet. Dit is de man met wie ik de rest van mijn leven wil delen. Het is een overweldigende maar heerlijke gedachte.

'O, shit, we gaan trouwen,' zeg ik tegen hem.

'We gaan trouwen,' antwoordt Dave met een stralend gezicht. 'Dit is officieel het einde van onze jeugd, hoewel ik zeker weet dat sommige vrienden dit al vinden vanaf dat we gingen samenwonen. Daarom weet ik trouwens zeker dat ik met je wil trouwen.'

'Hoezo dan?'

'Hoewel het afgelopen half jaar door alles wat er gebeurde heel zwaar was, was het de beste tijd van mijn leven. Ik vind het heerlijk om elke ochtend naast jou wakker te worden en elke nacht tegen je aan te kruipen.' Hij pakt mijn hand en streelt mijn ringvinger. 'Wie ga je het het eerst vertellen?'

Mijn gevoel zegt Julia. Als dit een jaar geleden was gebeurd, had ik haar binnen een paar minuten na Daves huwelijksaanzoek ge-sms't. Maar ondanks het feit dat ik van Julia hou, is het nu anders en ik wil niet dat ze me van mijn roze wolk af haalt met een opmerking over dat Dave niet de ware voor me is.

'Ik denk dat ik er even mee wacht om het thuis aan iedereen te vertellen. We gaan binnenkort toch op bezoek,' zeg ik tegen hem. We hebben al afgesproken om volgend weekend naar Michigan te gaan. 'Dan kunnen we mooi ons huwelijk aankondigen.'

'Oké, maar mag ik mijn ouders wel vanavond bellen?' vraagt Dave een beetje bezorgd.

'Natuurlijk! Laten we ze samen bellen. Ik kan niet wachten om het aan je moeder te vertellen.'

'En ik kan niet wachten om het aan jouw moeder te vertellen,' zegt hij met een licht kwaadaardige grijns op zijn gezicht. 'Wacht maar tot ik haar vertel dat we je lekker vet gaan mesten voor de bruiloft.'

36

IK BEREID ME VOOR en mijn onderbewustzijn lacht me uit; ik en plannen gaan niet samen. Ondanks mijn voornemen om de verloving geheim te houden totdat Dave en ik bij mijn familie zijn, barst ik meteen los zodra ik Sarah zie. 'We zijn verloofd!'

'O god, o god!' schreeuwt Sarah, die op en neer wipt op de passagiersstoel van de Death Star. Zoals gewoonlijk stond ze erop Dave en mij van het vliegveld te halen zodat we geen auto hoefden te huren.

'Ahum,' kucht Marcus vanachter het stuur. 'Let op je woorden, Sarah.'

'Pff,' schampert ze. 'Als er al een reden is om de naam van de Heer ijdel te gebruiken, is het dit wel.' Ze buigt zich over de armleuning om me te omhelzen. 'Ik ben zo blij voor je! Maar ga me alsjeblieft niet vertellen dat ik een roze bruidsmeisjesjurk moet dragen.'

'Maak je geen zorgen, zusje. Er zal bij de plechtigheid geen pastelkleur te zien zijn. Sterker nog, ik weet niet eens of er een feest zal zijn. We hebben het eigenlijk nog niet over de details gehad.'

'Meen je dat? Geen feest?' zegt Sarah lichtelijk teleurgesteld. Maar dan klaart haar gezicht op. 'Wat maakt het ook uit? Je gaat trouwen! Wacht maar tot Ella het hoort! Nu ben je officiéél oom Dave,' zegt ze tegen Dave.

'Daar zou ik best eens aan kunnen wennen,' zegt hij verlegen, en ik zweer dat ik hem heel licht zie blozen.

Terwijl we in de richting van de snelweg rijden, passeren we het ene weiland na het andere. Op een stuk gras zie ik in de verte een hert met twee jongen, die nog even van het laatste avondlicht profiteren. Ik word overvallen door emoties. Als kind en jongvolwassene heb ik dan wel altijd van New York gedroomd, maar Michigan was mijn thuis. Nu ik verloofd ben, is het alsof ik definitief heb aanvaard dat ik nooit meer zal terugkeren naar de plek die me heeft gevormd tot wie ik ben.

'Ik neem aan dat mama nog van niks weet?' vraagt Sarah.

'Nog niet, nee. Ik wilde het jullie allemaal zondag tijdens het eten vertellen, maar kennelijk ben ik niet zo goed in geheimen bewaren.'

'Nou, ik ben heel blij dat je het mij hebt verteld!' zegt ze. Het zou me niet verbazen als ze nu in haar handen ging klappen en 'hup, hup' zou roepen, zoals ze als cheerleader op de middelbare school altijd deed. 'Volgens mij heb ik nog een stapel bruidstijdschriften in de kelder liggen. Ik zal ze eens tevoorschijn halen, dan kunnen we alvast over jurken gaan brainstormen.'

'Ziet ernaar uit dat jij en ik het hele weekend zullen basketballen,' zegt Marcus terwijl hij een blik op Dave werpt in de achteruitkijkspiegel. 'Maar gefeliciteerd, kerel.'

'Dank je, kerel,' zegt Dave, en we schieten allemaal in de lach.

Het is al zeven uur als we bij het huis van Sarah en Marcus aankomen, zodat we de broodjes pastrami opschrokken waarvan we eigenlijk in alle rust hadden moeten genieten. Vervolgens gaan we naar boven om onze tassen uit te pakken en ons om te kleden. 'Weet je zeker dat je hier klaar voor bent?' vraagt Dave terwijl hij een stapeltje keurig opgevouwen t-shirts uit zijn koffer haalt en ze in de kast in Sarahs logeerkamer legt. Waar hij op doelt, is dat we straks naar Julia's housewarmingparty gaan.

Ik verheug me erop om haar en haar nieuwe huis te zien, maar ik ben tegelijk zenuwachtig omdat ik niet weet hoe ze zal reageren op het nieuws dat Dave en ik verloofd zijn.

'Ik ben er klaar voor,' zeg ik tegen Dave. 'Meer dan ooit. Beloof me alleen dat je de wodkafles uit mijn handen trekt als de zaak uit de hand loopt.'

'Dat niet alleen, maar ik zal ook je haren omhooghouden als je moet kotsen,' zegt Dave, en hij drukt een kus op mijn schouder.

'Kijk! Dat is nu precies de reden dat ik met je wil trouwen,' zeg ik. 'Mensen die beweren dat advocaten nergens voor deugen, hebben mijn toekomstige man en kotsmaatje nog nooit ontmoet. Laten we nu gauw gaan voordat ik van gedachten verander.'

Julia's appartement op de begane grond ligt in een rustig straatje net buiten het stadscentrum. Als Dave en ik de auto parkeren, zie ik een groepje mensen in haar voortuin met elkaar staan praten. 'Zoals gewoonlijk heeft het haar weinig moeite gekost om vrienden te maken,' zeg ik.

'Ik kan me niet voorstellen dat Julia daar ooit moeite mee zal hebben,' zegt hij, en ik weet niet zeker of dat als een compliment is bedoeld.

'Wees lief voor haar, oké?'

'M, ik ben altijd lief voor haar,' zegt Dave terwijl hij achter me aan loopt over de stoep die naar Julia's nieuwe woning leidt. 'Kom op. Laten we ophouden met stressen en ons gaan amuseren.'

Julia staat midden in de tuin, verdiept in een gesprek met een glad uitziende jongen in een strak zwart T-shirt dat zijn uitpuilende spieren goed doet uitkomen. Ik veronderstel dat het Rich is. Zijn hand rust bezitterig op haar arm en ik moet me bedwingen om die er niet af te meppen. We lopen naar hen toe.

'Marissa!' kirt ze als ze me ziet. Ze overhandigt haar glas aan Rich, zonder te kijken of hij het wel van haar aanneemt. Gelukkig reageert hij snel en pakt het glas aan voordat het op de grond kan vallen.

'Juul,' zeg ik. Als ik haar omhels, snuif ik de vertrouwde gardeniageur van haar haren op. 'Dat is lang geleden. Je ziet er zoals altijd weer geweldig uit.' Ik zeg dit vooral omdat ze haar favoriete paarse klofje heeft verruild voor een kort zilverkleurig jurkje uit de tijd van voor het ongeluk. In de zee van spijkerbroeken en T-shirts valt ze heel erg op. Ze ziet er echt fantastisch uit, als Ann Arbors eigen Holly Golightly.

'Jij ook, magere lat!' zegt ze terwijl ze me bekijkt alsof het de eerste keer in jaren is dat ze me van dichtbij ziet. Ik zie er ook wel anders uit. Nadat ik eindelijk mijn pogingen staakte om de tien kilo kwijt te raken die ik in de afgelopen jaren was aangekomen, gebeurde er iets heel merkwaardigs: ik viel vijf kilo af zonder er iets voor te doen. Bovendien vind ik dat ik er met de gestroomlijnde hardloppersspieren die ik sinds kort heb ontwikkeld beter uitzie dan vroeger – sterk maar wel goedgevormd.

Julia gebaart naar links. 'Marissa, Dave, dit is Rich.'

'Erg leuk om jullie eindelijk te leren kennen,' zegt hij terwijl hij zijn hand eerst naar mij en dan naar Dave uitsteekt. 'Julia heeft het praktisch altijd over jullie. Ik heb zelfs de complete Julia en Marissa-fotocollectie gezien. De vroege middelbareschoolfoto's zijn onbetaalbaar,' zegt hij glimlachend, waarop ik hem onwillekeurig veel minder onuitstaanbaar vind dan een minuut geleden.

'De middelbareschoolfoto's? Brr,' kreun ik. 'Sommige herinneringen kun je beter niet oprakelen. Die pony was... nou ja, je hebt het gezien.' Weer kijk ik Rich aan en ik besef dat ik behalve zijn ophanden zijnde scheiding helemaal niets van hem weet.

'En waar kennen jullie elkaar van?' vraag ik.

'Heeft Juul je dat niet verteld?' Hij kijkt haar met een vragende blik aan. Meestal ben ik degene die alles van Julia weet en nu vraagt een vreemde haar of ze het goedvindt om mij iets te vertellen. Dat geeft me, zacht uitgedrukt, een vreemd gevoel. 'We kennen elkaar van de groepstherapie,' zegt hij na een goedkeurend knikje van Julia. 'Voor slachtoffers van hersenletsel. Drie jaar geleden, toen ik in Irak zat, werd mijn Humvee geraakt door een bermbom. Ik had ernstig hersenletsel, hoewel ik die diagnose pas een half jaar later kreeg.'

'Maar je...'

'Ziet er normaal uit?' vraagt Rich. Hij grijnst, zodat er kraaienpootjes rond zijn ogen verschijnen. Hij is misschien wel tien jaar ouder dan ik aanvankelijk dacht. 'Vraag dat maar aan mijn ex. De afgelopen jaren zijn behoorlijk zwaar geweest en dan druk ik me zwak uit. Ik heb... tja, hoe zeg ik dat netjes... af en toe last van woedeaanvallen.'

Heel fijn, denk ik, maar Rich zegt: 'Niet dat ik huiselijk geweld heb veroorzaakt, hoor, maar voordat ik met de therapie begon, kon ik van heel kleine, onnozele dingetjes uit mijn vel springen. Uiteindelijk werd ik ontslagen uit het leger en het heeft nog acht maanden geduurd voordat ik een baan in de burgermaatschappij had gevonden, want ik kon de echte wereld nog niet aan. Toen ik eindelijk een baan kreeg bij een adviesbedrijf, had mijn neuroloog een gesprek met mijn toekomstige collega's om begrip te vragen voor mijn problemen.' Hij schudt zijn hoofd bij de herinnering. 'Dat was de druppel voor mijn vrouw. Ze dacht dat ik niet in staat zou zijn om de kost te verdienen, dus dook ze met een neef van mij het bed in. De lúl.' Hij kijkt ons schaapachtig aan. 'Sorry. Dat bedoel ik dus met woedeaanvallen.' En geen blad voor de mond nemen, denk ik.

Dave fluit even na Rich' verhaal. 'Jezus, man. Verschrikkelijk.'

'Ja, maar het positieve is dat ik Julia heb leren kennen,' zegt Rich. Hij kijkt haar aan alsof hij niet begrijpt wat ze in hem ziet. Ik heb al vaker gezien dat mannen zo naar haar keken, maar dit is anders. Ondanks zijn stoere uiterlijk lijkt Rich bijna provinciaal vergeleken bij de choreografen, kunstenaars en musici op wie Julia meestal valt. Toch is hij misschien precies wat Julia in deze fase van haar leven nodig heeft.

'Kom mee, dan laat ik je het huis zien,' zegt Julia tegen mij. We laten Dave en Rich pratend in de tuin achter. 'Het is nog nauwelijks ingericht, maar je kunt je wel alvast een indruk vormen.' Als ze een krakende hordeur opendoet, komt de geur van kattenpis ons tegemoet. 'Ruik ik Snowball soms?' vraag ik terwijl ik mijn best doe om mijn neus niet op te trekken.

'Nee, Snowball gaat keurig op de kattenbak, die kleine schat,' zegt ze, niet in het minst beledigd. 'De meisjes die hier hebben gewoond hadden een hoop dieren en die hebben de flat echt verpest. Daarom heb ik hem zo goedkoop kunnen kopen, denk ik. Maar maak je geen zorgen, want ik heb luchtverfrissers die de stank tegen het eind van de maand wel verdreven zullen hebben.'

We gaan naar de keuken, die er even gedateerd als eigenaardig uitziet. Hij doet me een beetje denken aan de keuken van Daves ouders, alsof hij uit de jaren zeventig stamt. Julia pakt twee biertjes uit de koelkast, maakt ze open en geeft me er een. Vervolgens leunt ze tegen het formica aanrecht en neemt een slok uit haar flesje. 'Het is geen paleis, maar het bevalt me hier heel goed,' zegt ze terwijl ze de ruimte rondkijkt. 'En wat me nog meer bevalt is dat mijn ouders er geen cent aan hoeven mee te betalen. Ik heb het er met dokter Gopal over gehad en we waren het erover eens dat het een positieve stap voorwaarts is als ik me zo veel mogelijk zelf bedruip.' Ze bijt op haar onderlip, waardoor ze eruitziet als een kind. Ik voel de neiging om haar op haar rug te kloppen en te zeggen dat het allemaal goed zal komen, hoewel ik weet dat dat het laatste is wat ze van mij of iemand anders wil horen. Een golf van weemoed trekt door me heen als ik bedenk hoe moeilijk dit voor haar moet zijn. Niet alleen heeft ze haar vroegere leven opgegeven, maar ook weet ze dat iedereen hoopt en verwacht dat ze weer de oude wordt.

'Ik ben onder de indruk, Juul,' zeg ik. 'Hebben Grace en Jim nog stampij gemaakt toen je die beslissing nam?'

'Grace zou niet durven,' zei Julia met een lach, waarin iets van haar oude plaaglust doorschemert. 'Ze is de laatste tijd doodsbang voor me, dat arme mens.'

'Volgens mij is ze altijd een beetje bang voor je geweest,' zeg ik, terwijl ik terugdenk aan onze middelbareschooltijd toen Julia net zolang rondjes om haar moeder heen rende tot ze kreeg wat ze wilde: een Ford pick-up ter vervanging van haar spiksplinternieuwe Audi sedan, toestemming om in de voorjaarsvakantie naar Cancun te gaan, of haar goedkeuring voor de zoveelste tot mislukken gedoemde verkering.

'Luister, Mar, ik wil je waarschuwen...' zegt ze plotseling. Haar ogen staan verschrikt. Voordat ik me kan omdraaien om te zien waarom ze zo verschrikt kijkt, hoor ik een stem achter me waarvan mijn nekharen recht overeind gaan staan.

'Hé, Marissa.'

Ik verstijf en kijk Julia vol ongeloof aan. 'Julia,' fluister ik vinnig. 'Hier hebben we het toch over gehad.' Ik ben bozer op mezelf dan op haar; kennelijk was het een vergissing om ervan uit te gaan dat ze zich zou gedragen.

Het siert haar dat ze er in elk geval een beetje beschaamd bij kijkt. 'Ik wilde net zeggen dat ik hoop dat je het niet erg vindt dat ik Nathan heb uitgenodigd. Als je het over de... de...' zegt ze, op zoek naar het juiste woord.

'Duivel hebt?' oppert Nathan. Als het duidelijk is dat ik niet in staat ben om mijn voeten ook maar een millimeter te verplaatsen, loopt hij naar de koelkast en kijkt me recht aan. 'Leuk je te zien,' zegt hij op lijzige toon. Hij grijnst van oor tot oor.

Daar gaat mijn plan om nooit meer een woord met Nathan te wisselen. 'Eh... ja,' zeg ik hevig zwetend en biddend dat Dave niet precies op dit moment de keuken binnenkomt. Ik ben zichtbaar sprakeloos. Terwijl ik bedenk hoe ik zal reageren, is Nathan zijn vertrouwde relaxte zelf en vult hij de stilte moeiteloos.

'Ik hoopte al dat ik je hier zou zien. Vooral nadat je niets meer van je liet horen,' zegt hij terwijl hij zijn handen diep in de zakken van zijn spijkerbroek steekt en me zijn beste 'arme ik'-blik toewerpt. Misschien dat die blik de laatste keer dat ik hem zag effect had, maar deze keer gaat mijn hart er niet sneller van kloppen en voel ik geen vlinders in mijn buik.

Nee, deze keer roept het een herinnering op aan een incident van elf jaar geleden waaraan ik al die tijd nooit meer heb gedacht.

Ongeveer een maand nadat Nathan en ik een relatie kregen werd ik geveld door een zware griep. Ik kon mijn bed niet uit, zelfs niet om mijn laatste tentamens te doen, en op een bepaald moment belandde ik zelfs met extreem hoge koorts op de spoedeisende hulp. Ik hield me schuil in Nathans appartement en hij zorgde voor me. Hij voerde me ijsschaafsel en lepeltjes soep. Hij depte mijn voorhoofd met natte washandjes en belde mijn huisarts om te vragen hoeveel medicijnen ik veilig kon innemen.

Na zeven zware dagen was ik beter, hoewel ik er nog niet helemaal normaal uitzag; mijn haar hing in slierten langs mijn bleke gezicht en ik was zo veel afgevallen dat ik mijn spijkerbroek met de rits dicht tot over mijn heupen kon optrekken.

'Shit, ik ben zes kilo afgevallen,' zei ik tegen Nathan terwijl ik geschokt op de weegschaal in de badkamer keek. Om er helemaal zeker van te zijn stapte ik eraf en er weer op, maar de grote, zwarte cijfers bevestigden dat ik officieel magerder was dan ik sinds het begin van mijn puberteit was geweest.

'Nou, je hebt altijd dunner willen zijn,' zei Nathan, vanaf de rand van de mintgroene badkuip waarop hij zat. 'Als je dit gewicht weet vast te houden, ben je klaar.'

Hoewel ik voor een deel dolblij was met mijn nieuwe status van bonenstaak, kwamen zijn woorden toch hard aan. Het was het soort opmerking dat ik van mijn moeder had verwacht, niet van mijn vriendje. 'Dus jij vond me te dik?'

'Nee,' zei hij verdedigend. 'Jíj bent altijd zelf zo obsessief bezig met je gewicht. Ik dacht alleen dat je hier heel blij mee zou zijn.

Kom op, Marissa, ik bedoelde er niets mee,' zei hij op vleiende toon toen ik niet reageerde. 'Vergeet gewoon wat ik heb gezegd.'

Omdat ik geen zin had in ruzie, deed ik alsof ik het van me af liet glijden, en naarmate de tijd verstreek, vergat ik het ook echt.

Het is niet zo dat ik net een herinnering aan hem heb opgerakeld waarin hij midden in de nacht een verdacht gat in de achtertuin staat dicht te gooien of met mijn zus in bed ligt. Jammer eigenlijk, want het zou veel gemakkelijker zijn als ik Tori Spelling was en mijn leven een realitysoap. Dan zou Nathan de schurk zijn, en ik, de heldin, zou hem heel stoer van de trap hebben gegooid waarna de politie op het toneel zou verschijnen. Vervolgens zou ik met stijl en waardigheid verdergaan met mijn leven.

Maar Nathan is geen monster. Hij is een normaal persoon, met wie ik toevallig in het verleden iets heb gehad. Het is niet zijn schuld dat ik me niet alleen aan dat verleden heb vastgeklampt maar er ook met een veel te roze bril naar terugkijk terwijl het eigenlijk warrig, onvolmaakt en verre van ideaal was.

Ik kijk van Julia naar Nathan. Wat me vooral een heel naar gevoel geeft, is dat ík hem compleet vrij spel heb gegeven terwijl ik zelf steeds meer wrok tegen haar ging koesteren voor de domme streek die ze me elf jaar geleden heeft geleverd. En dat ondanks het feit dat Julia meer dan de helft van mijn leven er altijd voor me is geweest. Ze is niet volmaakt, dat weet ik. Ze kan lastig zijn en soms de aandacht opeisen zonder erbij na te denken, maar toch is ze de beste vriendin die ik ooit heb gehad.

'Het spijt me,' zeg ik tegen Nathan, die me blijft aanstaren alsof hij me probeert te hypnotiseren.

'Misschien ben ik destijds niet duidelijk genoeg geweest, maar ik hou van Dave. Mijn verloofde,' voeg ik eraan toe. 'We hebben ons verloofd.'

Julia slaakt een kreet. 'Zijn jullie verloofd? Wat geweldig!' zegt ze, en als ze me omhelst, ontspan ik mijn schouders, opgelucht door haar relatief nuchtere reactie. Over haar schouder zie ik Nathan een sceptische blik werpen op mijn kale ringvinger, maar ik doe geen moeite hem uitleg te geven. Als Julia ophoudt met me fijnknijpen, vang ik aan de andere kant van het appartement Daves blik op en gebaar hem om te komen. Ik slik moeizaam, vastbesloten om mijn stem niet te laten breken. 'Daar komt hij net aan,' zeg ik veelbetekenend tegen Nathan.

'Zo, dames,' zegt hij tegen Julia en mij. 'Ik ben Dave,' stelt hij zich aan Nathan voor.

'En ik ben Nathan. Je boft maar, Dave,' zegt Nathan.

'Dat hoor ik de laatste tijd wel vaker,' zegt Dave. Er trekt een lome glimlach over zijn gezicht, en hij vervolgt: 'Maar dat wist ik zelf ook al.'

Als ik naar de twee mannen voor me kijk, word ik ineens duizelig. Het lijkt een beetje op het griezelige gevoel dat ik soms krijg na het drinken van iets te veel wijn. Als ik dan in de spiegel kijk, zegt een stemmetje: jemig! Dat ben jij – zo zie jij eruit en dit is jouw leven! Deze keer zegt het stemmetje: Marissa Rogers, hak de knoop nu eens door! Aan de linkerkant staat je verleden. En aan de rechterkant je toekomst. Welke man kies je?

Ik heb jaren geleden al een keuze gemaakt, houd ik mezelf voor, en toen ik drie dagen geleden ja tegen Dave zei, heb ik weer gekozen. Want daar komt het eigenlijk op neer. Ik ben steeds aan Nathan blijven denken omdat ik het gevoel had dat de keuze voor hem me was ontnomen. Uiteindelijk heb ik de keuze zelf gemaakt, ook al heeft Julia er wat druk op gezet. Als ik niet altijd zo graag tweede viool had gespeeld en niet meer waarde aan onze vriendschap dan aan mijn eigen geluk had gehecht, dan was ik tegen haar in opstand gekomen. Heel misschien waren Nathan en ik dan nu nog samen geweest. Maar terwijl ik hem aankijk, zie ik plotseling in dat onze levens zich uiteindelijk precies zo ontwikkeld hebben als de bedoeling was, hoe pijnlijk ons verleden misschien ook voor mij is.

'Ik ga zo eens naar huis,' zegt Nathan. 'Tot ziens, Julia,' zegt hij, en hij geeft haar een kus op haar wang. Vervolgens kijkt hij mij net een seconde te lang aan, alsof hij mijn gezicht in zijn geheugen wil prenten. 'Dag, Marissa,' zegt hij ten slotte.

'Dag, Nathan,' zeg ik voor de laatste keer.

'Kan ik je even spreken?' vraag ik Julia nadat Nathan is vertrokken.

'Eh...' draalt ze. 'Nu meteen?'

'Nu meteen,' zeg ik resoluut.

'Oké. Slaapkamer,' zegt ze, en ze maakt een gebaar naar een deur achter in de hal.

Haar slaapkamer is heel anders dan die in haar ouderlijk huis. Hoewel ik het lila kleed en de kussens weer zie liggen, zijn de paarse snuisterijen verdwenen. De muren zijn subtiel roomwit geschilderd. 'Leuk,' zeg ik.

'Vind ik ook. Hoewel Rich degene is geweest die me van paarse muren heeft afgehouden. Hij zei dat hij er hoofdpijn van zou krijgen.'

'Juul,' zeg ik, in het besef dat ik niet verder over het interieur moet blijven praten. 'Ik wil het even hebben over wat er daarnet is gebeurd. Over wat er in het algemeen aan de hand is.' Ik schuif iets van haar af op het bed zodat we elkaar kunnen aankijken. 'Ik dacht dat je had begrepen wat ik eerder tegen je heb gezegd. Eigenlijk weet ik nu niet meer hoe ik het je nog duidelijker kan maken. Tussen Nathan en mij is het voorbij. Al meer dan tien jaar. Ik ga met Dave trouwen en hoewel ik niet van je kan eisen dat je hem mag, wil ik wel graag dat je me in mijn keuze steunt.'

'Ik mag Dave heel graag,' zegt ze. Ze klemt een sierkussen vast en ik zie dat ze een beetje trilt. Het verbaast me dat ze kennelijk nerveus is om dit gesprek met mij te voeren.

'Ik heb hem altijd gemogen, dat weet je,' zegt ze. 'Het is alleen... nou ja, door het herenletsel ben ik nogal snel geneigd tot fixaties.'

'Dat weet ik,' zeg ik, maar ik zeg er niet bij dat haar voorliefde voor paars me daar constant aan herinnert.

'Ja, maar ik fixeer me niet alleen op kleuren,' zegt ze. 'Ook op gedachten en associaties. Toen ik jou in het ziekenhuis zag, kon ik alleen nog maar aan jou en Nathan denken. Telkens als ik jouw gezicht zag, moest ik denken aan hoe ik je heb gedwongen het met hem uit te maken.'

'Je hebt me niet gedwongen.'

'Mar, ik wist gewoon dat je mij boven hem zou verkiezen. Je was zo loyaal aan mij dat het voor jou niet als een keuze voelde.' Ze glimlacht weemoedig. 'Dokter Gopal heeft me doen inzien dat ik mijn schuldgevoel tegenover jou en hem lang voor het ongeluk diep had weggestopt. Je bent de enige, echte vriendin die ik ooit heb gehad en ik was bang dat Nathan jou van me zou afpakken.'

'Julia, weet je nog wat je tegen me hebt gezegd?' Ik slik mijn tranen weg. 'Geen enkele man zal ooit tussen jou en mij in komen te staan. Nathan niet, Dave niet, niemand. Er hoeft niet te worden gekozen tussen twee mensen.'

'Dat is precies wat dokter Gopal zei,' geeft ze toe. 'Na het ongeluk zag ik pas echt in hoezeer ik onze vriendschap op het spel had gezet. Het werd een obsessie voor me om het goed te maken. Daarom ging ik met Nathan e-mailen en probeerde ik jullie weer bij elkaar te brengen. Ik heb zelfs tegen Dave gezegd dat jullie tweeën voor elkaar bestemd zijn. Nu zie ik in hoe ongelooflijk stom dat is geweest.'

'Heb je tegen Dave gezegd dat Nathan en ik voor elkaar bestemd zijn?' *Dus daarom had hij zo'n weerstand tegen haar.*

'Ja, die keer toen ik bij jullie logeerde. Terwijl jij onder de douche stond, heb ik hem ermee geconfronteerd. Sorry,' zegt ze schaapachtig. 'Dokter Gopal heeft me er al stevig op aangesproken.'

'Oké dan,' zeg ik. Ik heb Dave nog heel wat uit te leggen over Julia's gedrag ten opzichte van hem. Dat moet morgen maar. Alles op zijn tijd.

'Maar weet je, Mar... ik heb die gedachten nog steeds. Misschien gaan ze wel nooit meer weg. Ik heb Nathan voor vanavond zelfs uitgenodigd, terwijl ik wist dat ik dat niet moest doen. Maar het lukt steeds beter mijn obsessies los te laten.' Ze knijpt in mijn hand en kijkt me recht aan. 'Ik wil dat jij het leven leidt zoals je dat zelf wilt, ook al weet ik niet altijd hoe ik dat moet laten blijken. Beloof me dat je geduld met me zult hebben, dat je me niet in de steek laat. Ik weet niet hoe ik verder zou moeten als wij geen vriendinnen waren.'

'Juul, ik laat je nooit in de steek. We zullen altijd vriendinnen blijven.' Terwijl ik dat zeg, weet ik dat het waar is. Vriendinnen blijven betekent dat ik, zolang Julia niet volledig genezen is, telkens weer over de misverstanden, ruzies en pijnlijke opmerkingen heen moet stappen. Maar ik ben bereid me daarvoor in te zetten.

Ik steek mijn pink in de lucht en Julia slaat de hare eromheen. 'Voor altijd.'

37

VAN EEN AFSTAND lijken we één grote gelukkige familie die geniet van een barbecue op een zaterdagmiddag. En dat zijn we eigenlijk ook een beetje.

Dat wil niet zeggen dat alles gesmeerd verloopt. Dave heeft zijn halve handpalm weten te verbranden aan een stukje hamburger dat tussen het rooster dreigde te vallen. Sarah en Marcus hebben al twee meningsverschillen gehad over god-weet-wat, en de spareribs en hamburgers zijn allang gaar als mijn moeder en Phil eindelijk komen opdagen. Bovendien zijn Grace, Jim en Julia, die ook langs zouden komen, in geen velden of wegen te bekennen.

Ik pak mijn telefoon uit mijn tas, maar voordat ik een nummer in kan toetsen, zie ik het nummer van Grace oplichten. 'Het spijt me dat ik zo laat afzeg, maar Julia heeft een vreselijke migraineaanval gekregen op weg naar ons toe en die is nog niet over,' verontschuldigt ze zich. Dan begint ze te fluisteren. 'Het was helaas een slechte ochtend. Ze kreeg ook een woede-uitbarsting toen Jim haar vertelde dat we overwegen om volgend jaar het huis te verkopen. Ik ben bang dat dit niet zo'n goede timing was van onze kant.'

Het nieuws over het huis verbaast me – ze woonden er al voordat Julia werd geboren – maar dat het niet goed gaat met Julia verbaast me nog meer. 'Ze leek helemaal in orde gisteravond. We hadden een heel goed gesprek.'

'Ach, het gaat nu eenmaal twee stappen vooruit en één achteruit. Julia doet het over het geheel genomen uitstekend. Haar neuroloog zegt dat ze sneller en meer vooruitgaat dan hij verwacht had op basis van de scans in september.'

'Ze is altijd al een uitslover geweest.'

'Dat is waar,' zegt ze, en ik hoor haar iets mompelen op de achtergrond. 'Marissa, lieverd, ik heb haast, maar ik moet van Julia aan jou vragen om morgen nog even bij haar langs te komen. Ze wilde je nog een keer zien voordat je teruggaat naar New York. Zo rond enen?'

'Ik zal er zijn.'

Ik stop de telefoon terug in mijn tas en zie mijn moeder en Phil komen aanrijden in zijn donkerrode Cadillac.

'Wat aardig van ze om voor middernacht te komen,' zeg ik sarcastisch terwijl Sarah me een stuk kaas en een professionele kaasrasp aangeeft.

Ze gooit wat gesneden komkommer in de saladeschaal op het aanrecht en zucht: 'Sommige dingen veranderen nooit.' Ik neem een hap van de kaas die ik net heb geraspt en zucht nog dieper. We moeten er allebei om grinniken.

Mijn moeder komt binnen met opgeheven hoofd en trekt haar beste 'Jacqueline Kennedy op de begrafenis'-gezicht. Ze omhelst me ongemakkelijk, maar houdt me langer vast dan normaal.

'Hoi, mam. Ik ben blij je te zien,' zeg ik als ze me eindelijk loslaat.

'Ook fijn om jou te zien, Marissa.' Ze kijkt wantrouwig naar me om te zien of ik iets hatelijks zal zeggen. Ze zou beter moeten weten, maar ik heb me de laatste tijd wel wat onvoorspelbaar tegen haar gedragen en ze heeft waarschijnlijk geen idee meer wat haar te wachten staat. Ik lach flauwtjes maar dat stelt haar blijkbaar niet genoeg gerust, want ze vraagt Sarah of ze ook pinot grigio heeft. 'Ik ben toe aan een borrel.'

'Natuurlijk, mam,' zegt Sarah. Ze draait zich om naar mij en met haar rug naar mijn moeder mimet ze een schreeuw.

'Ik wilde het alleen maar even zeker weten, lieverd,' kraait mijn moeder, zich van geen kwaad bewust.

Ervaren huisdictator als ze is, ordonneert Sarah iedereen naar de keuken en verdeelt ze de taken. Dave en ik moeten een koperen teil gevuld met ijsblokjes naar buiten brengen, die groot genoeg is om de dorst van het hele voetbalelftal van de universiteit van Michigan te lessen. Dave pakt de teil met zijn niet-verbrande hand beet en kijkt over zijn schouder of mijn moeder en Phil buiten gehoorsafstand zijn. 'Ik denk dat we het voor het eten moeten vertellen,' fluistert hij. 'Ik kan de spanning niet langer verdragen.'

'Echt niet? Want ik denk dat we ermee moeten wachten tot een paar dagen voor het huwelijk,' zeg ik.

'Jammer dat je daar gisteren anders over dacht,' zegt hij plagend.

'Dat is niet eerlijk.' Ik schop tegen zijn enkel met de punt van mijn sandaal en hij doet of het verschrikkelijk veel pijn doet.

'Wat is er niet eerlijk?' vraagt mijn moeder die achter me aan komt met de saladeschaal wiebelend in haar ene hand en haar glas wijn in de andere. Ze zet beide op een rustieke houten tafel midden in de achtertuin en laat zich in een tuinstoel zakken.

'Niks, mam.'

'Dave, wat voor geheim heeft mijn dochter nu weer voor me?' vraagt ze, en ze wuift zich koelte toe, terwijl het met achttien graden perfect weer is om buiten te zitten.

'Ze is zwanger van een liefdesbaby van een buitenaards wezen,' zegt Sarah met Marcus en Ella in haar kielzog, hun armen vol eten.

'Als we dáár niet beroemd en rijk mee worden,' zegt Phil.

'Eigenlijk, nu we allemaal hier zijn...' zegt Dave. Hij pakt mijn hand. 'Marissa en ik hebben ons woensdag verloofd. We gaan trouwen...'

Ella juicht en springt op waardoor haar stoel omvalt. Ze raapt hem niet op, maar rent naar me toe en slaat haar armen om mijn middel. 'Tante Marissa! Je wordt een bruid! Mag ik mee een jurk uitzoeken? Alsjeblieft?'

'Wat een geweldig nieuws,' zegt Phil, en hij slaat Dave zo hard op zijn rug dat hij naar adem moet happen. Daarna omhelst Phil me voor het eerst sinds ik hem ken. 'Ik ben echt blij voor jullie, jongens. Jullie lijken voor elkaar geschapen.'

'Dank je, Phil,' zeg ik, en ik doe mijn best om niet in tranen uit te barsten.

Gelukkig leidt mijn moeder me af met de juiste komische noot om me in te kunnen houden. 'O, god!' schreeuwt ze met de rug van haar hand theatraal tegen haar voorhoofd. 'Mijn kleine meisje is volwassen geworden!' Ze heeft gelijk, maar het komt niet door mijn verloving. Het afgelopen jaar stond ik voor meer uitdagingen dan ik me ooit had kunnen voorstellen. Toch leerde ik tot mijn eigen verbazing steeds professioneler met tegenslagen om te gaan. En als ik naar Dave kijk, die naar me staat te stralen, weet ik dat ik er helemaal klaar voor ben om aan een nieuw hoofdstuk in mijn leven te beginnen.

'Susan, breng jij een toost uit?' stelt Phil voor terwijl hij zijn glas water pakt.

'Zeker,' zegt mijn moeder, hoewel ze niet heel blij lijkt dat ze voor deze taak wordt voorgedragen. Ze schraapt haar keel en wacht even, op zoek naar de juiste woorden.

Ik verwacht dat ze iets zal gaan zeggen in de trant van dat ze niet begrijpt hoe ik aan zo'n goede vangst als Dave kom, maar in plaats daarvan heft ze haar glas en zegt: 'Dave, iedereen in de familie zal beamen dat Marissa een buitengewone vrouw is, en ik twijfel er niet aan dat ze een ongelooflijke echtgenote zal worden en een veel betere moeder dan ik ooit ben geweest. Gefeliciteerd van ons allemaal.'

'Dank je, mam. Dit betekent meer voor me dan je beseft. Proost.'

'Proost,' antwoordt mijn familie, en we klinken met onze glazen.

De volgende dag laat ik Dave achter die met Marcus aan het basketballen is, en rijd ik naar Julia's appartement. Daar aangekomen vind ik een paars Post-itbriefje op de deur: *M, ben teruggegaan naar het huis van mijn ouders. Kom je daarnaartoe? xo, J.*

Ik weet dat Julia een mobiel heeft; is het zo moeilijk om even te bellen? Maar ik onderdruk snel mijn irritatie en herinner mezelf eraan dat het slechts zeven extra minuten rijden is van hier naar daar. Ik weet tenslotte niet wanneer ik weer in Michigan zal zijn en ik wil op zijn minst afscheid nemen voordat ik vertrek.

Er wordt niet gereageerd als ik aanklop bij de Ferrars, maar de zijdeur is open, dus laat ik mezelf binnen. Ik loop door de keuken die geurt naar versgebakken brood, waarschijnlijk door een van Julia's bakbevliegingen. 'Hallo?' roep ik, maar ik krijg geen antwoord. Als ik door de gang loop, hoor ik vage maar heftige vioolmuziek van de andere kant van het huis komen. Julia is niet in haar kamer en ik loop door naar de oude bibliotheek die is omgebouwd tot dansstudio. Van al die keren dat ik sinds de middelbare school terug ben geweest in het huis van de familie Ferrar, kan ik me niet herinneren dat ik hier ben geweest.

'Juul?' roep ik, terwijl ik de trap af loop naar de lagergelegen studio die er nog altijd hetzelfde uitziet.

Als ik de kamer binnenkom tref ik Julia midden in een sprong, haar benen in een volmaakte spagaat hoog boven de vloer, en haar armen uitgestrekt als een zwaan. Ze komt perfect neer op de geboende vloer en draait rond om me aan te kijken.

'Had je niet even kunnen kloppen?' zegt ze met wantrouwig toegeknepen ogen. Dan lacht ze vals. 'Grapje, Mar. Maar serieus, je wilt toch niet dat ik een enkel breek?'

'Juul, wat doe je?' vraag ik geschokt. 'Ik dacht dat je niet kon dansen? Moet je moeder, of wie dan ook, hier niet zijn voor het geval je struikelt en je hoofd stoot of zo?'

'Doe niet zo belachelijk!' zegt ze lachend, en ze buigt zich sierlijk voorover om het lint in haar versleten spitz te stoppen. 'Je weet dat ik kan dansen. Maak je geen zorgen, ik maak geen brokken.'

En daarmee gaat ze terug naar haar positie voor de spiegelwand. Ze doet ongeduldig het opgeknoopte zwarte T-shirt goed dat over haar legging valt. Dan tilt ze snel haar rechterknie op en maakt met haar armen gebogen voor zich, op de maat van de muziek, een pirouette of haar leven ervan afhangt.

Van alle organen is het brein het kwetsbaarst. Maar het is ook sterk en weerbarstig en, natuurlijk, uiterst intelligent. Als het brein beschadigd raakt, zal het zich daarom proberen te herstellen. Een beschadigde zenuwcel kan overgebleven gezond weefsel spontaan laten aangroeien om de gebreken te compenseren van de rest van de beschadigde delen. Het is geen perfect proces, het kan makkelijk ontsporen; het kan ertoe leiden dat overlevende zenuwcellen zich verkeerd vermenigvuldigen en zich dusdanig verbinden met gezonde zenuwcellen dat wetenschappers denken dat dit pijn, toevallen en bewegings- en/of geheugenproblemen zou kunnen veroorzaken.

Maar vaak treffen deze overlevende zenuwcellen doel. En daarom wordt zelfs na jaren het geheugen van veel mensen met hersenletsel steeds beter, en met elk jaar dat verstrijkt, worden ze meer hun oude zelf.

Als ik mijn vriendin, mooier dan ooit, zie dansen, fluister ik, dank u. Tegen God, tegen het universum. En tegen Julia, omdat ze zich herinnert wie ze was.

Dankwoord

Ik vertel mensen vaak dat ik de literaire loterij heb gewonnen toen mijn agent Elisabeth Weed aanbood om me te vertegenwoordigen – en het is waar. Deze roman zou niet tot stand zijn gekomen zonder haar inzichten, enthousiasme en begeleiding.

Mijn oprechte dank gaat uit naar Denise Roy, mijn briljante redacteur bij Dutton, net als ik een gevoelig mens en die ook nog eens op dezelfde dag jarig is. Haar leiding was relativerend en gaf me veel voldoening bij het schrijven van het boek. Ik ben haar eeuwig dankbaar dat ze dit heeft willen doen.

Voor hun ondersteuning tijdens het hectische publicatieproces ben ik dank verschuldigd aan Nadia Kashper en de rest van het Penguin-team, alsmede aan Stephanie Sun van Weed Literary.

Verder bedank ik Darci Smith voor haar aanmoedigingen tijdens de eerste versie; mijn proeflezers Laurel Lambert en Shannon Callahan, die me verzekerden dat *Julia en ik* de moeite van het vertellen waard was; en Bunny Wong, die ik vreselijk mis en door wiens wijze woorden ik zelfs op mijn slechtste dagen bleef schrijven.

Een bedankje is op zijn plaats voor mijn brunchpartners en steun en toeverlaten: Britt Carlson, Katie McHugh, Sara Reistad-Long en Rachael Stiles; en de schrijvers die me tijdens het proces hebben geïnspireerd en ondersteund: Sarah Jio, Emma Johnson, Jael McHenry, Beth Hoffman, Maris Kreizman, Siobhan O'Connor, Sarah Pekkanen, J. Courtney Sullivan,

Laura Vanderkam, Julie Weingarden Dubin en Allison Winn Scotch.

De artsen Ausim Azizi, Amarish Dave en Alain de Lotbiniere, wil ik graag bedanken voor het doorgeven van hun kennis over hersenletsel. Ook had ik het geluk deel uit te maken van Girls on the Run (www.girlsontherun.org), een ongelooflijke organisatie die een inspiratie was voor delen van dit boek, waarvoor dank.

Ik ben zeer dankbaar voor de steun van mijn familie. Mijn speciale dank gaat uit naar mijn grootmoeder Patricia Pietrzak, die me de liefde voor het geschreven woord bijbracht (ze gaf me boeken van V.C. Andrews te lezen, achter mijn moeders rug om); Bill Pietrzak en Joyce Nelson voor hun nimmer aflatende steun de afgelopen jaren; mijn ouders Tip en Vanessa Noe; en mijn zussen Laurel Lambert en Janette Noe, die toevallig ook mijn beste vriendinnen zijn. En natuurlijk dank aan mijn kinderen die mijn leven zin geven.

Ten slotte bedank ik mijn echtgenoot, JP Pagán, die mijn leven ten goede heeft veranderd toen ik hem tien jaar geleden leerde kennen.